笑傲

江湖

金庸

生活·读书·新知三联书店

笑傲江湖

金 庸 著

第一集

图书在版编目（CIP）数据

笑傲江湖 （一）/金庸著. —北京：生活·读书·新
知三联书店,1994.5 （1995.8 重印）
（金庸作品集；28）
ISBN 7-108-00663-4

Ⅰ.笑… Ⅱ.金… Ⅲ.①侠义小说-中国-现代②长篇小
说-中国-现代 Ⅳ.I247.58

中国版本图书馆 CIP 数据核字（94）第 02573 号

金庸作品集"三联版"序

　　我在小学时就爱读课外书。低年级时看《儿童画报》、《小朋友》、《小学生》，后来看内容丰富的"小朋友文库"，再似懂非懂地阅读各种各样章回小说。到五六年级时，就开始看新文艺作品了。到现在，我还是喜爱古典文学作品多于近代或当代的新文学。那是个性使然。有很多朋友，就只喜欢新文学，不爱古典文学。

　　现代知识当然必须从当代的书报中去寻求。小学时代我得益最多、记忆最深的，是我爸爸和哥哥所购置的邹韬奋先生所撰的《萍踪寄语》，《萍踪忆语》等世界各地旅行记，以及他所主编的《生活周报》（新的和旧的），在童年时代，我已深受邹先生和生活书店之惠。生活书店是三联书店的主要组成部分，十多年前，香港三联书店就和我签了合同，准备在中国大陆地区出版我的小说，后因事未果。这次重行筹划，由三联书店独家出版中国大陆地区的简体字本，我不但感到欣慰，回忆昔日，心中充满了温馨之意。

　　撰写这套总数三十六册的《作品集》，是从一九五五年到七二年，前后约十三、四年，包括十二部长篇小说，两篇中篇小说，一篇短篇小说，一篇历史人物评传，以及若干篇历史考据文字。出版的过程很奇怪，不论在香港、台湾、海外地区，还是中国大陆，都是先出各种各样翻版盗印本，然后再出版经我校订、授权的正版本。在中国大陆，在这次"三联版"出版之前，只有天津百花文艺出版社一家，是经我授权而出版了《书剑恩仇录》。他们校印认真，依足合同支付版税。我依足法例缴付所得税，余数捐给了几家文化机构及支助围棋活动。这是一个愉快的经验。除此之外，完全是未经授权的。

不付版税，还在其次。许多版本粗制滥造，错讹百出。还有人借用"金庸"之名，撰写及出版武侠小说。写得好的，我不敢掠美；至于充满无聊打斗、色情描写之作，可不免令人不快了，也有些出版社翻印香港、台湾其他作家的作品而用我笔名出版发行。我收到过无数读者的来信揭露，大表愤慨。相信"三联版"普遍发行之后，可以制止这种种不讲道义的行为，侠义小说的主旨是要讲是非、讲道义，可不能太过份吧。

有些翻版本中，还说我和古龙、倪匡合出了一个上联"冰比冰水冰"征对，真正是大开玩笑了。汉语的对联有一定规律，上联的末一字通常是仄声，以便下联以平声结尾，但"冰"字属蒸韵，是平声。我们不会出这样的上联征对。大陆地区有许许多多读者寄了下联给我，大家浪费时间心力。

为了使得读者易于分辨，我把我十四部长、中篇小说书名的第一个字凑成一副对联："飞雪连天射白鹿，笑书神侠倚碧鸳"。我写第一部小说时，根本不知道会不会再写第二部；写第二部时，也完全没有想到第三部小说会用什么题材，更加不知道会用什么书名。所以这副对联当然说不上工整，"飞雪"不能对"笑书"，"白"与"碧"都是仄声，但如出一个上联征对，用字完全自由，总会选几个比较有意义而合规律的字。

有不少读者来信提出一个同样的问题："你所写的小说之中，你认为哪一部最好？最喜欢哪一部？"这个问题答不了。我在创作这些小说时有一个愿望："不要重复已经写过的人物、情节、感情，甚至是细节。"限于才能，这愿望不见得能达到，然而总是朝着这方向努力，大致来说，这十五部小说是各不相同的，分别注入了我当时的感情和思想，主要是感情。我喜爱每部小说中的正面人物，为了他们的遭遇而快乐或悲伤，有时会非常悲伤。至于写作技巧，后期比较有些进步。但技巧并非最重要，所重视的是个性和感情。

这些小说在香港、台湾都曾拍摄为电影和电视连续集，有的还拍了三、四个不同版本，此外有话剧、京剧、粤剧等。跟着来的是第二个问题："你认为哪一部电影或电视剧改编演出得最成功？剧中的男女主角哪一个最符合原著中的人物？"电影和电视的表现形式和小说根本不同，很难拿来比较。电视的篇幅长，较易发挥；电影则受到更大限制。再者，阅读小说有一个作者和读者共同使人物形象化的过程，许多人读同一部小说，脑中所出现的男女主角却未必相同，因为在书中的文字之外，又加入了读者自己的经历、个性、情感和喜憎，你会在心中把书中的男女主角和自己的情人融而为一，而别人的情人肯定和你的不同。电影和电视却把人物的形象固定了，观众没有自由想像的余地。

武侠小说继承中国古典小说的长期传统。中国最早的武侠小说，应该是唐人传奇中的《虬髯客传》、《红线》、《聂隐娘》、《昆仑奴》等精彩的文学作品。其后是《水浒传》、《三侠五义》、《儿女英雄传》等等，现代比较认真的武侠小说，更加重视正义、气节、舍己为人、锄强扶弱、民族精神、中国传统的伦理观念。读者不必过份推究其中某些夸张的武功描写，有些事实上不可能，只不过是中国武侠小说的传统。聂隐娘缩小身体潜入别人的肚肠，然后从他口中跃出，谁也不会相信是真事，然而聂隐娘的故事，千余年来一直为人所喜爱。

我初期所写的小说，汉人皇朝的正统观念很强。到了后期，中华民族各族一视同仁的观念成为基调，那是我的历史观比较有了些进步之故。这在《天龙八部》、《白马啸西风》、《鹿鼎记》中特别明显。韦小宝的父亲可能是汉、满、蒙、回、藏任何一族之人。即使在第一部小说《书剑恩仇录》中，主角陈家洛后来也皈依于回教。每一个种族、每一门宗教、某一项职业中都有好人坏人。有坏的皇帝，也有好皇帝；有很坏的大官，也有真正爱护百姓的好官。书中汉人、满人、契丹人、蒙古人、西藏人……都有好人坏人。和尚、道士、喇嘛、书生、武士之中，也有各种各样的个性和品格。有些读者喜欢把人一分为二，好坏分明，同时由个体推论到整个群体，那决不是作者的本意。

历史上的事件和人物，要放在当时的历史环境中去看。宋辽之际、元明之际，明清之际，汉族和契丹、蒙古、满族等民族有激烈斗争；蒙古、满人利用宗教作为政治工具。小说所想描述的，是当时人的观念和心态，不能用后世或现代人的观念去衡量。我写小说，旨在刻画个性，抒写人性中的喜愁悲欢。小说并不影射什么，如果有所斥责，那是人性中卑污阴暗的品质。政治观点、社会上的流行理念时时变迁，人性却变动极少。

小说写成后曾有过不少改动和增删，但失误和不足之处不免仍旧很多。我把每一位读者都当是朋友。朋友们的指教自然永远是欢迎的。

一九九四年一月

目　录

那少年哈哈大笑，马鞭在空中拍的一响，虚击声下，胯下白马昂首长嘶，在青石板大路上冲了出去。一名汉子叫道："史镖头，今儿再抬头野猪回来，大伙儿好饱餐一顿。"

一　灭门

　　和风熏柳，花香醉人，正是南国春光漫烂季节。

　　福建省福州府西门大街，青石板路笔直的伸展出去，直通西门。一座建构宏伟的宅第之前，左右两座石坛中各竖一根两太来高的旗杆，杆顶飘扬青旗。右首旗上黄色丝线绣着一头张牙舞爪、神态威猛的雄狮，旗子随风招展，显得雄狮更奕奕若生。雄狮头顶有一对黑丝线绣的蝙蝠展翅飞翔。左首旗上绣着"福威镖局"四个黑字，银钩铁划，刚劲非凡。

　　大宅朱漆大门，门上茶杯大小的铜钉闪闪发光，门顶匾额写着"福威镖局"四个金漆大字，下面横书"总号"两个小字。进门处两排长凳，分坐着八名劲装结束的汉子，个个腰板笔挺，显出一股英悍之气。

　　突然间后院马蹄声响，那八名汉子一齐站起，抢出大门。只见镖局西侧门中冲出五骑马来，沿着马道冲到大门之前。当先一匹马全身雪白，马勒脚镫都是烂银打就，鞍上一个锦衣少年，约莫十八九岁年纪，左肩上停着一头猎鹰，腰悬宝剑，背负长弓，泼喇喇纵马疾驰。身后跟随四骑，骑者一色青布短衣。

　　一行五人驰到镖局门口，八名汉子中有三个齐声叫了起来："少镖头又打猎去啦！"那少年哈哈一笑，马鞭在空中拍的一响，虚击声下，胯下白马昂首长嘶，在青石板大路上冲了出去。一名汉子叫道："史镖头，今儿再抬头野猪回来，大伙儿好饱餐一顿。"那少年身后一名四十来岁的汉子笑道:"一条野猪尾巴少不了你的,可先别灌饱了黄汤。"众人大笑声中,五骑马早去得远了。

五骑马一出城门,少镖头林平之双腿轻轻一挟,白马四蹄翻腾,直抢出去,片刻之间,便将后面四骑远远抛离。他纵马上了山坡,放起猎鹰,从林中赶了一对黄兔出来。他取下背上长弓,从鞍旁箭袋中取出一支雕翎,弯弓搭箭,刷的一声响,一头黄兔应声而倒,待要再射时,另一头兔却钻入草丛中不见了。郑镖头纵马赶到,笑道:"少镖头,好箭!"只听得趟子手白二在左首林中叫道:"少镖头,快来,这里有野鸡!"

林平之纵马过去,只见林中飞出一只雄鸡,林平之刷的一箭,那野鸡对正了从他头顶飞来。这一箭竟没射中。林平之急提马鞭向半空中抽去,劲力到处,波的一声响,将那野鸡打了下来,五色羽毛四散飞舞。五人齐声大笑。史镖头道:"少镖头这一鞭,别说野鸡,便大兀鹰也打下来了!"

五人在林中追逐鸟兽,史、郑两名镖头和趟子手白二、陈七凑少镖头的兴,总是将猎物赶到他身前,自己纵有良机,也不下手。打了两个多时辰,林平之又射了两只兔子,两只雄鸡,只是没打到野猪和獐子之类的大兽,兴犹未足,说道:"咱们到前边山里再找找去。"

史镖头心想:"这一进山,凭着少镖头的性儿,非到天色全黑决不肯罢手,咱们回去可又得听夫人的埋怨。"便道:"天快晚了,山里尖石多,莫要伤了白马的蹄子,赶明儿咱们起个早,再去打大野猪。"他知道不论说甚么话,都难劝得动这位任性的少镖头,但这匹白马他却宝爱异常,决不能让它稍有损伤。这匹大宛名驹,是林平之的外婆在洛阳重价觅来,两年前他十七岁生日时送给他的。

果然一听说怕伤马蹄，林平之便拍了拍马头，道："我这小雪龙聪明得紧，决不会踏到尖石，不过你们这四匹马却怕不行。好，大伙儿都回去吧，可别摔破了陈七的屁股。"

　　五人大笑声中，兜转马头。林平之纵马疾驰，却不沿原路回去，转而向北，疾驰一阵，这才尽兴，勒马缓缓而行。只见前面路旁挑出一个酒招子。郑镖头道："少镖头，咱们去喝一杯怎么样？新鲜兔肉、野鸡肉，正好炒了下酒。"林平之笑道："你跟我出来打猎是假，喝酒才是正经事。若不请你喝上个够，明儿便懒洋洋的不肯跟我出来了。"一勒马，飘身跃下马背，缓步走向酒肆。

　　若在往日，店主人老蔡早已抢出来接他手中马缰："少镖头今儿打了这么多野味啊，当真箭法如神，当世少有！"这么奉承一番。但此刻来到店前，酒店中却静悄悄地，只见酒炉旁有个青衣少女，头束双鬟，插着两支荆钗，正在料理酒水，脸儿向时也不转过身来。郑镖头叫道："老蔡呢，怎么不出来牵马？"白二、陈七拉开长凳，用长袖拂去灰尘，请林平之坐了。兄弟郑二位镖头在下首相陪，两个趟子手另坐一席。

　　内堂里咳嗽声响，走出一个白发老人来，说道："客官请坐，喝酒么？"说的是北方口音。郑镖头道："不喝酒，难道还喝茶？先打三斤竹叶青上来，老蔡哪里去啦？怎么？这酒店换了老板么？"那老人道："是，是，宛儿，打三斤竹叶青。不瞒众位客官说，小老儿姓萨，原是本地人氏，自幼在外做生产，儿子媳妇都死了，心想树高千丈，叶落归根，这才带了这孙女儿回故乡来。哪知道离家四十多年，家乡的亲戚朋友一个都不在了。刚好这家酒店的老蔡不想干了，三十两银子卖了给小老儿。唉，总算回到故乡啦，听着人人说这家乡话，心里就说不出的受用，惭愧得紧，小老儿自己可都不会说啦。"

那青衣少女低头托着一只木盘，在林平之等人面前放了杯筷，将三壶酒放在桌上，又低着头走了开去，始终不敢向客人瞧上一眼。

林平之见这少女身形婀娜，肤色却黑黝黝的甚是粗糙，脸上似有不少痘瘢，容貌甚丑，想是她初做这卖酒勾当，举止甚是生硬，当下也不在意。

史镖头拿了一只野鸡、一只黄兔，交给萨老头道："洗剥干净了，去炒两大盆。"萨老头道："是，是！爷们要下酒，先用些牛肉、蚕豆、花生。"宛儿也不等爷爷吩咐，便将牛肉、蚕豆之类端上桌来，郑镖头道："这位林公子，是福威镖局的少镖头，少年英雄，行侠仗义，挥金如土。你这两盘菜倘若炒得合了他少镖头的胃口，你那三十两银子的本钱，不用一两个月便赚回来啦。"萨老头道："是，是！多谢，多谢！"提了野鸡、黄兔自。

郑镖头在林平之、史镖头和自己的杯中斟了酒，端起酒杯，仰脖子一口喝干，伸舌头舔了舔嘴唇，说道："酒店换了主儿，酒味倒没变。"又斟了一杯酒，正待再喝，忽听得马蹄声响，两乘马自北边官道上奔来。

两匹马来得好快，倏忽间到了酒店外，只听得一人道："这里有酒店，喝两碗去！"史镖头听话声是川西人氏，转头张去，只见两个汉子身穿青布长袍，将坐骑系在店前的大榕树下，走进店来，向林平之等晃了一眼，便即大刺刺的坐下。

这两个头上都缠了白布，一身青袍，似是斯文打扮，却光着两条腿儿，脚下赤足，穿着无耳麻鞋。史镖头知道川人都是如此装束，头上所缠白布，乃是当年诸葛亮逝世，川人为他戴孝，武侯遗爱甚深，是以千年之下，白布仍不去首。林平之却不免希奇，心想："这两人文不文、武不武的，模样儿可透着古怪。"只听那年轻汉子叫道："拿酒来！拿酒来！格老子福建的山真多，硬是把马也累坏了。"

宛儿低头走到两个桌前，低声问道："要甚么酒？"声音虽
低，却十分清脆动听。那年轻汉子一怔，突然伸出右手，托向
宛儿的下颏，笑道："可惜，可惜！"宛儿吃了一惊，急忙退后。
另一名汉子笑道："余兄弟，这花姑娘的身材硬是要得，一张脸
蛋嘛，却是钉鞋踏烂泥，翻转石榴皮，格老子好一张大麻皮。"
那姓余的哈哈大笑。

林平之气往上冲，伸右手往桌上重重一拍，说道："甚么东
西，两个不带眼的狗崽子，却到我们福州府来撒野！"

那姓余的年轻汉子笑道："贾老二，人家在骂街哪，你猜这
兔儿爷是在骂谁？"林平之相貌像他母亲，眉清目秀，甚是俊美，
平日只消有哪个男人向他挤眉弄眼的瞧上一眼，势必一个耳光
打了过去，此刻听这汉子叫他"兔儿爷"，哪里还忍耐得住？提
起桌上的一把锡酒壶。兜头摔将过去。那姓余汉子一避，锡酒
壶直摔到酒店门外的草地上，酒水溅了一地。史镖头和郑镖头
站起身来，抢到那二人身旁。

那姓余的笑道："这小子上台去唱花旦，倒真勾引得人，要
打架可还不成！"郑镖头喝道："这位是福威镖局的林少镖头，你
天大胆子，到太岁头上动土？"这"土"字刚出口，左手一拳已
向他脸上猛击过去。那姓余汉子左手上翻，搭上了郑镖头的脉
门，用力一拖，郑镖头站立不定，身子向板桌急冲。那姓余汉
子左肘重重往下一顿，撞在郑镖头的后颈。喀喇喇一声，郑镖
头撞垮了板桌，连人带桌的摔倒。

郑镖头在福威镖局之中虽然算不得是好手，却也不是脓包
脚色，史镖头见他竟被这人一招之间便即撞倒，可见对方颇有
来头，问道："尊驾是谁？既是武林同道，难道就不将福威镖局
瞧在眼里么？"那姓余汉子冷笑道："福威镖局？从来没听见过！

那是干甚么的?"

林平之纵身而□□□□道:"专打狗崽子的!"左掌击出,不等招术使老,□□□左掌之底穿出,正是祖传"翻天掌"中的一招"云里乾坤"□□姓余的道:"小花旦倒还有两下子。"挥掌格开,右手来□□□之肩头。林平之右肩微沉,左手挥拳击出。那姓余的□□□开,不料林平之左拳突然张开,拳开变掌,直击化成横扫□□□"雾里看花",拍的一声,打了他一个耳光。□余的大怒,□□向林平之喝来。林平之冲向右侧,还脚踢出。

这时史镖头也已和那姓贾的动上了手,白二将郑镖头扶起。郑□头破口大骂,上前夹击那姓余的。林平之道:"帮史镖头,这狗贼我料理得了。"郑镖头知他要强好胜,不愿旁人相助,顺手拾起地下的一条板桌断腿,向那姓贾的头上打去。

两个趟子手奔到门外,一个从马鞍旁取下林平之的长剑,一个提了杆猎叉,指着那姓余的大骂。镖局中的趟子手武艺平庸,但喊惯了镖号,个个嗓子洪亮。他二人骂的都是福州土话,那两个四川人一句也不懂,但知总不会是好话。

林平之将父亲亲传的"翻天掌"一招一式使将出来。他平时常和镖局里的镖师们拆解,一来他这套祖传的掌法确是不凡,二来众镖师对这位少主人谁都容让三分,决没哪一个蠢才会使出真实功夫来跟他硬碰,因之他临场经历虽富,真正搏头的遭际却少。虽然在福州城里城外,也曾和些地痞恶少动过手,但那些三脚猫的把式,又如何是他林家绝艺的对手?用不上三招两式,早将人家打得目肯鼻肿,逃之夭夭。可是这次只斗得十余招,林平之便骄气渐挫,只觉对方手底下甚是硬朗。那人手上拆解,口中仍在不三不四:"小兄弟,我越瞧你越不像男人,准是个大姑娘乔装改扮的。你这脸蛋儿又红又白,给我香个面孔,格老子咱们不用打了,好不好?"

林平之心下愈怒，斜眼瞧史、郑二名镖师时，见他二人双斗那姓贾的，仍是落了下风。郑镖头鼻子上给重重打了一拳，鼻血直流，衣襟上满是鲜血。林平之出掌更快，蓦然间拍的一声响，打了那姓余的一个耳光，这一下出手甚重，那姓余的大怒，喝道："不识好歹的龟儿子，老子瞧你生得大姑娘一般，跟你逗着玩儿，龟儿子却当真打起老子来！"拳法一变，蓦然间如狂风骤雨般直上直下的打将过来。两人一路斗到了酒店外。

林平之见对方一拳中宫直进，记起父亲所传的"卸"字诀，当即伸左手挡格，将他拳力卸开，不料这姓余的膂力甚强，这一卸竟没卸开，砰的一拳，正中胸口。林平之身子一晃，领口已被他左手抓住。那人臂力一沉，将林平之的上身掀得弯了下去，跟着右臂使招"铁门槛"，横架在他后颈，狂笑说道："龟儿子，你磕三个头，叫我三声好叔叔，这才放你！"

史郑二镖师大惊，便欲撇下对手抢过来相救，但那姓贾的拳脚齐施，不容他二人走开。趟子手白二提起猎叉，向那姓余的后心戳来，叫道："还不放手？你到底有几个脑……"那姓余的在左足反踢，将猎叉踢得震出数丈，右足连环反踢，将白二踢得连打七八个滚，半天爬不起来。陈七破口大骂："乌龟王八蛋，他妈的小杂种，你奶奶的不生眼珠子！"骂一句，退一步，连骂八九句，退开了八九步。

那姓余的笑道："大姑娘，你磕不磕头！"臂上加劲，将林平之的头直压下去，越压越低，额头几欲触及地面。林平之反手出拳去击他小腹，始终差了数寸，没法打到，只觉颈骨奇痛，似欲折断，眼前金星乱冒，耳中嗡嗡之声大作。他双手乱抓乱打，突然碰到自己腿肚上一件硬物，情急之下，更不思索，随手一拔，使劲向前送去，插入了那姓余汉子的小腹。

那姓余汉子大叫一声，松开双手，退后两步，脸上现出恐怖之极的神色，只见他小腹上已多了一把匕首，直没至柄。他脸朝西方，夕阳照在匕首黄金的柄上，闪闪发光。他张开了口想要说话，却说不出来，伸手想去拔那匕首，却又不敢。

林平之也吓得一颗心似要从口腔中跳了出来，急退数步。那姓贾的和史郑二镖头住手不斗，惊愕异常的瞧着那姓余汉子。

只见他身子晃了几晃，右手抓住了匕首柄，用力一拔，登时鲜血直喷出数尺之外，旁观数人大声惊呼。那姓余汉子叫道："贾……贾……跟爹爹说……给……给我报……"右手向后一挥，将匕首掷出。那姓贾的叫道："余兄弟，余兄弟。"急步抢将过去。那姓余的扑地而倒，身子抽搐了几下，就此不动了。

史镖头低声道："抄家伙！"奔到马旁，取了兵刃在手。他江湖阅历丰富，眼见闹出了人命，那姓贾的非拚命不可。

那姓贾的向林平之瞪视半晌，抢过去拾起匕首，奔到马旁，跃上马背，不及解缰，匕首一挥，便割断了缰绳，双腿力夹，纵马向北疾驰而去。

陈七走过去在那姓余的尸身上踢了一脚，踢得尸身翻了起来，只见伤口中鲜血兀自汩汩流个不住，说道："你得罪咱们少镖头，这不是活得不耐烦了？那才叫活该！"

林平之从来没杀过人，这时已吓得脸上全无血色，颤声道："史……史镖头，那……那怎么办？我本来……本来没想杀他。"

史镖头心下寻思："福威镖局三代走镖，江湖上斗殴杀人，事所难免，但所杀伤的没一个不是黑道人物，而且这等斗杀总是在山高林密之处，杀了人后就地一埋，就此了事，总不见劫镖的盗贼会向官府告福威镖局一状？然而这次所杀的显然不是盗贼，又是密迩城郊，人命关天，非同小可，别说是镖局子的少镖头，就算总督、巡按的公子杀了人，可也不能轻易了结。"皱眉道："咱们快将尸首挪到酒店里，这里邻近大道，莫让人见了。"好在其时天色向晚,道上并无别人。白二、陈七将尸身抬入店中。史镖头低声道:"少镖头,身边有银子没有?"林平之忙道:"有,有,有!"将怀中带着的二十几两碎银子都掏了出来。

史镖头伸手接过,走进酒店,放在桌上,同萨老头道:"萨老头,这外路人调戏你家姑娘,我家少镖头仗义相助,迫于无奈,这才杀了他。大家都是亲眼瞧见的。这件事由你身上而起,倘若闹了出来,谁都脱不了干系。这些银子你先使着,大伙儿先将尸首埋了,再慢慢儿想法子遮掩。"萨老头道:"是!是!是!"郑镖头道:"咱们福威镖局在外走镖,杀几个绿林盗贼,当真稀松平常。这两只川耗子,鬼头鬼脑的,我瞧不是江洋大盗,便是采花大贼,多半是到福州府来做案的。咱们少镖头招子明亮,才把这大盗料理了,保得福州府一方平安,本可到官府领赏,只是少镖头怕麻烦,不图这个虚名。老头儿,你这张嘴可得紧些,漏了口风出来,我们便说这两个大盗是你勾引来的,你开酒店是假的,做眼线是真。听你口音,半点也不像本地人。否则为甚么这二人迟不来、早不来,你一开酒店便来,天下的事情哪有这门子巧法?萨老头只道:"不敢说,不敢说!"

史镖头带着白二、陈七,将尸首埋在酒店后面的菜园之中,又将店门前的血迹用锄头锄得干干净净,覆到了上下。郑镖头向萨老头道:"十天之内,我们要是没听到消息走漏,再送五十两银子来给你做棺材本。你倘若乱嚼舌根,哼哼,福威镖局刀下杀的贼子没有一千,也有八百,再杀你一老一少,也不过是在你菜园子的土底再添两具死尸。"萨老头道:"多谢,多谢!不敢说,不敢说!"

待得料理妥当,天已全黑。林平之心下略宽,忐忑不安的回到镖局子中。一进大厅，只见父亲坐在太师椅中，正在闭目沉思，林平之神色不定，叫道："爹!"

林震南面色甚愉，问道："去找猎了？打到了野猪没有？"林平之道："没有。"林震南举起手中烟袋，突然向他肩头击下，笑喝："还招!"林平之知道父亲常常出其不意的考校自己功夫，如在平日，见他使出这招"辟邪剑法"第二十六招的"流星飞堕"，便会应以第四十六招"花开见佛"，但此刻他心神不定，只道小酒店中杀人之事已给父亲知悉，是以用烟袋责打自己，竟不敢避，叫道："爹!"

林震南的烟袋杆将要击上儿子肩头，在离他衣衫三寸处硬生生的凝招不下，问道："怎么啦？江湖上倘若遇到了劲敌，应变竟也这等迟钝，你这条肩膀还在么？"话中虽含责怪之意，脸上却仍带着笑容。

林平之道："是!"左肩一沉，滴溜溜一个转身，绕到了父亲背后，顺手抓起茶几上的鸡毛掸子，便向父亲背心刺去，正是那招"花开见佛"。

林震南点头笑道：""这才是了。"反手以烟袋格开，还了一招"江上弄笛"。林平之打起精神，以一招"紫气东来"拆解。父子俩拆到五十余招后，林震南烟袋疾出，在儿子左乳下轻轻一点，林平之招架不及，只觉右臂一酸，鸡毛掸子脱手落地。

林震南笑道："很好，很好，这一个月来每天都有长进，今儿又拆多了四招!"回身坐入椅中，在烟袋中装上了烟丝，说道："平儿，好教你得知，咱们镖局子今儿得到了一个喜讯。"林平之取出火刀火石，替父亲点着了纸媒，道："爹又接到一笔大生意？"林震南摇头知道："只要咱们镖局子底子硬，大生意怕不上门？怕的倒是大生意来到门前，咱们没本事接。"他长长的喷了口烟，说道："刚才张镖头从湖南送了信来，说道川西青城派松风观余观主，已收了咱们送去的礼物。"

林平之听到"川西"和"余观主"几个字，心中突的一跳，道："收了咱们的礼物？"

林震南道："镖局子的事，我向来不大跟你说，你也不明白。不过你年纪渐渐大了，爹爹挑着的这副重担，慢慢要移到你肩上，此后也得多理会些局子里的事才是。孩子，咱们三代走镖，一来仗着你曾祖父当年闯下的威名，二来靠着咱们家传的玩艺儿不算含糊，这才有今日的局面，成为大江以南首屈一指的大镖局。江湖上提到'福威镖局'四字，谁都要翘起大拇指，说一声：'好福气！好威风！'江湖上的事，名头占了两成，功夫占了两成，余下的六成，却要靠黑白两道的朋友们赏脸了。你想，福威镖局的镖车行走十省，倘若每一趟都得跟人家厮杀较量，哪有这许多性命去拚？就算每一趟都打胜仗，常言道：'杀敌一千，自伤八百'，镖师若有伤亡，单是给家属抚恤金，所收的镖银便不够使，咱们的家当还有甚么剩的？所以嘛，咱们吃镖行饭的，第一须得人头熟，手面宽，这'交情'二字，倒比真刀真枪的功夫还要紧些。"

林平之应道："是！"若在往日，听得父亲说镖局的重担要渐渐移上他肩头，自必十分兴奋，和父亲谈论不休，此刻心中却似十五只吊桶打水，七上八下，只想着"川西"和"余观主"那几个字。

林震南又喷了一口烟，说道："你爹爹手底下的武功，自是胜不过你曾祖父，也未必及得上你爷爷，然而这份经营镖局子的本事，却可说是强爷胜祖了。从福建往南到广东，往北到浙江、江苏，这四省的基业，是你曾祖闯出来的。山东、河北、两湖、江西和广西六省的天下，却是你爹爹手里创的。那有甚么秘诀？说穿了，也不过是'多交朋友，少结冤家'八个字而已。

福威，福威，‘福’字在上，‘威’字在下，那是说福气比威风要紧，福气便从‘多交朋友，少结冤家’这八个字而来，倘若改作了‘威福’，那可就变成作威作福了。哈哈，哈哈！”

林平之陪着父亲干笑了几声，但笑声中殊无欢愉之意。

林震南并未发觉儿子怔忡不安，又道："古人说道：既得陇，复望蜀。你爹爹却是既得鄂，复望蜀。咱们一路镖自福建向西走，从江西、湖南，到了湖北，那便止步啦，可为甚么不溯江而西，再上四川呢？四川是天府之国，那可富庶得很哪。咱们走通了四川这一路，北上陕西，南下云贵，生意少说出得再多做三成。只不过四川省是卧虎藏龙之地，高人着实不少，福威镖局的镖车要去四川，非得跟青城、峨嵋两派打上交道不可。我打从三年前，每年春秋两节，总是备了厚礼，专程派人送去青城派的松风观、峨嵋派的金顶寺，可是这两派的掌门人从来不收。峨嵋派的金光上人，还肯接见我派去的镖头，谢上几句，请吃一餐素斋，然后将礼物原封不动的退了回来，松风观的余观主哪，这可厉害了，咱们送礼的镖头只上到半山，就给挡了驾，说道余观主闭门坐观，不见外客，观中百物俱备，不收礼物。咱们的镖头别说见不到余观主，连松风观的大门是朝南朝北也说不上来。每一次派去送礼的镖头总是气呼呼的回来，说道若不是我严加嘱咐，不论对方如何无礼，咱们可必须恭敬，他们受了这肚子闷气，还不爹天娘地、甚么难听的话也骂出来？只怕大架也早打过好几场了。"

说到这里，他十分得意，站起身来，说道："哪知道这一次，余观主居然收了咱们的礼物，还说派了四名弟子到福建来回拜……"林平之道："是四个？不是两个？"林震南道："是啊，四名弟子！你想余观主这等隆重其事，福威镖局可不是脸上光彩之极？刚才我已派出快马去通知江西、湖南、湖北各处分局，对这四位青城派的上宾，可得好好接待。"

林平之忽道："爹，四川人说话，是不是总是叫别人'龟儿子'，自称'老子'？"林震南笑道："四川粗人才这么说话，普天下哪里没粗人？这些人嘴里自然就不干不净。你听听咱们局子里趟子手赌钱之时，说的话可还好听得了？你为甚么问这话？"林平之道："没甚么。"林震南道："那四位青城弟子来到这里之时，你可得和他们多亲近亲近，学些名家弟子的风范，结交上这四位朋友，日后可是受用不尽。"

爷儿俩说了一会子话，林平之始终拿不定主意，不知该不该将杀了人之事告知爹爹，终于心想还是先跟娘说了，再跟爹爹说。

吃过晚饭，林震南一家三口在后厅闲话，林震南跟夫人商量，大舅子是六月初的生日，该打点礼物送去了，可是要让洛阳金刀王家瞧得上眼的东西，可还真不容易找。

说到这里，忽听得厅外人声喧哗，跟着几个人脚步急促，奔了进来。林震南眉头一皱，说道："没点规矩！"只见奔进来的是三个趟子手，为首一人气急败坏的道："总……总镖头……"林震南喝道："甚么事大惊小怪？"趟子手陈七道："白……白二死了。"

林震南吃了一惊，问道："是谁杀的？你们赌钱打架，是不是？"心下好生着恼："这些在江湖上闯惯汉了的子可真难以管束，动不动就出刀子，拔拳头，这里府城之地，出了人命可大大的麻烦。"陈七道："不是的，不是的。刚才小李上毛厕，见到白二躺在毛厕旁的菜园里，身上没一点伤痕，全身却已冰冷，可不知是怎么死的。怕是生了甚么急病。"林震南呼了口气，心下登时宽了，道："我去瞧瞧。"当即走向菜园。林平之跟在后面。

到得菜园中，只见七八名镖师和趟子手围成一团。众人见到总镖头来到，都让了开来。林震南看白二的尸身，见他衣裳已被人解开，身上并无血迹，问站在旁边的祝镖头道："没伤痕？"祝镖头道："我仔细查过了，全身一点伤痕也没有，看来也不是中毒。"林震南点头道："通知帐房董先生，叫他给白二料理丧事，给白二家送一百两银子去。"

一名趟子手因病死亡，林震南也不如何放在心上，转身回到大厅，向儿子道："白二今天没跟你去找猎吗？"林平之道："去的，回来时还好端端的，不知怎的突然生了急病。"林震南道："嗯，世界上的好事坏事，往往都是突如其来。我总想要打开四川这条路子，只怕还得用上十年功夫，哪料得到余观主忽然心血来潮，收了我的礼不算，还派了四名弟子，千里迢迢的来回拜。"

林平之道："爹，青成派虽是武林中的名门大派。福威镖局和爹爹的威名，在江湖上可也不弱。咱们年年去四川送礼，余观主人到咱们这里，那也不过是礼尚往来。"

林震南笑道："你知道甚么？四川省的青城、峨嵋两派，立派数百年，门下英才济济，着实了不起，虽然赶不上少林、武当，可是跟嵩山、泰山、衡山、华山、恒山这五岳剑派，已算得上并驾齐驱。你曾祖远图公创下七十二路辟邪剑法，当年威震江湖，当真说得上打遍天下无敌手，但传到你祖父手里，威名就不及远图公了。你爹爹只怕又差了些。咱林家三代都是一线单传，连师兄弟也没一个。咱爷儿俩，可及不上人家人多势众了。"

林平之道："咱们十省镖局一众英雄好汉聚在一起，难道还敌不过甚么少林、武当、峨嵋、青城和五岳剑派么？"

林震南笑道："孩子，你这句话跟爹爹说说，自然不要紧，倘若在外面一说，传进了旁人耳中，立时便惹上麻烦。咱们十处镖局，八十四位镖头各有各的玩艺儿，聚在一起，自然不会输给了人。可是打胜了人家，又有甚么好处？常言道和气生财，咱们吃镖行饭，更加要让人家一步。自己矮着一截，让人家去称雄逞强，咱们又少不了甚么。"

忽听得有人惊呼：啊哟，郑镖头又死了！"

林震南父子同时一惊。林平之从椅中直跳起来，颤声道："是他们来报……"这"仇"字没说出口，便即缩住。其时林震南已迎到厅口，没留心儿子的话，只见趟子手陈七气急败坏的奔进来，叫道："总……总镖头，不好了！郑镖头……郑镖头又给那四川恶鬼索了……讨了命去啦。"林震南脸一沉，喝道："甚么四川恶鬼，胡说八道。"

陈七道："是，是！那四川恶鬼……这川娃子活着已这般强凶霸道，死了自然更加厉害……"他遇到总镖头怒目而视的严峻脸色，不敢再说下去，只是向林平之瞧去，脸上一副哀恳害怕一神气。林震南道："你说郑镖头死了？尸首在哪里？怎么死的？"

这时又有几名镖师、趟子手奔进厅来。一名镖师皱眉道："郑兄弟死在马厩里，便跟白二一模一样，身上也是没半点伤痕，七孔既不流血，脸上也没甚么青紫浮肿，莫非……莫非刚才随少镖头出去打猎，真的中了邪，冲……冲撞了甚么邪神恶鬼。"

林震南哼了一声，道："我一生在江湖上闯荡，可从来没见过甚么鬼。咱们瞧瞧去。"说着拔步出厅，走向马厩。只见郑镖头躺在地下，双手抓住一个马鞍，显是他正地卸鞍，突然之间即倒毙，绝无与人争斗厮打之象。

这时天色已黑，林震南教人提了灯笼在旁照着，亲手解开郑镖头的衣裤，前前后后的仔细察看，连他周身骨骼也都捏了一遍，果然没半点伤痕，手指骨也没断折一根。林震南素来不信鬼神，白二忽然暴毙，那也罢了，但郑镖头又是一模一样的死去，这其中便大有蹊跷，若是黑死病之类的瘟疫，怎地全身浑没黑斑红点？心想此事多半与儿子今日出猎途中所遇有关，转身问林平之道："今儿随你去打猎的，除了郑镖头和白二外，还有史镖头和他。"说着向陈七一指。林平之点了头，林震南道："你们两个随我来。"吩咐一名趟子手："请史镖头到东厢房说话。"

三人到得厢房，林震南问儿子："到底是怎么回事。"

林平之当下便将如何打猎回来在小酒店中喝酒；如何两个四川人戏侮卖酒少女，因而言语冲突；又如何动起手来，那汉子揿住自己头颈，要自己磕头；如何在惊慌气恼之中，拔出靴筒中的匕首，杀了那个汉子；又如何将他埋在菜园之中，给了银两，命那卖酒的老儿不可泄漏风声等情，一一照实说了。

林震南越听越知事情不对，但与人斗殴，杀了个异乡人，终究也不是天坍下来的大事。他不动声色的听儿子说完了，沉吟半晌，问道："这两个汉子没说是哪个门派，或者是哪个帮会的？"林平之道："没有。"林震南问："他们言语举止之中，有甚么特异之处？"林平之道："也不见有甚么古怪，那姓余的汉子……"一言未毕，林震南接口问道："你杀的那汉子姓余？"林平之道："是！我听得另外那人叫他余兄弟，可不知是人未余，还是人则俞。外乡口音，却也听不准。"林震南摇摇头，自言自语："不会，不会这样巧法。余观主说要派人来，哪有这么快就到了福州府，又不是身上长了翅膀。"

林平之一凛，问道："爹，你说这两人会是青城派的？"林震南不答，伸手比划，问道："你用'翻天掌'这一式打他，怎么拆解?"林平之道:"他没能拆得了,给我重重打了个耳光。"林震南一笑,连说:"很好!很好!很好!"厢房中本来一片肃然惊惶之气,林震南这么一笑,林平之忍不住也笑了笑,登时大为宽心。

林震南又问:你用这一式打他,他又怎么还击?"仍是一面说,一面比划。林平之道:"当时孩儿气恼头上,也记不清楚,似乎这么一来,又在他胸口打了一拳。"林震南颜色更和,道:"好,这一招本当如此打?他连这一招也拆架不开,决不会是名满天下的青城派松风观余观主的子侄。"他连说"很好",倒不是称赞儿子的拳脚不错,而是大为放心,四川一省,姓余的不知有多少,这姓余的汉子被儿子所杀,武艺自然不高,决计跟青派扯不上甚么干系。他伸出右手中指,在桌面上不住敲击,又问:"他又怎地揪住了你脑袋?"林平之伸手比划,怎生给他揪住了动弹不得。

陈七胆子大了些,插嘴道:"白二用钢叉去搠那家伙,给他反脚踢去钢叉,又踢了个筋斗。"林震南心头一振,问道:"他反脚将白二踢倒,又踢去了他手中钢叉?那……那是怎生踢法的?"陈七道:"好像是如此这般。"双方揪住椅背,右足反脚一踢,身子一跳,左足又反脚一踢。这两踢姿式拙劣,像是马匹反脚踢人一般。

林平之见他踢得难看,忍不住好笑,说道:"爹,你瞧……"却见父亲脸上大有惊恐之色,一句话便没说下去。林震南道:"这两下反踢,有些像青成派的绝技'无影幻腿',孩儿,到底他这两腿是怎样踢的?"林平之道:"那时候我给他揪住了头,看不见他反踢。"

林震南道:"是了,要问史镖头才行。"走出房门,大声叫道:"来人呀!史镖头呢?怎么请了他这许久还不见人?"两名趟子手闻声赶来，说道到处找史镖头不到。

林震南在花厅中踱来踱去，心下沉吟："这两脚反踢倘若真是'无影幻腿'，那么这汉子纵使不是余观主的子侄，跟青城派总也有些干系。那到底是甚么人？非得亲自去瞧一瞧不可。"说道："请崔镖头、季镖头来！"

崔、季两个镖师向来办事稳妥，老成持重，是林震南的亲信。他二人见郑镖头暴毙，史镖头又人影不见，早就等在厅外，听候差遣，一听林震南这么说，当即走进厅来。

林震南道："咱们去办一件事，崔季二位，孩儿和陈七跟我来。"

当下五人骑了马出城，一行向北。林平之纵马在前领路。

不多时，五乘马来到小酒店前，见店门已然关上。林平之上前敲门，叫道："萨老头，萨老头，开门。"敲了好一会，店中竟无半点声息。崔镖头望着林震南，双手作个撞门的姿势。林震南点了点头，崔镖头双掌拍出，喀喇一声，门闩折断，两扇门板向后张开，随即又自行合上，再向后张开，如此前后摇晃，发出吱吱声响。

崔镖头一撞开门，便拉林平之闪在一旁，见屋中并无动静，晃亮火折，走进屋去，点着了桌上的油灯，又点了两盏灯笼。几个人里里外外的走了一遍，不见有人，屋中的被褥、箱笼等一干杂物却均未搬走。

林震南点头道："老头儿怕事，这里杀伤了人命，尸体又埋在他菜园子里，他怕受到牵连，就此一走了之。"走到菜园里，指着倚在墙边的一把锄头，说道："陈七，把死尸掘出来瞧瞧。"陈七早认定是恶鬼作祟，只锄得两下，手足俱软，直欲瘫痪在地。

季镖头道："有个屁用？亏你是吃镖行饭的！"一手接过锄头，将灯笼交在他手里，举锄扒开泥土，锄不多久，便露出死尸身上衣服，又扒了几下，将锄头伸到尸身下，用力一挑，挑起死尸。陈七转过了头，不敢观看，却听得四人齐声惊呼，陈七一惊之下，失手抛下灯笼。蜡烛熄灭，菜园中登时一片漆黑。

林平之颤声道："咱们明明埋的是那四川人，怎地……怎地……"林震南道："快点灯笼！"他一直镇定，此刻语音中也有了惊惶之意。崔镖头晃折火点着灯笼，林震南弯腰察看死尸，过了半晌，道："身上也没伤痕，一模一样的死法。"陈七鼓起勇气，向死尸瞧了一眼，尖声大叫："史镖头，史镖头！"

地下掘出来的竟是史镖头的尸身，那四川汉子的尸首却已不知去向。

林震南道："这姓萨的老头定有古怪。"抢着灯笼，奔进屋中察看，从灶下的酒坛、铁镬，直到厅房中的桌椅都细细查了一遍，不见有异。崔季二镖头和林平之也分别查看。突然听得林平之叫道"咦！爹爹，你来看。"

林震南循声过去，见儿子站在那少女房中，手中拿着一块绿色帕子。林平之道："爹，一个贫家女子，怎会有这种东西？"林震南接过手来，一股淡淡幽香立时传入鼻中，那帕子甚是软滑，沉甸甸的，显是上等丝缎，再一细看，见帕子边缘以丝线围了三道边，一角上绣着一枝小小的红色珊瑚枝，绣工甚是精致。

林震南问："这帕子哪里找出来的？"林平之道："掉在床底下的角落里，多半是他们匆匆离去，收拾东西时没瞧见。"林震南提着灯笼俯身又到床底照着，不见别物，沉吟道："你说那卖酒的姑娘相貌甚丑，衣衫质料想来不会华贵，但是不是穿是十分整洁？"林平之道："当时我没留心，但不见得污秽，倘若很脏，她来斟酒之时我定会觉得。"

林震南向崔镖头道："老崔，你以为怎样？"崔镖头道："我看史镖头、郑镖头、与白二之死，定和这一老一少二人有关，说不定还是他们下的毒手。"季镖头道："那两个四川人多半跟他们是一路，否则他们干么要将他尸身搬走？"

林平之道："那姓余的明明动手动脚，侮辱那个姑娘，否则我也不会骂他，他们不会是一路的。"崔镖头道："少镖头有所不知，江湖上人心险恶，他们常常布下了圈套，等人去钻。两个人假装打架，引得第三者过来劝架，那两个正在打架的突然合力对付劝架之人，那是常常有的。"季镖头道："总镖头，你瞧怎样？"林震南道："这卖酒的老头和那姑娘，定是冲着咱们而来，只不知跟那两个四川汉子是不是一路。"林平之道："爹爹，你说松风观余观主派了四个人来，他们……他们不是一起四个人吗？"

这一言提醒了林震南，他呆了一呆，沉吟道："福威镖局对青城派礼数有加，从来没甚么地方开罪了他们。余观主派人来寻我晦气，那为了甚么？"

四个人你瞧瞧我，我瞧瞧你，半晌都说不出话来。隔了良久，林震南才道："把史镖头的尸身先移到屋中再说。这件事回到局中之后，谁也别提，免得惊动官府，多生事端。哼，姓林的对人客气，不愿开罪朋友，却也不是任打不还手的懦夫。"季镖头大声道："总镖头，养兵千日，用在一朝，大伙儿奋力上前，总不能损了咱们镖局的威名。"林震南点头道："是！多谢了！"

五人纵马回块，将到镖局，远远望见大门外火把照耀，聚集多人。林震南心中一动，催马上前。好几人说道："总镖头回来啦！"林震南纵身下马，只见妻子王夫人铁青着脸，道："你瞧！哼，人家这么欺上门来啦。"

只见地下横着两段旗杆，两面锦旗，正是镖局子门前的大旗，连着半截旗杆，被人弄倒在地。旗杆断截处甚是平整，显是以宝刀利剑一下子就即砍断。

王夫人身边未带兵刃，从丈夫腰间抽出长剑，嗤嗤两声响，将两面锦旗沿着旗杆割了下来，搓成一团，进了大门。林震南吩咐道："崔镖头，把这两根半截旗杆索性都砍了！哼，要挑了福威镖局，可没这么容易！"崔镖头道："是！"季镖头骂道："他妈的，这些狗贼就是没种，乘着总镖头不在家，上门来偷偷摸摸的干这等下三滥勾当。"林震南向儿子招招手，两人回进局去，只听得季镖头兀自在"狗强盗，臭杂种"的破口大骂。

父子两人来到东厢房中，见王夫人已将两面锦旗平铺在两张桌上，一面旗上所绣的那头黄狮双眼被人剜去，露出了两个空洞，另一面旗上"福威镖局"四字之中，那个"威"字也已被剜去。林震南便涵养再好，也已难以再忍，拍的一声，伸手在桌上重重一拍，喀喇一声响，那张花梨木八仙桌的桌腿震断了一条。

林平之颤声道："爹，都……都是我不好，惹出了这么大的祸事来！"林震南高声道："咱们姓林的杀了人便杀了，又怎么样？这种人倘若撞在你爹爹手里，一般的也是杀了。"王夫人问道："杀了甚么人？"林震南道："平儿说给你母亲知道。"

林平之于是将日间如何杀了那四川汉子、史镖头又如何死在那小酒店中等情一一说了。白二和郑镖头暴毙之事，王夫人早已知道，听说史镖头又离奇毙命，王夫人不惊反怒，拍案而起，说道："大哥，福威镖局岂能让人这等上门欺辱？咱们邀集人手，上四川跟青成派评评这个理去。连我爹爹、我哥哥和兄弟都请了去。"王夫人自幼是一股霹雳火爆的脾气，做闺女之时，动不动便拔刀伤人，她洛阳金刀门艺高势大，谁都瞧在她父亲金刀无敌王元霸的脸上让她三分。她现下儿子这么大了，当年火性仍是不减。

林震南道："对头是谁，眼下还拿不准。未必便是青城派。我看他们不会只吹倒两根旗杆，杀了两名镖师，就此了事……"王夫人插口道："他们还待怎样？"林震南向儿子瞧了一眼，王夫人明白了丈夫的用意，心头怦怦而跳。登时脸上变色。

林平之道："这件事是孩儿做出来的，大丈夫一人做事一身当，孩儿也……也不害怕。"他口中说不怕，其实不得不怕，话声发颤，泄漏了内心的惶惧之情。

王夫人道："哼，他们要想动你一根寒毛，除非先将你娘杀了。林家福威镖局这杆镖旗立了三代，可从未折过半点威风。"转头向林震南道："这口气倘若出不了，咱们也不用做人啦。"林震南点了点头，道："我去派人到城里城外各处查察，看有何面生的江湖道，再加派人手，在镖局子内外巡查。你陪着平儿在这里等我，别让他出去乱走。"王夫人道："是了，我理会得。"他夫妇心下明白，敌人下一步便会向儿子下手，敌暗我明，林平之只须踏出福威镖局一步，立时便有杀身之祸。

林震南来到大可，邀集镖师，分派各人探查巡卫。众镖师早已得讯，福威镖局的旗杆给人砍倒，那是给每个人打上个老大的耳光，人人敌忾同仇，早已劲装结束，携带兵刃，一得总镖头吩咐，便即出发。

林震南见局中上下齐心，合力抗敌，稍觉宽怀，回入内堂，向儿子道："平儿，你母亲这几日身子不大舒服，又有大敌到来，你这几晚便睡在咱们房外的榻上，保护母亲。"王夫人笑道："嘿，我要他……"话说得一半，猛地省悟，丈夫要儿子保护自己是假，实则是夫妇俩就近保护儿子，这宝贝儿子心高气傲，要他依附于父母庇护之下，说不定他心怀不忿，自行出去向敌人挑战，那便危险之极，当即改口道："正是，平儿，妈妈这几日发风湿，手足酸软，你爹爹照顾全局，不能整天陪我，若有敌人侵入内堂，妈妈只怕抵挡不住。"林平之道："我陪着妈妈就是。"

当晚林平之睡在父母房外榻上。林震南夫妇打开了房门，将兵刃放在枕边，连衣服鞋袜都不脱下，只身上盖一张薄被，只待一有警兆，立即跃起迎敌。

这一晚却太平无事。第二日天刚亮，有人在窗外低声叫道："少镖头，少镖头！"林平之夜半没好睡，黎明时分睡得正熟，一时未醒。林震南道："甚么事？"外面那人道："少镖头的马……那匹马死啦。"这匹白马林平之十分喜爱，负责照看的马夫一见马死，慌不迭来禀报。林平之朦朦胧胧中听到了，翻身坐起，忙道："我去瞧瞧。"林震南知道事有蹊跷，一起快步走向马厩，只见那匹白马横卧在地，早已气绝，身上却也没半点伤痕。

林震南问道："夜里没听到马叫，有甚么响动？"那马夫道："没有。"林震南拉着儿子的手道："不用可惜，爹爹叫人另行去设法买一匹骏马给你。"林平之抚摸马尸，怔怔的掉下泪来。

突然间趟子手陈七急奔过来，气急败坏的道："总……总镖头不好……不好啦！那些镖头……镖头们，都给恶鬼讨了命去啦。"林震南和林平之齐声惊问："甚么？"

陈七只是道："死了，都死了！"林平之怒道："甚么都死了"伸手抓住他了胸口，摇晃了几下。陈七道："少……少镖头……死了。"林震南听他说"少镖头死了"，这不祥之言入耳，说不出的厌闷烦恶，但若由此斥骂，更着形迹。只听得外面人声嘈杂，有的说："总镖头呢？快禀报他老人家。"有的说："这恶鬼如此厉害，那……那怎么办？"

林震南大声道："我在这里，甚么事？"两名镖师、三名趟子手闻声奔来。为首一名镖师道："总镖头，咱们派出去的众兄弟，一个也没回来。"林震南先前听得人声，料到又有人暴毙，但昨晚派出去查访的镖师和趟子手共有二十三人之多，岂有全军覆没之理，忙问"有人死了么？多半他们还在打听，没来得及回来。"那镖师摇头道："已发现了十七具尸体……"林震南和林平之齐声惊道："十七具尸体？"那镖师一脸惊恐之色，道："正是，一十七具，其中有富镖头、钱镖头、吴镖头。尸首停在大厅上。"林震南更不打话，快步来到大厅，只见厅上原来摆着的桌子椅子都已挪开，横七竖八的停放着十七具尸首。

饶是林震南一生经历过无数风浪，陡然间见到这等情景，双手禁不住剧烈发抖，膝盖酸软，几乎站不直身子，问道："为……为……为……"喉头干枯，发不出声音。

只听得厅外有人道："唉，高镖头为人向来忠厚，想不到也给恶鬼索了命去。"只见四五名附近街坊，用门板抬了一具尸首进来。为首的一名中年人说道："小人今天打开门板，见到这人死在街上，认得是贵局的高镖头，想是发了瘟疫，中了邪，特地送来。"林震南拱手道："多谢，多谢。"向一名趟子手道："这几位高邻，每位送三两银子，你到帐房去支来。"这几名街坊见到满厅都是尸首，不敢多留，谢了自去。

过不多时，又有人送了三名镖师的尸首来，林震南核点人数，昨晚派出去二十三人，眼下已有二十二具尸首，只有褚镖师的尸首尚未发现，然而料想那也是转眼受之的事。

他回到东厢房中，喝了杯热茶，心乱如麻，始终定不下神来，走出大门，见两根旗杆已齐根截去，心下更是烦恼，直到此刻，敌人已下手杀了镖局中二十余人，却始终没有露面，亦未正式叫阵，表明身分。他回过头来，向着大门上那块书着

"福威镖局"四字的金字招牌凝望半晌，心想："福威镖局在江湖上扬威数十年，想不到今日要败在我的手里。"

忽听得街上马蹄声响，一匹马缓缓行来，马背上横卧着一人。林震南心中料到了三分，纵身过去，果见马背上横卧着一具死尸，正是褚镖头，自是在途中被人杀了，将尸首放在马上，这马识得归途，自行回来。

林震南长叹一声，眼泪滚滚而下，落在褚镖头身上，抱着他的尸身，走进厅去，说道："褚贤弟，我若不给你报仇，誓不为人，只可惜……只可惜，唉，你去得太快，没将仇人的姓名说了出来。"这褚镖头在镖局子中也无过人之处，和林震南并无特别交情，只是林震南心情激荡之下，忍不住落泪，这些眼泪之中，其实气愤犹多于伤痛。

只见王夫人站在厅口，左手抱着金刀，右手指着天井，大声斥骂："下三滥的狗强盗，就只会偷偷摸摸的暗箭伤人，倘若真是英雄好汉，就光明正大的到福威镖局来，咱们明刀明枪的决一死战。这般鬼鬼祟祟的干这等鼠窃勾当，武林中有谁瞧得起你？"林震南低声道："娘子，瞧见了甚么动静？"一面将褚镖头的尸体放在地下。

王夫人大声道："就是没见到动静呀。这些狗贼，就怕了我林家七十二路辟邪剑法。"右手握住金刀刀柄，在空中虚削一圈，喝道："也怕了老娘手中这口金刀！"忽听得屋角上有人嘿嘿冷笑，嗤的一声，一件暗器激射而下，当的一声，打在金刀的刀背之上。王夫人手臂一麻，拿捏不住，金刀脱手，余势不衰，那刀直滚到天井中去。

林震南一声轻叱，青光一闪，已拔剑在手，双足一点，上了屋顶，一招"扫荡群魔"，剑点如飞花般散了开来，疾向敌人发射暗器之处刺到。他受了极大闷气，始终未见到敌人一面，这一招竭尽平生之力，丝毫未留余地，哪知这一剑却刺了个空，屋角边空荡荡地，哪里有半个人影？他矮身跃到了东厢屋顶，仍不见敌人踪迹。

王夫人和林平之手提兵刃，上来接应。王夫人暴跳如雷，大叫："狗崽子，有种的便出来决个死战，偷偷摸摸的，是哪一门不要脸的狗杂种？"向丈夫连问："狗崽子逃去了？是怎么样的家伙？"林震南摇了摇头，低声道："别惊动了旁人。"三个人又在屋顶寻觅了一遍，这才跃入天井。林震南低声问道："是甚么暗器打了你的金刀？"王夫人骂道："这狗崽子！不知道！"三人在天井中一找，不见有何暗器，只见桂花树下有无数极细的砖粒，散了一地，显而易见，敌人是用一小块砖头打落了王夫人手中的金刀，小小一块砖头上竟发出如此劲力，委实可畏可怖。

王夫人本在满口"狗崽子，臭杂种"的乱骂，见到这些细碎的砖粒，气恼之情不由得转而为恐惧，呆了半晌，一言不发地走进厢房，待丈夫和儿子跟着进来，便即掩上了门房，低声道："敌人武功甚是了得，咱们不是敌手，那便如何……如何……"

林震南道："向朋友求救，武林之中，患难相助，那也是寻常之事。"王夫人道："咱们交情深厚的朋友固然不少，但武功高过咱夫妻的却没几个。比咱俩还差一点的，邀来了也没用处。"林震南道："话是不错，但人众主意多，邀些朋友来商量商量，也是好的。"王夫人道："也罢，你说该邀哪些人？"林震南道："就近的先邀，咱们先把杭州、南昌、广州三处镖局中的好手调来，再把闽、浙、粤、赣四省的武林同道邀上一些。"

王夫人皱眉道："这么事急求救，江湖上传了开去，实是大大堕了福威镖局的名头。"林震南忽道："娘子，你今年三十九岁罢？"王夫人啐道："呸！这当儿还来问我的年纪？我是属虎，你不知道我几岁吗?"林震南道:"我发帖子出去,便说是给你做四十岁的大生日……"王夫人道:"为甚么好端端给我添上一岁年纪?我还老得不够快么?"林震南摇头道:"你几时老了?头上白发也还没一根。我说给你做生日,那么请些至亲好友,谁也不会起疑。等到客人来,咱们只拣相好的暗中一说,那便跟镖局的名头无损。"王夫人侧头想了一会,道:"好罢,且由得你。那你送甚么礼物给我?"林震南在她耳边低声道:"送一份大礼,明年咱们再生个大胖儿子!"

王夫人呸的一声,脸上一红,啐道:"老没正经的,这当儿还有心情说这些话。"林震南哈哈一笑,走进帐房,命人写人写帖子去邀请朋友,其实他忧心忡忡,说几句笑话,不过意在消减妻子心中的惊惧而已,心下暗忖:"无远难救近火,多半便在今晚,镖局中又会有事发生,等到所邀的朋友们到来,不知世人还有没有福威镖局?"

他走到帐房门前,只见两名男仆脸上神色十分惊恐,颤声道:"总……总……镖头……这……这不好了。"林震南道:"怎么啦?"一名男仆道:"刚才帐房先生叫林福去买棺材,他……他……出门刚走到东小街转角,就倒在地上死了。"林震南道:"有这等事?他人呢?"那男仆道:"便倒在街上。"林震南道:"去把他尸首抬来。"心想:"光天化日之下,敌人竟在闹市杀人,当真是胆大妄为之极。"那两名男仆道:"是……是……"却不动身。林震南道:"怎么了?"一名男仆道:"请总镖头去看……看……"

林震南情知又出了古怪,哼的一声,走向大门,只见门口三名镖师、五名趟子手望着门外,脸色灰白,极是惊惶。林震南道:"怎么了?"不等旁人回答,已知就里,只见大门外青石板上,淋淋滴滴的鲜血写着六个大字:"出门十步者死"。离门约莫十步之处，画着一条宽约寸许的血线。

林震南问道："甚么时候写的，难道没人瞧见么？"一名镖师道："刚才林福死在东小街上，大家拥了过去看，门前没人，就不知谁写了，开这玩笑！"林震南提高嗓子，朗声说道："姓林的活得不耐烦了，倒要看看怎地出门十步者死！"大踏步走出门去。

两名镖师同时叫道："总镖头！"林震南将手一挥，径自迈步跨过了血线，瞧那血字血线，兀自未干，伸足将六个血字擦得一片模糊，这才回进大门，向三名镖师道："这是吓人的玩意儿，怕他甚么？三位兄弟，便请去棺材铺走一趟，再到西城天宁寺，去请班和尚来作几日法事，超度亡魂，驱除瘟疫。"

三名镖师眼见总镖头跨过血线，安然无事，当下答应了，整一整身上兵刃，并肩走出门去。林震南望着他们过了血线，转过街角，又待了一会，这才进内。

他走进帐房，向帐房黄先生道："黄夫子，请你写几张帖子，是给夫人做寿的，邀请亲友们来喝杯寿酒。"黄先生道："是，不知是哪一天？"忽听得脚步声急，一人奔将进来，林震南探头出去，听得砰的一声，有人摔倒在地。林震南循声抢过去，见是适才奉命去棺材铺三名镖头中的狄镖头，身子尚在扭动。林震南伸手扶起，忙问："狄兄弟，怎么了？"狄镖头道："他们死了，我……我逃了回来。"林震南道："敌人怎么样子？"狄镖头道："不……不知……不知……"一阵痉挛，便即气绝。

片刻之间，镖局中人人俱已得讯。王夫人和林平之都从内堂出来，只听得每个人口中低声说的都是"出门十步者死"这六个字。林震南道："我去把那两位镖师的尸首背回来。"帐房黄先生道："总……总镖头……去不得，重赏之下，必有勇夫。谁……谁去背回尸首，赏三十两银子。"他说了三遍，却无一人作声。王夫人突然叫道："咦，平儿呢？平儿，平儿！"最后一声已叫得甚是惶急。众人跟着都呼喊起来："少镖头，少镖头！"

忽听得林平之的声音在门外响起："我在这里。"众人大喜，奔到门口，只见林平之高高的身形正从街角转将出来，双肩上各负一具尸身，正是死在街上的那两名镖师。林震南和王夫人双双抢出，手中各挺兵刃，过了血线，护着林平之回来。

众镖师和趟子手齐声喝彩："少镖头少年英雄，胆识过人！"

林震南和王夫人心下也十分得意。王夫人埋怨道："孩子，做事便这么莽撞！这两位镖头虽是好朋友，然而总是死了，不值得冒这么大的危险。"

林平之笑了笑，心下说不出的难过："都为了我一时忍不住气，杀了一人，以致这许多人为我而死。我若再贪生怕死，何以为人？"

忽听得后堂有人呼唤起来："华师傅怎地好端端的也死了？"

林震南喝问"怎么啦？"局中的管事脸色惨白，畏畏缩缩的过来。说道："总镖头，华师傅从后门出去买菜，却死在十步之外。后门口也有这……这六个血字。"那华师傅是镖局中的厨子，烹饪功夫着实不差，几味冬瓜盅、佛跳墙、糟鱼、肉皮馄饨，驰誉福州，是林震南结交达官富商的本钱之一。林震南心头又是一震，寻思："他只是寻常一名厨子，并非镖师、趟子手。江湖道的规矩，劫镖之时，车夫、轿夫、骡夫、挑夫，一概不杀。敌人下手却如此狠辣，竟是要灭我福威镖局的满门么？"向众人道："大家休得惊慌。哼，这些狗强盗，就只会趁人不防下手。你们大家都亲眼见到的，刚才少镖头和我夫妇明明走出了大门十步之外，那些狗强盗又敢怎样？"

众人唯唯称是，却也无一人敢再出门一步。林震南和王夫人愁眉相对，束手无策。

当晚林震南安排了众镖师守夜，哪知自己仗剑巡查之时，见十多名镖师竟是团团坐在厅上，没一人在外把守。众镖师见到总镖头，都讪讪的站起身来，却仍无一人移动脚步。林震南心想敌人实在太强，局中已死了这样多人，自己始终一筹莫展，也怪不得众人胆怯，当下安慰了几句，命人送酒菜来，陪着众镖师在厅上喝酒。众人心头烦恼，谁也不多说话，只喝那闷酒，过不多时，便已醉倒了数人。

次日午后，忽听得马蹄声响，有几骑马从镖局奔了出去。林震南一查，原来是五名镖师耐不住这局面，不告而去。他摇头叹道："大难来时各自飞。姓林的无力照顾众位兄弟，大家要去便去罢。"余下众镖师有的七张八嘴，指斥那五人太没义气；有几人却默不作声，只是叹气，暗自盘算："我怎么不走？"

傍晚时分，五匹马又驮了五具尸首回来。这五名镖师意欲逃离险地，反而先送了性命。

林平之悲愤难当，提着长剑冲出门去，站在那条血线的三步之外，朗声说道："大丈夫一人做事一人当，那姓余的四川人，是我林平之杀的，可跟旁人毫不相干。要报仇，尽管冲着林平之来好了，千刀万剐，死而无怨，你们一而再，再而三的杀害良善，算是甚么英雄好汉？我林平之在这里，有本事尽管来杀！不敢现身便是无胆匪类，是乌龟忘八羔子！"他越叫越大声解开衣襟，袒露了胸膛，拍胸叫道："堂堂男儿，死便死了，有种的便一刀砍过来，为甚么连见我一面也不敢？没胆子的狗崽子，小畜生！"

他红了双眼，拍胸大叫，街上行人远远瞧着，又有谁敢走近镖局观看。

林震南夫妇听到儿子叫声，双双抢到门外。他二人这几日来心中也是别扭得狠了，满腔子的恼恨，真连肚子也要气炸，听得林平之如此向敌人叫阵，也即大声喝骂。

众镖师面面相觑，都佩服他三人胆气，均想："总镖头英雄了得，夫人是女中丈夫，那也罢了。少镖头生得大姑娘似的，居然这般天不怕、地不怕的向敌人喝骂，当真了不起！"

林震南等三人骂了半天，四下里始终鸦雀无声。林平之叫道："甚么出门十步者死，我偏偏再多走几步，瞧你们又怎么奈何我？"说道向外跨了几步，横剑而立，傲视四方。

王夫人道："好啦，狗强盗欺善怕恶，便是不敢惹我孩儿。"拉着林平之的手，回进大门。林平之兀自气得全身发抖，回入卧室之后再也忍耐不住，伏在榻上，放声大哭。林震南抚着他头，说道："孩儿，你胆子不小，不愧是我林家的好男儿，敌人就是不敢露面，咱们又有甚么法子？你且睡一阵。"

林平之哭了一会，迷迷糊糊的便睡着了。吃过晚饭后，听得父亲和母亲低听说话，却是局中有几名镖师异想天开，要从后园中挖地道出去，通过十步之外的血线逃生，否则困在镖局子中，早晚送了性命。王夫人冷笑道："他们要挖地道，且由得他们。只怕……只怕……哼！"林震南父子都明白她话中之意。那是说只怕便跟那五名骑马逃命的镖师一般，徒然提早送了性命。林震南沉吟道："我去瞧瞧，倘若这是条生路，让大伙儿去了也好。"他出去一会，回进房来，说道："这些人只嘴里说得热闹，可是谁也不敢真的动手挖掘。"当晚三人一早便睡了。镖局中人人都是打着听天由命的念头，也不再有甚么人巡查守夜。

林平之睡到中夜，忽觉有人轻拍自己肩头，他一跃而起，伸手去抽枕底长剑，却听母亲的声音说道："平儿，是我。你爹出去了半天没回来，咱们找找他去。"林平之吃了一惊："爹到哪里去了？"王夫人道："不知道！"

二人手提兵刃，走出房来，先到大厅外一张，只见厅中灯烛明亮，十几名镖师正在掷骰子赌博。大家提心吊胆的过了数日，都觉反正无能为力，索性将生死置之度外。王夫人打个手势，转身便去，母子俩到处找寻，始终不见林震南的影踪，二人心中越来越惊，却不敢声张，局中人心惶惶之际，一闻总镖头失踪，势必乱得不可收拾。两人寻到后进，林平之忽听得左首兵器间发出喀的一声轻响，窗格上又有灯光透出。他纵身过去，伸指戳破窗纸，往里一望，喜呼："爹爹，原来你在这里。"

林震南本来弯着腰，脸朝里壁，闻声回过头来。林平之见到父亲脸上神情恐怖之极，心中一震，本来满脸喜色登时僵住了，张大了嘴，发不出声音。

王夫人推开室门，闯了进去，只见满地是血，三张并列的长凳上卧着一人，全身赤裸，胸膛肚腹均已剖开，看这死尸之脸，认得是霍镖头，他日间和四名镖头一起乘马逃去，却被马匹驮了死尸回来。林平之也走进了兵器间，反手带上房门。林震南从死人胸膛中拿起了一颗血淋淋的人心，说道："一颗心给震成了八九片，果然是……果然是……"王夫人接口道："果然是青城派的'摧心掌'！"林震南点了点头，默然不语。

林平之这才明白，父亲原来是在剖尸查验被人的死因。

林震南放回人心，将死尸裹入油布，抛在墙角，伸手在油布上擦干了血迹，和妻儿回入卧房，说道："对头确是青城派的高手。娘子，你说该怎么办？"

林平之气愤愤的道："此事由孩儿身上而起，孩儿明天再出去叫阵，和他决一死战。倘若不敌，给他杀死，也就是了。"林震南摇头道："此人一掌便将人心震成八九块，死者身体之外却不留半点伤痕，此人武功之高，就在青城派中，也是数一数二的人物，他要杀你，早就杀了，我瞧敌人用心阴狠，决不肯爽爽快快将咱一家三口杀了。"林平之道："他要怎样？"林震南道：

· 36 ·

"这狗贼是猫捉老鼠，要玩弄个够，将老鼠吓得心胆俱裂，自行吓死，他方快心意。"林平之怒道："哼，这狗贼竟将咱们福威镖局视若无物。"

林震南道："他确是将福威镖局视若无物。"林平之道："说不定他是怕了爹爹的七十二路辟邪剑法，否则为甚么始终不敢明剑明枪的交手，只是趁人不备，暗中害人？"林震南摇头道："平儿，爹爹的辟邪剑法用以对付黑道中的盗贼，那是绰绰有余，但此人的摧心掌功夫，实是远远胜过了你爹爹。我……我向不服人，可是见了霍镖头的那颗心，却是……却是……唉！"林平之见父亲神情颓丧，和平时大异，不敢再说甚么。

王夫人道："既然对头厉害，大丈夫能屈能伸，咱们便暂且避他一避。"林震南点头道："我也这么想。"王夫人道："咱们连夜动身去洛阳，好在已知道敌人来历，君子报仇，十年未晚。"林震南道："不错！岳父交友遍天下，定能给咱们拿个主意。收捡些细软，这便动身。"林平之道："咱们一走，丢下镖局中这许多人没人理会，那可如何是好？"林震南道："敌人跟他们无冤无仇，咱们一走，镖局中的众人反而太平无事了。"

林平之心道："爹爹这话有理，敌人害死镖局中这许多人，其实只是为了我一人。我脱身一走，敌人决不会再和这些镖师、趟子手为难。"当下回到自己房中收拾。心想说不定敌人一把火便将镖局烧个精光，看着一件件衣饰玩物，只觉这样舍不得，那件丢不下，竟打了老大两个包裹，兀自觉得留下东西太多，左手又取过案上一只玉马，右手卷了张豹皮，那是从他亲手打死的花豹身上剥下来的，背负包裹，来到父母房中。

王夫人见了不禁好笑，说道："咱们是逃难，可不是搬家，带这许多劳甚子干么？"林震南汉了一口气，摇了摇头，心想："我们虽是武学世家，但儿子自小养尊处优，除了学过一些武功之外，跟寻常富贵人家的纨裤子弟也没甚么分别，今日猝逢大难，仓皇应变，却也难怪得他。"不由得爱怜之心，油然而生，说道："你外公家里甚么东西都有，不必携带太多物件。咱们只须多带些黄金银两，值钱的珠宝也带一些。此去到江西、湖南、湖北都有分局，还怕路上讨饭么？包裹越轻越好，身上轻一两，动手时便灵便一分。"林平之无奈，只得将包裹放下。

王夫人道："咱们骑马从大门光明正大的冲出去，还是从后门悄悄溜出去？"

林震南坐在太师椅上，闭起双目，将旱烟管抽得呼呼直响，过了半天，才睁开眼来，说道："平儿，你去通知局中上下人等，大家收拾收拾，天明时一齐离去。叫帐房给大家分发银两。待瘟疫过后，大家再回来。"林平之应道："是！"心下好生奇怪，怎地父亲忽然又改变了主意。王夫人道："你说要大家一哄而散？这镖局子谁来照看？"林震南道："不用看了，这座闹鬼的凶宅，谁敢进来送死？再说，咱三人一走，余下各人难道不走？"当下林平之出房传讯，局中登时四下里都乱了起来。

林震南待儿子出房，才道："娘子，咱父子换上趟子手的衣服，你就扮作个仆妇，天明时一百多人一哄而散，敌人武功再高，也不过一两个人，他又去追谁好？"王夫人拍掌赞道："此计极高。"便去取了两套趟子手的污秽衣衫，待林平之回来，给他父子俩换上，自己也换了套青布衣裳，头上包了块蓝花布帕，除了肤色太过白皙，宛然便是个粗作仆妇。林平之只觉身上的衣衫臭不可当，心中老大不愿意，却也无可奈何。

黎明时分，林震南吩咐打开大门，向众人说道："今年我时运不利，局中疫鬼为患，大伙儿只好避一避。众位兄弟倘若仍愿干保镖这一行的，请到杭州府、南昌府去投咱们的浙江分局、江西分局，那边刘镖头、易镖头自不会怠慢了各位。咱们走罢！"

当下一百余人在院子中纷纷上马，涌出大门。

林震南将大门上了锁，一声呼叱，十余骑马冲过血线，人多胆壮，大家已不如何害怕，都觉早一刻离开镖局，便多一分安全。蹄声沓沓，齐向北门奔去，众人大都无甚打算，见旁人向北，便也纵马跟去。

林震南在街角边打个手势，叫夫人和儿子留了下来，低声道："让他们向北，咱们却向南行。"王夫人道："去洛阳啊，怎地往南？"林震南道："敌人料想咱们必去洛阳，定在北门外拦截，咱们却偏偏向南，兜个大圈子再转而向北，叫狗贼拦一个空。"

林平之道："爹！"林震南道："怎么？"林平之不语，过了片刻，又道："爹。"王夫人道："你想说甚么，说出来罢。"林平之道："孩儿还是想出北门，这狗贼害死了咱们这许多人，不跟他拚个你死我活，这口恶气如何咽得下去？"王夫人道："这番大仇，自然是要报的，但凭你这点儿本领，抵挡得了人家的摧心掌么？"林平之气忿忿的道："最多也不过像霍镖头那样，给他一掌碎了心脏，也就是啦。"

林震南脸色铁青，道："我林家三代，倘若都似你这般逞那匹夫之勇，福威镖局不用等人来挑，早就自己垮啦。"

林平之不敢再说，随着父母径向南行，出城后折向西南，过闽江后，到了南屿。

这大半日奔驰，可说马不停蹄，直到过午，才到路旁一家小饭铺打尖。

林震南吩咐卖饭的汉子有甚么菜肴，将就着弄来下饭，越快越好。那汉子答应着去了。可是过了半天全无动静。林震南急着赶路，叫道："店家，你给快些！"叫了两声，无人答应。王夫人也叫："店家，店家……"仍是没有应声。

王夫人霍地站起，急忙打开包裹，取出金刀，倒提在手，奔向后堂，只见那卖饭的汉子摔在地下，门槛上斜卧着一个妇人，是那汉子的妻子。王夫人探那汉子鼻息，已无呼吸，手指碰到他嘴唇，尚觉温暖。

这时林震南父子也已抽出长剑，绕着饭铺转了一圈。这家小饭铺独家孤店，靠山而筑，附近是一片松林，并无邻家。三人站在店前，远眺四方，不见半点异状。

林震南横剑身前，朗声说道："青城派的朋友，林某在此领死，便请现身相见。"叫了几声，只听得山谷回声："现身相见，现身相见！"余音袅袅，此外更无声息。三人明知大敌窥视在侧，此处便是他们择定的下手之处，心下虽是惴惴，但知道立即便有了断，反而定下神来。林平之大声叫道："我林平之就在这里，你们来杀我啊！臭贼，狗崽子，我料你就是不敢现身！鬼鬼祟祟的，正是江湖上下三滥毛贼的勾当！"

突然之间，竹林中发出一声清朗的长笑，林平之眼睛一花，已见身前多了一人。他不及细看，长剑挺出，便是一招"直捣黄龙"，向那人胸口疾刺。那人侧身避开。林平之横剑疾削，那人嘿的一声冷笑，绕到林平之左侧。林平之左手反拍一掌，回剑刺去。

林震南和王夫人各提兵刃，本已抢上，然见儿子连出数招，剑法井井有条，此番乍逢强敌，竟丝毫不乱，当即都退后两步，见敌人一身青衫，腰间悬剑，一张长脸，约莫二十三四岁年纪，脸上满是不屑的神情。

林平之蓄愤已久，将辟邪剑法使将开来，横削直击，全是奋不顾身的拚命打法。那人空着双手，只是闪避，并不还招，待林平之刺出二十余招剑，这才冷笑道："辟邪剑法，不过如此！"

伸指一弹，铮的一声响，林平之只觉虎口剧痛，长剑落地。那人飞起一腿，将林平之踢得连翻几个筋斗。

林震南夫妇并肩一立，遮住了儿子。林震南道："阁下尊姓大名？可是青城派的么？"那人冷笑道："凭你福威镖局的这点儿玩艺，还不配问我姓名。不过今日是为报仇而来，须得让你知道，不错，老子是青城派的。"

林震南剑尖指地，左手搭在右手手背，说道："在下对松风观余观主好生敬重，每年派遣镖头前赴青城，向来不敢缺了礼数，今年余观主还遣派了四位弟子要到福州来。却不知甚么地方得罪了阁下？"那青年抬头向天，嘿嘿冷笑，隔了半天才道："不错，我师父派了四名弟子到福州来，我便是其中之一。"林震南道："那好得很啊，不知阁下高姓大名？"那青年似是不屑置答，又是哼了一声，这才说道："我姓于，叫于人豪。"林震南点了点头，道："'英雄豪杰，青城四秀'，原来阁下是松风观四大弟子之一，无怪摧心掌的造诣如此高明。杀人不见血，佩服！佩服！于英雄远道来访，林某未曾迎迓，好生失礼。"

于人豪冷冷的道："那摧心掌吗，嘿嘿……你没曾迎接，你这位武艺高强的贤公子，却迎接过了，连我师父的爱子都杀了，也不算怎么失礼。"

林震南一听之下，一阵寒意从背脊上直透下来，本想儿子误杀之人若是青城派的寻常弟子，那么挽出武林中大有面子之人出来调解说项，向对方道歉赔罪，或许尚有转圜余地，原来此人竟是松风观观主余沧海的亲生爱子，那么除了一拚死活之外，便无第二条路好走了。他长剑一摆，仰天打了个哈哈，说道："好笑，于少侠说笑话了。"于人豪白眼一翻，傲然道："我说甚么笑话？"林震南道："久仰余观主武术通神，家教谨严，江湖上无不敬佩。但犬子误杀之人，却是在酒肆之中调戏良家少女的无赖，既为犬子所杀，武功平庸也就可想而知。似这等人，岂能是余观主的公子，却不是于少侠说笑么？"

于人豪脸一沉，一时无言可答。忽然松林中有人说道："常言道得好：双拳难敌四手。在那小酒店之中，林少镖头率领了福威镖局二十四个镖头，突然向我余师弟围攻……"他一面说，一面走了出来，此人小头小脑，手中摇着一柄折扇，接着说道："倘若明刀明枪的动手，那也罢了，福威镖局纵然人多，老实说那也无用。可是林少镖头既在我余师弟的酒中下了毒，又放了一十七种喂毒暗器，嘿嘿，这龟儿子，硬是这么狠毒。我们一番好意，前来拜访，可料不到人家会突施暗算哪。"

林震南道："阁下尊姓大名？"那人道："不敢，区区在下方人智。"

林平之拾起了长剑，怒气勃勃的站在一旁，只待父亲交待过几句场面话，便要扑上去再斗，听得这方人智一派胡言，当即怒喝："放你的屁！我跟他无冤无仇，从来没见过面，根本便不知他是青城派的，害他干甚么？"

方人智晃头晃脑的说道："放屁，放屁！好臭，好臭！你既跟我余师弟无冤无仇，为甚么在小酒店外又埋伏了三十余名镖头、趟子手？我余师弟见你调戏良家少女，路见不平，将你打倒，教训你一番，饶了你性命，可是你不但不感恩图报，为甚么反而命那些狗镖头向我余师弟群起而攻？"林平之气得肺都要炸了，大声叫道："原来青城派都是些颠倒是非的泼皮无赖！"方人智笑嘻嘻的道："龟儿子，你骂人！"林平之怒道："我骂你便怎样？"方人智点头道："你骂好了，不相干，没关系。"

林平之一愕，他这两句话倒大出自己意料之外，突然之间，只听得呼的一声，有人扑向身前。林平之左掌急挥，待要出击，终于慢了一步，拍的一响，右颊上已重重吃了个耳光，眼前金星乱冒，几欲晕去。方人智迅捷之极的打了一掌，退回原地，伸手抚摸自己右颊，怒道："小子，怎么你动手打人？好痛，好痛，哈哈！"

王夫人见儿子受辱，刷的一刀，便向那人砍去，一招"野火烧天"，招出既稳且劲，那人一闪身，刀锋从他右臂之侧砍下，相距不过四寸。那人吃了一惊，骂道："好婆娘。"不敢再行轻敌，从腰间拔出长剑，待王夫人第二刀又再砍到，挺剑还击。

林震南长剑一挺，说道："青城派要挑了福威镖局，那是容易之极，但武林之中，是非自有公论。于少侠请！"于人豪一按剑鞘，呛啷一声，长剑出鞘，道："林总镖头请。"

林震南心想："久闻他青城派松风剑法刚劲轻灵，兼而有之，说甚么如松之劲，如风之轻。我只有占得先机，方有取胜之望。"当下更不客气，剑尖一点，长剑横挥过去，正是辟邪剑法中的一招"群邪辟易"。于人豪见他这一招来势甚凶，闪身避开。林震南一招未曾使老，第二招"锺馗抉目"剑尖直刺对方双目，于人豪提足后跃。林震南第三剑跟着又已刺到，于人豪举剑挡格，当的一响，两人手臂都是一震。

林震南心道："还道你青城派如何了得，却也不过如此。凭你这点功夫，难道便打得出那么厉害的摧心掌？那决无可能，多半他另有大援在后。"想到此处，心中不禁一凛。于人豪长剑圈转，倏地刺出，银星点点，剑尖连刺七个方位。林震南还招也是极快，奋力抢攻。两人忽进忽退，二十余招间竟难分上下。

那边王夫人和方人智相斗却接连遇险，一柄金刀挡不住对方迅速之极的剑招。

林平之见母亲大落下风，忙提剑奔向方人智，举剑往他头顶劈落。方人智斜身闪开，林平之势如疯汉，又即扑上，突然间脚下一个踉跄，不知被甚么绊了一下，登时跌倒，只听得一人说道："躺下罢！"一只脚重重踏在他身上，跟着背上有件尖利之物刺到。他眼中瞧出来的只是地下尘土，但听得母亲尖声大叫："别杀他，别杀他！"又听得方人智喝道："你也躺下。"

原来正当林平之母子双斗方人智之时，一人从背后掩来，举脚横扫，将林平之绊着，跟着拔出匕首，指住了他后心。王夫人本已不敌，心慌意乱之下，更是刀法松散，被方人智回肘撞出，登时摔倒。方人智抢将上去，点了二人穴道。那绊倒林平之的，便是在福州城外小酒店中与两名镖头动手的姓贾汉子。

林震南见妻子和儿子都被敌人制住，心下惊惶，刷刷刷急攻数剑。于人豪一声长笑，连出数招，尽数抢了先机。林震南心下大骇："此人怎地知道我的辟邪剑法？"于人豪笑道："我的辟邪剑法怎么样？"林震南道："你……你……你怎么会辟邪剑……"

方人智笑道："你这辟邪剑法有甚么了不起？我也会使！"长剑晃动，"群邪辟易"、"锺馗抉目"、"飞燕穿柳"，接连三招，正都是辟邪剑法。

霎时之间，林震南似乎见到了天下最可怖的情景，万万料想不到，自己的家传绝学辟邪剑法，对方竟然也都会使，就在这茫然失措之际，斗志全消。于人豪喝道："着！"林震南右膝中剑，膝盖酸软，右腿跪倒。他立即跃起，于人豪长剑上挑，已指住他胸口。只听贾人达大声喝彩："于师弟，好一招'流星赶月'！"

这一招"流星赶月"，也正是辟邪剑法中的一招。

林震南长叹一声，抛下长剑，说道："你……你……会使辟邪剑法……给咱们一个爽快的罢！"背心上一麻，已被方人智用剑柄撞了穴道，听他说道："哼，天下哪有这样便宜的事？先人板板，姓林的龟儿、龟婆、龟孙子，你们一家三口，一起去见我师父罢。"

贾人达左手抓住林平之的背心，一把提了起来，左右开弓，重重打了他两个耳光，骂道："龟崽子，从今天起，老子每天打你十八顿，一路打到四川青城山上，打得你一张花旦脸变成大花面！"林平之狂怒之下，一口唾沫向他吐了过去。两人相距不过尺许，贾人达竟不及避开，拍的一声，正中他鼻梁。贾人达怒极，将他重重往地下一摔，举脚便向他背心上猛踢。方人智笑道："够了，够了！踢死了他，师父面前怎么交代？这小子大姑娘般的，可经不起你的三拳两脚。"

贾人达武艺平庸，人品猥琐，师父固对他素来不喜，同门师兄弟也是谁都瞧他不起，听方人智这么说，倒也不敢再踢，只得在林平之身上连连吐涎，以泄怒火。

方于二人将林震南一家三口提入饭店，抛在地下。方人智道："咱们吃一餐饭再走，贾师弟，劳你驾去煮饭罢。"贾人达道："好。"于人豪道："方师哥，可得防这三个家伙逃了。这老的武功还过得去，你得想个计较。"方人智笑道："那容易！吃过饭后，把三人手筋都挑断了，用绳子穿在他三个龟儿的琵琶骨里，串做一串螃蟹，包你逃不了。"

林平之破口大骂："有种的就赶快把老爷三人杀了，想这些鬼门道害人，那是下三滥的行径！"方人智笑嘻嘻的道："你这小杂种再骂一句，我便去找些牛粪狗屎来，塞在你嘴里。"这句话倒真有效，林平之虽气得几欲昏去，却登时闭口，再也不敢骂一句了。

方人智笑道："于师弟，师父教了咱们这七十二路辟邪剑法，咱哥儿俩果然使得似模似样，林镖头一见，登时便魂飞魄散，全身酸软。林镖头，我猜你这时候一定在想：他青城派怎么会使我林家的辟邪剑法。是不是啊？"

林震南这时心中的确在想："他青城派怎么会使我林家的辟邪剑法？"

卖唱老者慢慢走到矮胖子身前,侧头瞧了他半晌。那矮胖子怒道:"老头子干甚么?"那老者摇头道:"你胡说八道!"转身走开。矮胖子大怒,伸手往他后心抓去。

二　聆秘

　　林平之只想挣扎起身，扑上去和方人智、于人豪一拚，但后心被点了几处穴道，下半身全然不能动弹，心想手筋如被挑断，又再穿了琵琶骨，从此成为废人，不如就此死了干净。突然之间，后面灶间里传来"啊啊"两下长声惨呼，却是贾人达的声音。

　　方人智和于人豪同时跳起，手挺长剑，冲向后进。大门口人影一闪，一人悄没声的窜了进来，一把抓住林平之的后领，提了起来。林平之"啊"的一声低呼，见这人满脸凹凹凸凸的尽是痘瘢，正是因她而起祸的那卖酒丑女。

　　那丑女抓着他向门外拖去，到得大树下系马之处，左手又抓住他后腰，双手提着他放上一匹马的马背。林平之正诧愕间，只见那丑女已手中已多了一柄长剑，随即白光闪动，那丑已挥剑割断马缰，又在马臀上轻轻一剑。那马吃痛，一声悲嘶，放开四蹄，狂奔入林。

　　林平之大叫："妈，爹！"心中记挂着父母，不肯就此独自逃生，双手在马背上拚命--撑，滚下马来，几个打滚，摔入了长草之中。那马却毫不停留，远远奔驰而去。林平之拉住灌木上的树枝，想要站起，双足却没半分力气，只撑起尺许，便即摔倒，跟着又觉腰间臀上同时剧痛，却是摔下马背时撞到了林中的树根，石块。

　　中听得几声呼叱，脚步声响，有人追了过来，林平之忙伏入草丛之中。但听得兵刃交加声大作，有几人激烈相斗，林平之悄悄伸头，从草丛空隙中向前瞧去，只见相斗双方一边是青城派的于人豪与方人智，另一边便是那丑女，还有一个男子，却 用黑布蒙住了脸，头发花白，是个老者。林平之一怔之间，便知是那丑女的祖父，那萨的老头，寻思："我先前只道这两人也是青城派的，哪知这姑娘却来救我。唉，早知她武功了得，我又何必强自出头，去打甚么抱不平，没来由的惹上这场大祸。"又想："他们斗得正紧，我这就去相救爹爹、妈妈。"可是背心上穴道未解，说甚么也动弹不得。

方人智连声喝问："你……你到底是谁"怎地会使我青城派剑法？"那老者不答，蓦地里白光闪动，方人智手中长剑脱手飞起。方人智急忙后跃，于人豪抢上挡住。那蒙面老者急出数招。于人豪叫道："你……你……"语音显得甚是惊惶，突然铮的一声，长剑又被绞得脱手。那丑女抢上一步，挺剑疾刺。那蒙面老者挥剑挡住，叫道："别伤他性命！"那丑女道："他们好不狠毒，杀了这许多人。"那老者道："咱们走罢！"那丑女有些迟疑。那老者道："别忘了师父的吩咐。"那丑女点点头，说道："便宜了他们。"纵身穿林而去。那蒙面老者跟在她身后，顷刻间便奔得远了。

方于二人惊魂稍定，分别拾起自己的长剑。于人豪道："当真邪门！怎地这家伙会使咱们的剑法？"方人智道："他也只会几招，不地……不过这招'鸿飞冥冥'，可真使得……使得……唉！"于人豪道："他们把这姓林的小子救去了……"方人智道："啊哟，可别中了调虎离山之计。林震南夫妇！"于人豪道："是！"两人转身飞步奔回

过了一会，马蹄声缓缓响起，两乘马走入林中，方人智与于人豪分别牵了一匹。马背上缚的赫然是林震南和王夫人。林平之张口欲叫"妈！爹！"幸好立时硬生生的缩住，心知这时倘若发出半点声音，非但枉自送了性命，也失却了相救父母的机会。

离开两匹马数丈,一跛一拐的走着一人,却是贾人达。他头上缠的白布上满是鲜血,口中不住咒骂:"格老子,入你的先人板板,你龟儿救了那兔儿爷去,这两只老兔儿总救不去了罢?老子每天在两只老兔儿身上割一刀,咱们挨到青城山,瞧他们还有几条性命……"

方人智大声道:"贾师弟,这对姓林的夫妇,是师父他老人家千叮万嘱要拿到手的,他们要是有了三长两短,瞧师父剥你几层皮下来?"贾人达哼了一声,不敢再作声了。

林平之耳听得青城派三人掳劫了父母而去,心下反而稍感宽慰:"他们拿了我爹妈去青城山,这一路上又不敢太难为我爹妈。从福建到四川青城山,万里迢迢,我说甚么也要想法子救爹爹妈妈出来。"又想:"到了镖局的分局子里,派人赶去洛阳给外公送信。"

他在草丛中躺着静静不动,蚊蚋来叮,也无法理会,过了好几个时辰,天色已黑,背上被封的穴道终于解开,这才挣扎着爬起,慢慢回到饭铺之前。

寻思:"我须得易容改装,叫两个恶人当面见到我也认不出来,否则一下子便给他们杀了,哪里还救得到爹妈?"走入饭店主人的房中,打火点燃了油灯,想找一套衣服,岂知山乡穷人真是穷得出奇,连一套替换的衣衫也无。走到饭铺之外,只见饭铺主人夫妇的尸首兀自躺在地下,心道:"说不得,只好换上死人的衣服。"除下死人衣衫,拿在手中,但觉秽臭冲鼻,心想该当洗上一洗,再行换上,转念又想:"我如为了贪图一时清洁,耽误得一时半刻,错过良机,以致救不得爹爹妈妈,岂不成为千古大恨?"一咬牙齿,将全身衣衫脱得清光,穿上了死人的衣衫。

点了一根火把,四下里一照,只见父亲和自己的长剑,母亲的金刀,都抛在地下。他将父亲长剑拾了起来,包在一块破布之中,插在背后衣内,走出店门,只听得山洞中青蛙阁阁之声隐隐传来,突然间感到一阵凄凉,忍不住便要放声大哭。他举手一掷,火把在黑影中划了一道红弧,嗤的一声,跌入了池塘,登时熄灭,四周又是一片黑暗。

他心道:"林平之啊林平之,你若不小心,若不忍耐,再落入青城派恶贼的手中,便如这火把跌入臭水池塘中一般。"举袖擦了擦眼睛,衣袖碰到脸上,臭气直冲,几欲呕吐,大声道:"这一点臭气也耐不了,枉自称为男子汉大丈夫了。"当下拔足而行。

走不了几步,腰间又剧痛起来,他咬紧牙关,反而走得更加快了。在山岭间七高八低的乱走,也不知父母是否由此道而去。行到黎明,太阳光迎面照了过来,耀眼生花,林平之心中一凛:"那两个恶贼押了爹爹妈妈去青城山,四川在福建之西,我怎么反而东行?"急忙转身,背着日光疾走,寻思:"爹妈已去了大半日,我又背道行了半夜,和他们离得更加远了,须得去买一匹坐骑才好,只不知要多少银子。"一摸口袋,不由得连声价叫苦,此番出来,金银珠宝都放在马鞍旁的皮囊之中,林震南和王夫人身边都有银两,他身上却一两银子也无。他急上加急,顿足叫道:"那便如何是好?那便如何是好?"呆了一阵,心想:"搭救父母要紧,总不成便饿死了。"迈步向岭下走去。

到得午间,腹中已饿得咕咕直叫,见路旁几株龙眼树上生满了青色的龙眼,虽然未熟,也可充饥。走到树下,伸手便要去折,随即心想:"这些龙眼是有主之物,不告而取,便是作贼。林家三代干的是保护身家财产的行当,一直和绿林盗贼作对,我怎么能作盗贼勾当?倘若给人见到,当着我爹爹之面骂我一声小贼,教我爹爹如何做人?福威镖局的招牌从此再也立不起来了。"他幼禀庭训,知道大盗都由小贼变来,而小贼最初窃物,往往也不过一瓜一果之微,由小而多,终于积重难返,泥足深陷而不能自拔。想到此处,不由得背上出了一身冷汗,立下念头:"终有一日,爹爹和我要重振福威镖局的声威,大丈夫须当立定脚跟做人,宁做乞儿,不作盗贼。"迈开大步,向前急行,再不向道旁的龙眼树多瞧一眼。

行出数里,来到一个小村,他走向一家人家,嗫嗫嚅嚅的乞讨食物。他一生茶来伸手,饭来张口,哪里曾得旁人乞求过甚么?只说得三句话,已胀红了脸。

那农家的农妇刚和丈夫怄气,给汉子打了一顿,满肚子正没好气,听得林平之乞食,开口便骂了他个狗血淋头,提起扫帚,喝道:"你这小贼,鬼鬼祟祟的不是好人。老娘不见了一只母鸡,定是你偷去吃了,还想来偷鸡摸狗。老娘便有米饭,也不施舍给你这下流胚子。你偷了我家的鸡,害得我家那天杀的大发脾气,揍得老娘周身都是乌青……"

那农妇骂一句,林平之退一步。那农妇骂得兴起,提起扫帚向林平之脸上拍去。林平之大怒,斜身一闪,举掌便欲向她击去,陡然动念:"我求食不遂,却去殴打这乡下蠢妇,岂不笑话?"硬生生将这一掌收转,岂知用力大了,收掌不易,一个跟跄,左脚踹上了一堆牛粪,脚下一滑,仰天便倒。那农妇哈哈大笑,骂道:"小毛贼,教你跌个好的!"一扫帚拍在他头上,再在他身上吐了口唾涎,这才转身回屋。

林平之受此羞辱,愤懑难言,挣扎着爬起,脸上手上都是牛粪。正狼狈间,那农妇从屋中出来,拿着四枝煮熟的玉米棒子,交在他手里,笑骂:"小鬼头,这就吃吧!老天爷生了你这样一张俊脸蛋,比人家新媳妇还要好看,偏就是不学好,好吃懒做,有个屁用?"林平之大怒,便要将玉米棒子摔出。那农妇笑道:"好,你摔,你摔!你有种不怕饿死,就把玉米棒子摔掉,饿死你这小贼。"林平之心想："要救爹爹妈妈，报此大仇，重振福威镖局，今后须得百忍千忍，再艰难耻辱的事，也当咬紧牙关，狠狠忍住。给这乡下女人羞辱一番，又算得甚么？"便道："多谢你了！"张口便往玉米棒子咬去。那农妇笑道："我料你不肯摔。"转身走开，自言自语："这小鬼饿得这样厉害，我那只鸡看来不是他偷的。唉，我家天杀的，能有他一半好脾气，也就好了。"

林平之一路乞食，有时则在山野间采摘野果充饥，好在这一年福建省年岁甚熟，五谷丰登，民间颇有余粮，他虽然将脸孔涂得十分污秽，但言语文雅，得人好感，求食倒也不难。沿路打听父母的音讯，却哪里有半点消息？

行得八九日后，已到了江西境内，他问明途径，径赴南昌，心想南昌有镖局的分局，该当有些消息，至不济也可取些盘缠，讨匹快马。

到得南昌城内，一问福威镖局，那行人说道："福威镖局？你问来干么？镖局子早烧成了一片白地，连累左邻右舍数十家人都烧得精光。"林平之心下暗叫一声苦，来到镖局的所在，果见整条街都是焦木赤砖，遍地瓦砾。他悄立半晌，心道："那自是青城派的恶贼们干的。此仇不报，枉自为人。"在南昌更不耽搁，即日西行。

不一日来到湖南省会长沙，他料想长沙分局也必给青城派的人烧了。岂知问起福威镖局出了甚么事，几个行人都茫然不知。林平之大喜，问明了所在，大踏步向镖局走去。

来到镖局门口，只见这湖南分局虽不及福州总局的威风，却也是朱漆大门，门畔蹲着两只石猩，好生堂皇，林平之向门内一望，不见有人，心下踌躇："我如此褴褛狼狈的来到分局，岂不教局中的镖头们看小了？"

抬起头来，只见门首那块"福威镖局湘局"的金安招牌竟是倒转悬挂了，他好生奇怪："分局的镖头们怎地如此粗心大意，连招牌也会倒挂？"转头去看旗杆上的旗子时，不由得倒抽一口凉气，只见左首旗杆上悬着一对烂草鞋，右首旗杆挂着的竟是一条女子花裤，撕得破破烂烂的，却兀自在迎风招展。

正错愕间，只听得脚步声响，局里走出一个人来，喝道："龟儿子在这里探头探脑的，想偷甚么东西？"林平之听他口音便和方人智、贾人达等一伙人相似，乃是川人，不敢向他瞧去，便即走开，突然屁股上一痛，已被人踢了一脚。林平之大怒，回身便欲相斗，但心念电转："这里的镖局是给青城派占了，我正可从此打探爹爹妈妈的讯息，怎地沉不住气？"当即假装不会武功，扑身摔倒，半天爬不起来。那人哈哈大笑，又骂了几声"龟儿子"。

林平之慢慢挣扎着起来，到小巷中讨了碗冷饭吃了，寻思："敌人便在身围，可千万大意不得。"更在地下找些煤灰，将一张脸涂得漆黑，在墙角落里抱头而睡。

等到二更时分，他取出长剑，插在腰间，绕到镖局后门，侧耳听得墙内并无声息，这才跃上墙头，见墙内是个果园，轻轻跃下，挨着墙边一步步掩将过去。四下里黑沉沉地，既无灯火，又无人声。林平之心中怦怦大跳，摸壁而行，唯恐脚下踏着柴草砖石，发出声音，走过了两个院子，见东边厢房窗中透出灯光，走近几步，便听到有人说话。他极缓极缓的踏步，弓身走到窗下，屏住呼吸，一寸一寸的蹲低，靠墙而坐。

刚坐到地下，便听得一人说道："咱们明天一早，便将这龟儿镖局一把火烧了，免得留在这儿现眼。"另一人道："不行！不能烧。皮师哥他们在南昌一把火烧了龟儿镖局，听说连得邻居的房子也烧了几十间，于咱们青城派侠义道的名头可不大好听。这一件事，多半要受师父责罚。"林平之暗骂："果然是青城派干的好事,还自称侠义道呢!"好不要脸。"只听先前那人道:"是,这可烧不得!那就好端端给他留着么?"另一个笑道:"吉师弟,你想想,咱们倒挂了这狗贼的镖局招牌,又给他旗杆上挂一条女人烂裤,福威镖局的名字在江湖上可整个毁啦。这条烂裤挂得越久越好,又何必一把火给他烧了?"那姓申的笑道:"申师哥说得是。嘿嘿,这条烂裤,真叫他福威镖局倒足了霉,三百年也不得翻身。"

两人笑了一阵,那姓吉的道:"咱们明日去衡山给刘正风道喜,得带些甚么礼物才好?这次讯息来得好生突兀,这份礼物要是小了,青城派脸上可不大好看。"

那姓申的笑道:"礼物我早备下了,你放心,包你不丢青城派的脸。说不定刘正风这次金盆洗手的席上,咱们的礼物还要大出风头呢。"那姓吉的喜道:"那是甚么礼物?我怎么一点也不知道?"那姓申的笑了几声,甚是得意,说道:"咱们借花献佛,可不用自己掏腰包。你瞧瞧,这份礼够不够光彩。"只听得房中簌簌有声,当是在打开甚么包裹。那姓吉的一声惊呼,叫道:"了不起!申师哥神通广大,哪里去弄来这么贵重的东西?"

林平之真想探眼到窗缝中去瞧瞧,到底是甚么礼物,但想一伸头,窗上便有黑影,给敌人发现了可大事不妙,只得强自克制。只听那姓吉的笑道:"咱们占这福威镖局,难道是白占的?这一对玉马,我本来想孝敬师父的,眼下说不得,只好便宜了刘正风这老儿了。"林平之又是一阵气恼:"原来他抢了我镖局的珍宝,自己去做人情,那不是盗贼的行径么"长沙分局自己哪有甚么珍宝,自然是给人家保的镖了。这对玉马必定价值不菲,倘若要不回来,还不是要爹爹设法张罗着去赔偿东主。"

那姓申的又笑道:"这里四包东西,一包孝敬众位师娘,一包分众位师兄弟,一包是你的,一包是我的。你拣一包罢!"那姓吉的道:"那是甚么?"过得片刻,突然"哗"的一声惊呼,道:"都是金银珠宝,咱们这可发了大洋财啦。龟儿子这福威镖局,入他个先人板板,搜刮得可真不少。师哥,你从哪里找出来的?我里里外外找了十几遍,差点儿给他地皮一块块撬开来,也只找到一百多两碎银子,你怎地不动声色,格老子把宝藏搜了出来?"那姓申的甚是得意,笑道:"镖局中的金银珠宝,岂能随随便便放在寻常地方?这几天我瞧你开抽屉,劈箱子,拆墙壁,忙得不亦乐乎,早料到是瞎忙,只不过说了你也不信,反正也忙不坏你这小子。"那姓吉的道:"佩服,佩服!申师哥,你从哪里找出来的?"

那姓申的道:"你倒想想,这镖局子中有一样东西很不合道理,那是甚么?"姓吉的道:"不合道理?我瞧这龟儿子镖局不合道理的东西多得很。他妈的功夫稀松平常,却在门口旗杆之上,高高扎起一只威风凛凛的大狮子。"那姓申的笑道:"大狮子给换上条烂裤子,那就挺合道理了。你再想想,这镖局子里还有甚么稀奇古怪的事儿?"那姓吉的一拍大腿,说道:"这些湖南驴子干的邪门事儿太多。你想这姓张的镖头是这里一局之主,他睡觉的房间隔壁屋里,却去放上一口死人棺材,岂不活该倒霉,哈哈!"姓申的笑道:"你得动动脑筋啊。他为甚么在隔壁房里放口棺材?难道棺材里的死人是他老婆儿子,他舍不得吗?恐怕不见得。是不是在棺材里收藏了甚么要紧东西,以便掩人耳目……"

那姓吉的"啊"的一声,跳了起来,叫道:"对,对!这些金银珠宝,便就藏以棺材之中?妙极,妙极,他妈的,先人板板,走镖的龟儿花样真多。"又道:"申师哥,这两包一般多少,我怎能跟你平分?你该多要些才是。"只听得叮当簌簌声响,想是他从一包金银珠宝中抓了些,放入另一包中。那姓申的也不推辞,只笑了几声。那姓吉的道:"申师哥,我去打盆水来,咱们洗脚,这便睡了。"说着打了个呵欠,推门出来。

林平之缩在窗下,一动也不敢动,斜眼见那姓吉的汉子身材矮矮胖胖,多半便是那日间在他屁股上踢了一脚的。

过了一会,这姓吉的端了一盆热水时房,说道:"申师哥,师父这次派了咱们师兄弟几十人出来,看来还是咱二人所得最多,托了你的福,连我脸上也有光彩。蒋师哥他们去挑广州分局,马师哥他们去挑杭州分局,他们莽莽撞撞的,就算见到了棺材,也想不到其中藏有金银财物。"那姓申的笑道:"方师哥、于师哥、贾人达他们挑了福州总局,掳获想必比咱哥儿俩更多,只是将师娘宝贝儿子的一条性命送在福州,说来还是过大于功。"那姓吉的道:"攻打福威镖局总局,是师父亲自押阵的,方师哥、于师弟他们不过做先行官。余师弟丧命,师父多半也不会怎么责怪方师哥他们照料不周。咱们这次大举出动,大伙儿在总局和各省分局一起动手,想不到林家的玩意儿徒有虚名,单凭方师哥他们三人先锋,就将林震南夫妻捉了来。这一次,可连师父也走了眼啦。哈哈!"

林平之只听得额头冷汗涔涔而下,寻思:"原来青城派早就深谋远虑,同时攻我总局和各省分局。倒不是因我杀了那姓余的而起祸。我即使不杀这姓余的恶徒,他们一样要对我镖局下手。余沧海还亲自到了福州,怪不得那摧心掌如此厉害。但不知我镖局甚么地方得罪了青城派,他们竟敢下手如此狠毒?"一时自咎之情虽然略减,气愤之意却更直涌上来,若不是自知武功不及对方,真欲破窗而入,刃此二獠。但听得房内水响,两人正自洗脚。

又听那姓申的道:"倒不是师父走眼,当年福威镖局威震东南,似乎确有真实本事,辟邪剑法在武林中得享大名,不能全靠骗人。多半后代子孙不肖,没学到祖宗的玩艺儿。"林平之黑暗中面红过耳,大感惭愧。那姓申的又道:"咱们下山之前,师父跟我们拆解辟邪剑法,虽然几个月内难以学得周全,但我看这套剑法确是潜力不小,只是不易发挥罢了。吉师弟,你领悟到了多少?"

那姓吉的笑道:"我听师父说,连林震南自己也没能领悟到剑法要旨,那我也懒得我用心思啦。申师哥,师父传下号令,命本门弟子回到衡山取齐,那么方师哥他们要押着林震南夫妇到衡山了。不知那辟邪剑法的传人是怎样一副德性。"

林平之听到父母健在,却被人押解去衡山,心头大震之下,又是欢喜,又是难受。

那姓申的笑道:"再过几天,你就见到了,不妨向他领教领教辟邪剑法的功夫。"

突然喀的一声,窗格推开。林平之吃了一惊,只道被他们发见了行迹,待要奔逃,突然间豁喇一声,一盆热水兜头泼下,他险些惊呼出声,跟着眼前一黑,房内熄了灯火。

林平之惊魂未定,只觉一条条水流从脸上淋下,臭烘烘地,才知是姓吉的将洗脚水从窗中泼将出来,淋了他一身。对方虽非故意,自己受辱却也不小,但想探知了父母的消息,别说是洗脚水,便是尿水粪水,淋得一身又有何妨?此刻万籁俱寂,倘若就此走开,只怕给二人知觉,且待他们睡熟了再说。当下仍靠在窗下的墙上不动,过了好一会,听得房中鼾声响起,这才慢慢站起身来。

一回头,猛见一个长长的影子映在窗上,一晃一晃的抖动,他惕然心惊,急忙矮身,见窗格兀自摆动,原来那姓吉的倒了洗脚水后没将窗格闩上。林平之心想:"报仇雪恨,正是良机!"右手拔出腰间长剑,左手轻轻拉起窗格,轻跨入房,放下窗格。月光从窗纸中透将出来,只见两边床上各睡着一人。一人朝里而卧,头发微秃,另一人仰天睡着,颏下生着一丛如乱茅草般的短须。床前的桌上放着五个包裹,两柄长剑。

林平之提起长剑,心想:"一剑一个,犹如探囊取物一般。"正要向那仰天睡着的汉子颈中砍去,心下又想:"我此刻偷偷摸摸的杀此二人，岂是英雄好汉的行径？他日我练成了家传武功，再来诛灭青城群贼，方是大丈夫所为。"当下慢慢将五个包裹提去放在靠窗的桌上，轻轻推开窗格，跨了出来，将长剑插在腰里，取过包裹，将三个负在背上缚好，双手各提一个，一步步走向后院，生恐发出声响，惊醒了二人。

他打开后门，走出镖局，辨明方向，来到南门，其时城门未开，走到城墙边的一个土丘之后，倚着土丘养神，唯恐青城派二人知觉，追赶前来，心中不住怦怦而跳。直等到天亮开城，他一出城门，立时发足疾奔，一口气奔了十数里，这才心下大定，自离福州城以来，直至此刻，胸怀方得一畅。眼见前面道旁有家小面店，当下进店去买碗面吃，他仍不敢多有耽搁，吃完面后，立即伸手到包裹中去取银两会钞，摸到一小锭银子付帐。店家将店中所有铜钱拿出来做找头，兀自不足。林平之一路上低声下气，受人欺辱，这时候当即将手一摆，大声道："都收下罢，不用找了！"终于回复了大少爷、少镖头的豪阔气概。

又行三十余里后，来到一个大镇，林平之到客店中开了间上房，闩门关窗，打开五个包裹，见四个包裹中都是黄金白银、珠宝首饰，第五个小包中是只锦缎盒子，装着一对五寸来高的羊脂玉马，心想："我镖局一间长沙分局，便存有这许多财宝，也难怪青城派要生觊觎之心。"当下将一些碎银两取出放在身边，将五个包裹并作一包，负在背上，到市上买了两匹好马，两匹马替换乘坐，每日人睡两三个时辰，连日连夜的赶路。

不一日到了衡山，一进城，便见街上来来去去的甚多江湖汉子，林平之只怕撞到方人智等人，低下了头，径去投店。哪知连问了数家，都已住满了。店小二道："再过三天，便是刘大爷金盆洗手的好日子，小店住满了贺客，你家到别处问问罢！"

林平之只得往僻静的街道上找去,又找了三处客店,才寻得一间小房,寻思:"我虽然涂污了脸,但方人智那厮甚是机灵,只怕还是给他认了出来。"到药店中买了三张膏药,贴在脸上,把双眉拉得垂了下来,又将左边嘴角拉得翻了上去,露出半副牙齿,在镜中一照,但见这副尊容说不出的猥琐,自己也觉可憎之极,又将那装满金银珠宝的大包裹贴肉缚好,再在外面罩上布衫,微微弯腰,登时变成了一个背脊高高隆起的驼子,心想:"我这么一副怪模样,便爹妈见了也认我不出,那是再也不用担心了。"

　　吃了一碗排骨大面,便到街上闲荡,心想最好能撞到父母,否则只须探听到青城派的一些讯息,也是大有裨益。走了半日,忽然淅淅沥沥的下起雨来。他在街边买了个洪油斗笠,戴在头上,眼见天边黑沉沉地,殊无停雨之象,转过一条街,见一间茶馆中坐满了人,便进去找了个座头。茶博士泡了壶茶,端上一碟南瓜子、一碟蚕豆。

　　他喝了杯茶,咬着瓜子解闷,忽听有人说道:"驼子,大伙儿坐坐行不行?"那人也不等林平之回答,大刺刺便坐将下来,跟着又有两人打横坐下。

　　林平之初时浑没想到那人是对自己说话,一怔之下,才想到"驼子"乃是自己,忙陪笑道:"行,行!请坐,请坐!"只见这三人都身穿黑衣,腰间挂着兵刃。

　　这三条汉子自顾自的喝茶聊天,再也没去理会林平之。一个年轻汉子道:"这次刘三爷金盆洗手,场面当真不小,离正日还有三天,衡山城里就已挤满了贺客。"另一个瞎了一只眼的汉子道:"那自然啦。衡山派自身已有多大的威名,再加五岳剑派联手,声势浩大,哪一个不想跟他们结交结交?再说,刘正风刘三爷武功了得,三十六手'回风落雁剑'号称衡山派第二把高手,只比掌门人莫大先生稍逊一筹。平时早有人想跟他套交情了。只是他一不做寿,二不娶媳,三不嫁女,没这份交情好套。这一次金盆洗手的大喜事,武林群豪自然闻风而集。我看明后天之中,衡山城中还有得热闹呢。

另一个花白胡子道:"若说都是来跟刘正风套交情,那倒不见得,咱哥儿三个就并非为此而来,是不是?刘正风金盆洗手,那是说从今而后,再也不出拳动剑,决不过问武林中的是非恩怨,江湖上算是没了这号人物。他既立誓决不使剑,他那三十六路'回锋落雁剑'的剑招再高,又有甚么用处? 一个会家子金盆洗手,便跟常人无异,再强的高手也如废人了。旁人跟他套交情,又图他个甚么?"那年轻人道:"刘三爷今后虽然不再出拳使剑,但他总是衡山派中坐第二把交椅的人物。交上了刘三爷,便是交上了衡山派,也便是交上了五岳剑派哪!"那姓彭的花白胡子冷笑道:"结交五岳剑派,你配么?"

那瞎子道:"彭大哥,话可不是这么说。大家在江湖上行走,多一个朋友不多,少一个冤家不少。五岳剑派虽然武艺高,声势大,人家可也没将江湖上的朋友瞧低了。他们倘若真是骄傲自大,不将旁人放在眼里,怎么衡山城中,又有这许多贺客呢?"

那花白胡子哼了一声,不再说话,过了好一会,才轻声道:"多半是趋炎附势之徒。老子瞧着心头有气。"

林平之只盼这三人不停谈下去,或许能听到些青城派的讯息,哪知这三人话不投机,各自喝茶,却不再说话了。

忽听得背后有人低声说道:"王二叔,听说衡山派这位刘三爷还只五十来岁,正当武功鼎盛的时候,为甚么忽然要金盆洗手? 那不是辜负了他这一副好身手吗?"一个苍老的声音道:"武林中人金盆洗手,原因很多。倘若是黑道上的大盗,一生作的孽多,洗手之后,这打家劫舍、杀人放火的勾当算是从此不干了,那一来是改过迁善,给儿孙们留个好名声;二来地方上如有大案发生，也好洗脱了自己嫌疑。刘三爷家财富厚，衡山刘家已发了几代，这一节当然跟他没有干系。"另一人道："是啊，那是全不相干。"

那王二叔道："学武的人，一辈子动刀动枪，不免杀伤人命，多结冤家。一个人临到老来，想到江湖上仇家众多，不免有点和寝食不安，像刘三爷这般广邀宾客，扬言天下，说道从今而后再也不动刀剑了，那意思是说，他的仇家不必担心他再去报复，却也盼他们别再来找他麻烦。"那年轻人道："王二叔，我瞧这样干很是吃亏。"那王二叔道："为甚么吃亏？"那年轻人道："刘三爷固然是不去找人家了，人家却随时可来找他。如果有人要害他性命，刘三爷不动刀动剑，岂不是任人宰割，没法还手么？"那王二叔笑道："后生家当真没见识。人家真要杀你，又哪有不还手的？再说，像衡山派那样的声势，刘三爷那样高的武功，他不去找人家麻烦，别人早已拜神还愿，上上大吉了，哪里有人吃了狮子心、豹子胆，敢去找他老人家的麻烦？就算刘三爷他自己不动手，刘门弟子众多，又有哪一个是好惹的？你这可真叫做杞人忧天了。"

坐在林平之对面的花白胡子自言自语："强中更有强中手，能人之上有能人。又有谁敢自称天下无敌？"他说的声音甚低，后面二人没有听见。

只听那王二叔又道："还有些开镖局子的，如果赚得够了，急流勇退，乘早收业，金盆洗手，不再在刀头上找这卖命钱，也算得是聪明见机之举。"这几句话钻入林平之耳中，当真惊心动魄，心想："我爹爹倘若早几年便急流勇退，金盆洗手，却又如何？"

只听那花白胡子又在自言自语："瓦罐不离井上破，将军难免阵上亡。可是当局者迷，这'急流勇退'四个字，却又谈何容易？"那瞎子道："是啊，因此这几天我老是听人家说：'刘三爷的声名正当如日中天，突然急流勇退，委实了不起，令人好生钦佩'。"

突然间左首桌上有个身穿绸衫的中年汉子说道:"兄弟日前在武汉三镇,听得武林中的同道说起,刘三爷金盆洗手,退出武林,实有不得已的苦衷。"那瞎子转身道:"武汉的朋友们却怎样说,这位朋友可否见告?"那人笑了笑,说道:"这种话在武汉说说不打紧,到得衡山城中,那可不能随便乱说了。"另一个矮胖子粗声粗气的道:"这件事知道的人着实不少,你又何必装得莫测高深?大家都在说,刘三爷只因为武功太高,人缘太好,这才不得不金盆洗手。"

他说话声音很大,茶馆中登时有许多眼光都射向他的脸上,好几个人齐声问道:"为甚么武功太高,人缘太好,便须退出武林,这岂不奇怪?"

那矮胖汉子得意洋洋的道:"不知内情的人自然觉得奇怪,知道了却毫不希奇了。"有人便问:"那是甚么内情?"那矮胖子只是微笑不语。隔着几张桌子的一个瘦子冷冷的道:"你们多问甚么?他自己也不知道,只是信口胡吹。"那矮胖汉子受激不过大声道:"谁说我不知道了?刘三爷金盆洗手,那是为了顾金大局,免得衡山派中发生门户之争。"

好几人七张八嘴的道:"甚么顾全大局?""甚么门户之争?"难道他们师兄弟之间有意见么??

那矮胖子道:"外边的人虽说刘三爷是衡山派的第二把高手,可是衡山派自己,上上下下却都知道,刘三爷在这三十六路'回风落雁剑'上的造诣,早已高出掌门人莫大先生很多。莫大先生一剑能刺落三头大雁,刘三爷一剑却能刺落五头。刘三爷门下的弟子,个个又胜过莫大先生门下的。眼下形势已越来越不对,再过得几年,莫大先生的声势一定会给刘三爷压了下去,听说双方在暗中已冲突过好几次。刘三爷家大业大,愿跟 师兄争这虚名,因此要金盆洗手,以后便安安稳稳做他的富家翁了。"

好几人点头道:"原来如此。刘三爷深明大义,很是难得啊。"又有人道:"那莫大先生可就不对了,他逼得刘三爷退出武林,岂不是削弱了自己衡山派的声势?"那身穿绸衫的中年汉子冷笑道:"天下事情,哪有面面都顾得周全的?我只要坐稳掌门人的位子,本派声势增强也好,削弱也好,那是管他娘的了。"

那矮胖子喝了几口茶,将茶壶盖敲得当当真响,叫道:"冲茶,冲茶!"又道:"所以哪,这明明是衡山派中的大事,各门各派中都有贺客到来,可是衡山派自己……"

他说到这里,忽然间门口伊伊呀呀的响起了胡琴之声,有人唱道:"叹杨家,秉忠心,大宋……扶保……"嗓门拉得长长的,声音甚是苍凉。众人一齐转头望去,只见一张板桌旁坐了一个身材瘦长的老者,脸色枯槁,披着一件青布长衫,洗得青中泛白,形状甚是落拓,显是个唱戏讨钱的。那矮胖子喝道:"鬼叫一般,嘈些甚么?打断了老子的话头。"那老者立时放低了琴声,口中仍是哼着:"金沙滩……双龙会……一战败了……"

有人问道:"这位朋友,刚才你说各门各派都有贺客到来,衡山派自己却又怎样?"那矮胖子道:"刘三爷的弟子们,当然在衡山城中到处迎客招呼,但除了刘三爷的亲传弟子之外,你们在城中可遇着了衡山派的其他弟子没有?"众人你瞧瞧我,我瞧瞧你,都说:"是啊,怎么一个也不见?这岂非太不给刘三爷脸面了吗?"

那矮胖子向那身穿绸衫的汉子笑道:"所以哪,我说你胆小怕事,不敢提衡山派中的门户之争,其实有甚么相干?衡山派的人压根儿不会来,又有谁听见了?"

忽然间胡琴之声渐响,调门一转,那老者唱道:"小东人,闯下了,滔天大祸……"一个年轻人喝道:"别在这里惹厌了,拿钱去罢!"手一扬,一串铜钱飞将过去,拍的一声,不偏不倚的正落在那老者面前，手法甚准。那老者道了声谢，收起铜钱。

那瘦胖子赞道："原来老弟是暗器名家，这一手可帅得很哪！"那年轻人笑了笑·道："不算得甚么？这位大哥，照你说来，莫大先生当然不会来了！"那矮胖子道："他怎么会来？莫大先生和刘三爷师兄弟俩势成水火，一见面便要拔剑动手。刘三爷既然让了一步，他也该心满意足了。

那卖唱老者忽然站了起来，慢慢走到他身前，侧头瞧了他半晌。那矮胖子怒道："老头子干甚么？"那老者摇头道："你胡说八道！"转身走开。矮胖子大怒，伸手正要往他后心抓去，忽然眼前青光一闪，一柄细细的长剑晃向桌上，叮叮叮的响了几下。

那矮胖子大吃一惊，纵身后跃，生怕长剑刺到他身上，却见那老者缓缓将长剑从胡琴底部插入，剑身尽没。原来这柄剑藏在胡琴之中，剑刃通入胡琴的把手，从外表看来，谁也不知这把残旧的胡琴内竟会藏有兵刃。那老者又摇了摇头，说道："你胡说八道！"缓缓走出茶馆。众人目送他背影在雨中消失，苍凉的胡琴声隐隐约约传来。

忽然有人"啊"的一声惊呼，叫道："你们看，你们看！"众人顺着他手指所指之处瞧去，只见那矮胖子桌上放着的七只茶杯，每一只都被削去了半寸来高的一圈。七上瓷圈跌在茶杯之旁。茶杯却一只也没倾倒。

茶馆中的几十个人都围了拢来，纷纷议论。有人道："这人是谁？剑法如此厉害？"有人道："一剑削断七只茶杯，茶杯却一只不倒，当真神乎其技。"有人向那矮胖子道："幸亏那位老先生剑下留情，否则老兄的头颈，也和这七只茶杯一模一样了。"又有人道："这老先生当然是位成名的高手，又怎能跟常人一般见识？"

那矮胖子瞧着七只半截茶杯，只是怔怔发呆，脸上已无半点血色，对旁人的言语一句也没听进耳中。那身穿绸衫的中年人道：“是么？我早劝你少说几句，是非只为多开口，烦恼皆因强出头。眼前衡山城中卧虎藏龙，不知有多少高人到了。这位老先生，定是莫大先生的好朋友，他听得你背后议论莫大先生，自然要教训教训你了。”

那花白胡子忽然冷冷的道：“甚么莫大先生的好朋友？他自己就是衡山派掌门、‘潇湘夜雨’莫大先生！”

众人又都一惊，齐问：“甚么？他……他便是莫大先生？你怎么知道？”

那花白胡子道：“我自然知道。莫大先生爱拉胡琴，一曲《潇湘夜雨》，听得人眼泪也会掉下来。‘琴中藏剑，剑发琴音’这八字，是他老先生武功的写照。各位既到衡山城来，怎会不知？这位兄台刚才说甚么刘三爷一剑能刺五头大雁，莫大先生却只能刺得三头。他便一剑削断七只茶杯给你瞧瞧。茶杯都能削断，刺雁又有何难？因此他要骂你胡说八道了。”

那矮胖子兀自惊魂未定，垂头不敢作答。那穿绸衫的汉子会了茶钱，拉了他便走。

茶馆中众人见到“潇湘夜雨”莫大先生显露了这一手惊世骇俗的神功，无不心寒，均想适才那矮子称赞刘正风而对莫大先生颇有微词，自己不免随声附和，说不定便此惹祸上身，各人纷纷会了茶钱离去，顷刻之间，一座闹哄哄的茶馆登时冷冷清清。除了林平之之外，便是角落里两个人伏在桌上打盹。

林平之瞧着七只半截茶杯和从茶杯上削下来的七个瓷圈，寻思：“这老人模样猥琐，似乎伸一根手指便能将他推倒，哪知他长剑一晃，便削断了七只茶杯。我若不出福州，焉知世上竟有这等人物？我在福威镖局中坐井观天，只道江湖上再厉害的好手，至多也不过和我爹爹在伯仲之间。唉！我若能拜得此人为师，苦练武功，或者尚能报得大仇，否则是终身无望了”又想：“我何不去寻找这位莫大先生,苦苦哀恳,求他救我父母,收我为弟子?"刚站起身来,突然又想:"他是衡山派的掌门人,五岳剑派和青城派互通声气,他怎肯为我一个毫不相干之人去得罪朋友?"言念及此,复又颓然坐倒。

忽听得一个清脆娇嫩的声音说道:"二师哥,这雨老是不停,溅得我衣裳快湿透了,在这里喝杯茶去。"

林平之心中一凛,认得便是救了他性命的那卖酒丑女的声音,急忙低下头。只听另一个苍老的声音说道:"好罢,喝杯热花暖暖肚。"个人走进茶馆,坐在林平之斜对面的一个座头。林平之斜眼瞧去,果见那卖酒少女一身青衣,背向着自己,打横坐着的那个自称姓萨、冒充少女祖父的老者,心道:"原来你二人是师兄妹,却乔装祖孙,到福州城为有所图谋。却不知他们又为甚么要救我?说不定他们知道我爹娘的下落。"

茶博士收拾了桌上的残杯,泡上茶来。那老者一眼见到旁边桌上的七只半截茶杯,不禁"咦"的一声低呼,道:"小师妹,你瞧!"那少女也是十分惊奇,道:"这一手功夫好了得,是谁削断了七只茶杯?"

那老者低声道:"小师妹,我考你一考,一剑七出,砍金断玉,这七只茶杯,是谁削断的?"那少女微嗔道:"我又没瞧见,怎知是谁削……"突然拍手笑道:"我知道啦!我知道啦!三十六路回风落雁剑,第十七招'一剑落九雁',这是刘正风刘三爷的杰作。"那老者笑着摇头道:"只怕刘三爷的剑法还不到这造指,你只猜中了一半。"那少女伸出食指,指着他笑道:"你别说下去,我知道了。这……这这是'潇湘夜雨'莫大先生!"

突然间七八个声音一齐响起,有的拍手,有的轰笑,都道:"师妹好眼力。"

来伏在桌上打瞌睡的两人已站了起来,另有五人从茶馆内堂走出来,有的是脚夫打扮,有个手拿算盘,是个做买卖的模样,更有一个肩间蹲着头小猴儿,似是耍猴儿戏的。

那少女笑道:"哈,一批下三滥的原来都躲在这里,倒吓了我一大跳!大师哥呢?"那耍猴儿的笑道:"怎么一见面就骂我们是下三滥的?"那少女笑道:"偷偷躲起来吓人,怎么不是江湖上下三滥的勾当?大师哥怎的不跟你们在一起?"

那耍猴儿的笑道:"别的不问,就只问大师哥。见了面还没说得两三句话,就连问两三句大师哥?怎么又不问问你六师哥?"那少女顿足道:"呸!你这猴儿好端端的在这儿,又没死,又没烂,多问你干么?"那耍猴儿的笑道:"大师哥又没死,又没烂,你却又问他干么?"那少女嗔道:"我不跟你说了,四师哥,只有你是好人,大师哥呢?"那脚夫打扮的人还未回答,已有几个人齐声笑道:"只有四师哥是好人,我们都是坏人了。老四,偏不跟她说。"那少女道:"希罕吗?不说就不说。你们不说,我和二师哥在路上遇见一连串希奇古怪的事儿,也别想我告诉你们半句。"

那脚夫打扮的人一直没跟他说笑,似是个淳朴木讷之人,这时才道:"我们昨儿跟大师哥在衡阳分手,他叫我们先来。这会儿多半他酒也醒了,就会赶来。那少女微微蹙眉,道:"又 喝醉了?"那脚夫打扮的人道:"是。"那手拿算盘的道:"这一会可喝得好痛快,从早晨喝到中午,又从中午喝到傍晚,少说也喝了二三十斤好酒!"那少女道:"这岂不喝坏了身子?你怎不劝劝他?"那拿算盘的人伸了伸舌头,道:"大师哥肯听人劝,真是太阳从西边出啦。除非小师妹劝他,他或许还这么少喝一斤半斤。"众人都笑了起来。

那少女道:"为甚么又大喝起来?遇到了甚么高兴事么?"那

拿算盘的道："这可得问大师哥自己了。他多半知道到得衡山城，就可和小师妹见面，一开心，便大喝特喝起来。"那少女道："胡说八道！"但言下显然颇为欢喜。

林平之听着他们师兄妹说笑，寻思："听他们话中说来，这姑娘对他大师兄似乎颇有情意，然而这二师哥已这样老，大师哥当然更加老了，这姑娘不过十六七岁，怎么去爱上个老头儿？"转念一想，登时明白："啊，是了。这姑娘满脸麻皮，相貌实在太过丑陋，谁也瞧她不上，因此只好去爱上一个老年丧偶的酒鬼。"

只听那少女又问："大师哥昨天一早便喝酒了"

那耍猴儿的道："不跟你说得个一清二楚，反正你也不放过我们。昨儿一早，我们八个人正要动身，大师哥忽然闻到街上酒香扑鼻，一看之下，原来是个叫化子手拿葫芦，一股劲儿的口对葫芦喝酒。大师哥登时酒瘾大发，上前和那化子攀谈，赞他的酒好香，又问那是甚么酒？那化子道：'这是猴儿酒！'大师哥道：'甚么叫猴儿酒'"那化子说道：湘西山林中的猴儿会用果子酿酒。猴儿采的果子最鲜最甜，因此酿出来的酒也极好，这化子在山中遇上了，刚好猴群不在，便偷了三葫芦酒，还捉了一头小猴儿，喏，就是这家伙了。"说着指指肩头上的猴儿。这猴儿的后腿被一根麻绳缚着，系住在他手臂上，不住的摸头搔腮，挤眉弄眼，神情甚是滑稽。

那少女瞧瞧那猴儿，笑道："六师哥，难怪你外号叫作六猴儿，你和这只小东西，真个是一对兄弟。"

那六猴儿板起了脸，一本正经的道："我们不是亲兄弟，是师兄弟。这小东西是我的师哥，我是老二。"众人听了，都哈哈大笑起来。

那少女笑道："好啊，你敢绕了弯子骂大师哥，瞧我不告你一状，他不踢你几个筋斗才怪！"又问："怎么你兄弟又到了你手里?"六猴儿道:"我兄弟?你说这小畜生吗?唉,说来话长,头痛头痛!"那少女笑道:"你不说我也猜得到,定是大师哥把这猴儿要了来,叫你照管,盼这小东西也酿一葫芦酒给他喝。"六猴儿道:"果真是一……"他似乎本想说"一屁弹中",但只说了个"一"字,随即忍住,转口道:"是,是,你猜得对。"

那少女微笑道:"大师哥就爱搞这些古里古怪的玩意。猴儿在山里才会做酒,给人家捉住了,又怎肯去采果子酿酒?你放它去采果子,它怎不跑了?"她顿了一顿,笑道:"否则的话,怎么又不见咱们的六猴儿酿酒呢?"

六猴儿板起脸道:"师妹,你不敬师兄,没上没下的乱说。"那少女笑道:"啊唷,这当儿摆起师兄架子来啦。六师哥,你还是没说到正题,大师哥又怎地从早到晚喝个不停。"

六猴儿道:"是了,当时大师哥也不嫌脏,就向那叫化子讨酒喝,啊唷,这叫化子身上污垢足足有三寸厚,烂衫上白虱钻进钻出,眼泪鼻涕,满脸都是,多半葫芦中也有不少浓痰鼻涕……"那少女掩口皱眉,道:"别说啦,叫人听得恶心。"六猴儿道:"你恶心,大师哥才不恶心呢,那化子说:三葫芦猴儿酒,喝得只剩下这大半葫芦,决不肯给人的。大师哥拿出一两银子来,说一两银子喝一口。"那少女又是好气,又是好笑,啐道:"馋嘴鬼。"

那六猴儿道:"那化子这才答允了,接过银子,说道:'只许一口,多喝可不成!'大师哥道:'说好一口,自然是一口!'他把葫芦凑到嘴上,张口便喝。哪知他这一口好长,只听得骨嘟骨嘟直响,一口气可就把大半葫芦酒都喝干了。原来大师哥使出师父所授的气功来,竟不换气,犹似乌龙取水,把大半葫芦酒喝得滴酒不剩。"

众人听到这里,一齐哈哈大笑。

那六猴儿又道:"小师妹,昨天你如在衡阳,亲眼见到大师哥喝酒的这一路功夫,那真非叫你佩服得五体投地不可。他'神凝丹田,息游紫府,身若凌虚则超华岳,气如冲霄而撼北辰',这门气功当真使得出神入化,奥妙无穷。"那少女笑得直打跌,骂道:"瞧你这贫嘴鬼,把大师哥形容得这般缺德。哼,你取笑咱们的气功的口诀,可小心些!"

六猴儿笑道:"我这可不是瞎说。这里六位师兄师弟,大家都瞧见的。大师哥是不是使气功喝那猴儿酒?"旁边的几人都点头道:"小师妹,那确是真的。"

那少女叹了口气,道:"这功夫可有多难,大家都不会,偏他一个人会,却拿去骗叫化子的酒喝。"语气中似颇有憾,却也不无赞誉之意。

六猴儿道:"大师哥喝得葫芦底朝天,那化子自然不依,拉住他衣衫直嚷,说道 明明只许喝一口,怎地将大半葫芦酒都喝干了。大师哥笑道:'我确实只喝一口,你瞧我透过气没有?不换气,就是一口。咱们又没说是一大口,一小口。其实我还只喝了半口,一口也没喝足。一口一两银子,半口只值五钱。还我五钱银子来。'"

那少女笑道:"喝了人家的酒,还赖人家钱?"六猴儿道:"那叫化子急得要哭了。大师哥道:'老兄,瞧你这么着急,定是个好酒的君子!来来来,我做东道,请你喝一个饱。'便拉着他上了街旁的酒楼,两人你一碗我一碗的喝个不停。我们等到中午,他二人还在喝。大 师哥向那化子要了猴儿,交给我照看。等到午后,那叫化子醉倒在地,爬不起来了,大师哥独个儿还在自斟自饮,不过说话的舌头也大了,叫我们先来衡山,他随后便来。"

那少女道:"原来这样。"她沉吟半晌,道:"那叫化子是丐帮中的么?"那脚夫模样的人摇头道:"不是,他不会武功,背上也没口袋。"

那少女向外面望了一会,见雨兀自淅沥不停,自言自语:"倘若昨儿跟大伙一起来了,今日便不用冒雨赶路。"

六猴儿道:"小师妹,你说我和二师哥在道上遇到许多希奇古怪的事儿,这好跟咱们说了罢"那少女道:"你急甚么,待会见到大师哥再说不迟,免得我又多说一遍。你们约好在哪里相会的?"六猴儿道:"没约好,衡山城又没多大,自然撞得到。好,你骗了我说大师哥喝猴儿酒的事,自己的事却又不说了。"

那少女似乎有些心神不属,道:"二师哥,请你跟六师哥他们说,好不好?"她向林平之的背影瞧了一眼,又道:"这里耳目众多,咱们先找客店,慢慢再说罢。"

另一个身材高高的人一直没说话,此刻说道:"衡山城里大大小小店栈都住满了贺客,咱们又不愿去打扰刘府,待会儿会到大师兄,大伙儿到城外寺庙祠堂歇足罢。二师哥,你说怎样?"此时大师兄未至,这老者自成了众同门的首领,他点头说道:"好,咱们就在这里等罢。"

六猴儿最是心急,低声道:"这驼子多 半是个颠子,坐在这里半天了,动也不动,理他作甚?二师哥,你和小师妹到福州去,探到了甚么?福威镖局给青城派铲了,那么林家真的没真实武功?"

林平之听他们忽然说到自己镖局,更加凝神倾听。

那老者说道:"我和小师妹在长沙见到师父,师父他老人家叫我们到衡山城来,跟大师哥和众位师弟相会。福州的事,且不忙说。莫大先生为甚么忽然在这里使这一招'一剑落九雁'?你们都瞧见了,是不是?"六猴儿道:"是啊。"抢着将众人如何议论刘正风金盆洗手,莫大先生如何忽然出现、惊走众人的情形一一说了。

那老者"嗯"了一声,隔了半晌,才道:"江湖上都说莫大先生跟刘三爷不和,这次刘三爷金盆洗手,莫大先生却又如何行踪诡秘,真叫人猜想不透其中缘由。"那手拿算盘的人道:"二师哥,听说泰山派掌门人天门真人亲身驾到,已到了刘府。"那老者道:"天门真人亲身驾到? 刘三爷好大的面子啊。天门真人既在刘府歇足,要是衡山派莫刘师兄弟当真内哄,刘三爷有天门真人这样一位硬手撑腰,莫大先生就未必能讨得了好去。"

那少女道:"二师哥,那么青城派余观主却又帮谁?"

林平之听到"青城派余观主"六个字,胸口重重一震,便似被人当胸猛力一捶了一拳。

六猴儿等纷纷道:"余观主也来了?""请得动他下青城可真不容易。""这衡山城中可热闹啦,高手云集,只怕要有一场龙争虎斗。""小师妹,你听谁说余观主也来了。"

那少女道:"又用得着听谁说,我亲眼见到他来着。"六猴儿道:"你见到余观主了? 在衡山城?"那少女道:"不但在衡山城里见到,在福建见到了,在江西出见到了。"

那手拿算盘的人道:"余观主干么去福建?小师妹,你一定不知道的了。"

那少女道:"五师哥,你不用激我。我本来要说,你一激,我偏偏不说了。"六猴儿道:"这是青城派的事,就算给旁人听去了也不打紧。二师哥,余观主到福建去做干甚? 你们怎么见到他的?"

那老者道:"大师哥还没来,雨又不停,左右无事,让我从关说起罢。大家知道了前因后果,日后遇上了青城派的人,也好心中有个底。去年腊月里,大师哥在汉中打了青城派的侯人英、洪人雄……"

六猴儿突然"嘿"的一声,笑了出来。那少女白了他一眼,道:"甚么好笑?"六猴儿笑笑道:"我笑这两个家伙妄自尊大,甚么人英、人雄的,居然给江湖上叫做甚么'英雄豪杰,青城四秀',反不如我老老实实的叫做'陆大有',甚么事也没有。"那少女道:"怎么会甚么事也没有? 你倘若不姓陆,不叫陆大有,在同门中恰好又排行第六,外号怎么会叫做六猴儿呢?"陆大有笑道:"好,打从今儿起,我改名为'陆大无'。"

另一人道:"你别打断二师哥的话。"陆大有道:"不打断就不打断?"却"嘿"了一声,又笑了出来。那少女皱眉道:"又有甚么好笑,你就爱捣乱!"

陆大有笑道:"我想起侯人英、洪人雄两个家伙给大师哥踢得连跌七八个筋斗,还不知踢他们的人是谁,更不知好端端的为甚么挨打。原来大师哥只是听到他们的名字就生气,一面喝酒,一面大声叫道:'狗熊野猪,青城四兽'这侯洪二人自然大怒,上前动手,却给大师哥从酒楼上直踢了下来,哈哈!"

林平之只听得心怀大畅,对华山派这个大师哥突然生好感,他虽和侯人英、洪人雄素不相识,但这二人是方人智、于人豪的师兄弟,给这位"大师哥"踢得滚下酒楼,狼狈可知,正是代他出了一口恶气。

那老者道:"大师哥打了侯洪二人,当时他们不知道大师哥是谁,事后自然查了出来。于是余观主写了封信给师父,措词倒很客气,说道管教弟子不严,得罪了贵派 高足,特此驰书道歉甚么的。"陆大有道:"这姓余的也当真奸滑得紧,他写信来道歉,其实还不是向师父告状?害得大师哥在大门外跪了一日一夜,众师兄弟一致求情,师父才饶了他。"那少女道:"甚么饶了他,还不是打了三十下棍子?"陆大有道:"我陪着大师哥,也挨了十下。嘿嘿,不过瞧着侯人英、洪人雄那两个小子滚下楼 去的狼狈相,挨十下棍子也值得,哈哈,哈哈!"

那高个子道:"瞧你这副德悻,一点也没悔改之心,这十棍算是白打了。"陆大有道:"我怎么悔改啊,大师哥要踢人下楼,我还有本事阻得住他么？"那高个子道："但你从旁劝几句也是好的。师父说得一点 不错：'陆大有嘛，从旁劝解是决计不会的，多半还是推波助澜的起哄，打十棍！'哈哈，哈哈！"旁人跟着笑了起来。

陆大有道："这一次师父可真冤枉了我。你想大师哥出脚可有多快，这两位大英雄分从左右抢上，大师哥举起酒碗，骨嘟骨嘟的只是喝酒。我叫道：'大师哥，小心！'却听得拍拍两响，跟着呼呼两声，两位大英雄从楼梯上马不停蹄的一股劲儿往下滚，我只想看得仔细些，也好学一学大师哥这一脚'豹尾脚'的绝招，可是我看也来不及看，哪里还来得及学？推波助澜，更是不消提了。"

那高个子道："六猴儿，我问你，大师哥叫嚷'狗熊野猪，青块四兽'之时，你有没有跟着叫，你跟我老实说，"陆大有嘻嘻一笑，道："大师哥既然叫开了，咱们做师弟的，岂有不随声附和、以壮声势之理？难道你叫我反去帮青城派来骂大师哥么？"那高个子笑道："这么看，师父他老人家就一点也没冤枉了你。"

林平之心想："这六猴儿倒也是个好人，不知他们是哪一派的？"

那老者道："师父他老人家训诫大师哥的话，大家须得牢记心中。师父说道："江湖上学武之人的外号甚多，个个都是过甚其辞，甚么'威震天南'，又是甚么'追风侠'、'草上飞'等等，你又怎管得了这许多？人家要叫'英雄豪杰'，你尽管让他叫。他的所作所为倘若确是英雄豪杰行径，咱们对他钦佩结交还来不及，怎能稍起仇视之心？但如他不是英雄豪杰，武林中自有公论，人人齿冷，咱们又何必理会？"众人听了二师兄之言，都点 头称是。陆大有低声道："倒是我这'六猴儿'的外号好，包管没人听了生气。"

那老者微笑道："大师哥将侯人英、洪人雄踢下楼去之事，青城派视为奇耻大辱,自然绝口不提,连本派弟子也少有人知道。师父谆谆告诫,不许咱们风声外泄,以免惹起不和。从今而后,咱们也别谈论了,提防给人家听了去,传扬开来。"

陆大有道:"其实青城派的功夫嘛,我瞧也不过是徒有虚名,得罪了他们,其实也不怎么打紧……"

他一言未毕,那老者喝道:"六师弟,你别再胡说八道,小心我回去禀告师父,又打你十下棍子。你知道么?大师哥以一招'豹尾脚'将人家踢下楼去,一来趁人不备,二来大师哥是我派出类拔萃的人物,非旁人可及。你有没有本事将人家踢下楼去。"

陆大有伸了伸舌头,摇手道:"你别拿我跟大师哥比。"

那老者脸色郑重,说道:"青城派掌门余观主,实是当今武林中的奇才怪杰,谁要小觑了他,那就非倒霉不可。小师妹,你是见过余观主的,你觉得他怎样?"

那少女道:"余观主吗?他出手毒辣得很。我……我见了他很害怕,以后我……我再也不愿见他了。"语音微笛发颤,似乎犹有余悸。陆大有道:"那余观主出手毒辣?你见到他杀了人吗?"那少女身子缩了缩,不答他的问话。

那老者道:"那天师父收了余观主的信,大怒之下,重重责打大师哥和六师弟,次日 写了封信,命我送上青城山去……"

几名弟子都叫了起来:"原来那日你匆匆离山,是上青城去了?"那老者道:"是啊,当日 师父命我不可向众位兄弟说起,以免旁生枝节了。"陆大有问道:"那有甚么枝节可生?师父只是做事把细而已。师父他老人家吩咐下来的事,自然大有道理,又有谁能不服了?"

那高个子道::你知道甚么?二 师哥倘若对你说了,你定会向大师哥多嘴。大师哥虽然不敢违抗师命,但想些刁钻古怪的事来再去跟青城派捣蛋,却也大有可能。"

那老者道:"三弟说得是。大师哥江湖上的朋友多,他真要干甚么事,也不一定要自己出手,师父跟我说,信中都是向余观主道歉的话,说顽徒胡闹,十分痛恨,本该逐出师门,只是这么一来,江湖上都道贵我两派由此生了嫌隙,反为不美,现下已将两名顽徒……"说到此处,向陆大有瞟了一眼。

陆大有大有愠色,悻悻的道:"我也是顽徒了!"那少女道:"拿你跟大师哥并列,难道辱没了你?"陆大有登时大为高兴,叫道:"对,对! 拿酒来,拿酒来!"

但茶馆中卖茶不卖酒,茶博士奔将过来,说道:"哈你家,哈小店只有洞庭春、水仙、龙井、祁门、普洱、铁观音,哈你家,不卖酒,哈你家。"衡阳衡山一带之人,说话开头往往带个"哈"字,这茶博士尤其厉害。

陆大有道:"哈你家,哈你贵店不卖酒,哈我就喝茶 不喝酒便了,哈你家。"那茶博士道:"是! 是! 哈你家。"在几把茶壶中冲满了滚水。

那老者又道:"师父信中说,现在已将两名顽徒重重责打,原当命其亲上青城,负荆请罪。只是两名顽徒挨打后受伤甚重,难以行走,特命二弟子劳德诺前来领责。此番事端全由顽徒引起,务望余观主看在青城、华山两派素来交好份上,勿予介怀,日后相见,亲自再向余观主谢罪。"

林平之心想:"原来你叫劳德诺。你们是华山派,五岳剑派之一。"想到信中说"两派素来交好",不禁栗栗心惊:"这劳德诺和丑姑娘见过我两次,可别给他们认了出来。"

只听劳德诺又道:"我到得青城,那侯人英倒还罢了,那洪人雄却心怀不忿,几番出言讥嘲,伸手要和我较量……"

陆大有道:"他妈的,青城派的家伙这么恶! 二师哥,较量就较量,怕他甚么了?料这姓洪的也不是你的对手。"劳德诺道:"师父命我上青城山去道歉谢罪，可不是惹是生非去的。当下我隐忍不发，在青城山待了六日，直到第七日上，才由余观主接见。"陆大有道："哼！好大的架子！二师哥，这六日六夜的日子，恐怕不大好过。"

劳德诺道："青城弟子的冷嘲热讽，自然受了不少。好在我心中知道，师父所以派我去干这件事，不是因我武功上有甚么过人之长，只是我年纪大，比起众位师弟来沉得住气，我越能忍耐，越能完成师命。他们可没料到，将我在青块山松凤观中多留六日，于他们却没甚么好处。我住在松凤观里，一直没能见到余观主，自是十分无聊，第三日上，一早便起身散步，暗中做些吐纳功夫，以免将功课搁下荒疏了。信步走到松凤观后练武场旁，只见青城派有几十名弟子正在练把式。武林中观看旁人练功，乃是大忌，我自然不便多看，当即掉头回房，但便这么一瞥之间，已引起了我老大疑心。这十几名弟子人人使剑，显而易见，是在练一路相同的剑法，各人都是新学乍练，因此出招之际都颇生硬，至于是甚么剑招，这么匆匆一瞥也瞧不清楚。我回房之后，越想越奇怪。青城派成名已久，许多弟子都是已入门一二十年，何况群弟子入门有先有后，怎么数十人同时起始学一路剑法？尤其练剑的数十人中，有号称'青城四秀'的侯人英、洪人雄、于人豪和罗人杰四人在内。众位师弟，你们要是见到这种情景，那便如何推测？"

那手拿算盘的人说道："青城派或许是新得了一本剑法秘笈，又或许是余观主新创一路剑法，因此上传授给众弟子。"

劳德诺道："那时我也这么想，但仔细一想，却又觉不对。以余观主在剑法上的造诣修为，倘若新创剑招，这些剑抬自是非同寻常。如是新是剑法秘笈遗篇，那么其中所传剑法一定甚高，否则他也决计瞧不上眼，要弟子练习，岂不练坏了本剑的剑法？既是高明的招数，那么寻常弟子就无法领悟，他多半是选择三四名武功最高的弟子来传授指点，决无四十余人同时传授之理。这倒似是教拳的武师开场子骗钱，哪里是名门正派的大宗师行径？第二天早上，我又自观前转到观后，经过练武场旁，见他们仍在练剑。我不敢停步，晃眼间一瞥，记住了两招，想回来请师父指点。那时余观主仍然没接见我，我不免猜测青城派对我华山派大有仇视之心，他们新练剑招，说不定是为了对付我派之用，那就不得不防备一二。"

那高个子道："二师哥，他们会不会在练一个新排的剑阵？"

劳德诺道："那当然也大有可能。只是当时我见到他们都是作对儿拆解，攻的守的，使的都是一般招数，颇不像是练剑阵，到是第三天早上，我又 散步经过练武场时，却见场上静悄悄地，竟一个人也没有了。我知他们是故意避我，心中只是疑虑更甚。我这样信步走过，远远望上一眼，又能瞧得见甚么隐秘？看来他们果是为了对付本派而在练一门厉害的剑法，否则何必对我如此顾忌？这天晚上，我睡在床上思前想后，一直无法入睡，忽听得远处传来隐隐的兵刃撞击之声。我吃了一惊，难道观中来了强敌？我第一个念头便想：莫非大师哥受了师父责备，心中有气，杀进松风观来啦？他一个人寡不敌众，我说甚么也得出去相助。这次上青城山，我没携带兵刃，仓卒间无处找剑，只得赤手空拳的前往……"

陆大有突然赞道："了不起，二师哥，你好胆色啊！叫我就不敢赤手空拳的去迎战青城派掌门、松风观观主余沧海。"

劳德诺怒道："六猴儿你说甚么死话？我又不是说赤手空拳去迎战余观主，只是我担心大师哥遇险，明知危难，也只得挺身而出。难道你叫我躲在被窝里做缩头乌龟么？"

众师弟一听，都笑了起来。陆大有扮个鬼脸，笑道："我是佩服你,称赞你啊,你又何必发脾气?"劳德诺道:"谢谢了,这等称赞,听着不见得怎么受用。"几名师弟齐声道:"二师哥快说下去,别理六猴儿打岔。"

劳德诺续道:"当下我悄悄起来,循声寻去,但听得兵刃撞击声越来越密,我心中跳得越厉害,暗想:"咱二人身处龙潭虎穴,大师哥武功高明,或许还能全身而退,我这可糟了。耳听得兵刃撞击声是从后殿传出,后殿窗子灯火明亮,我矮着身子,悄悄走近,从窗缝中向内一张,这才透了口大气,险些儿失笑。原来我疑心生暗鬼,这几日余观主始终没理我,我胡思乱想,总是往坏事上去想。这哪里是大师哥寻仇生事来了? 只见殿中有两对人在比剑,一对是侯人英和洪人雄,另一对是方人智和于人豪。"

陆大有道:"嘿!青城派的弟子好用功啊,晚间也不闲着。这叫做临阵磨枪,又叫作平时不烧香,临时抱佛脚。"

劳德诺白了他一眼,微微一笑,续道:"只见后殿正中,坐着一个身穿青白色道袍的矮小道人,约莫五十来岁年纪,脸孔十分瘦削,瞧他这副模样,最多不过七八十斤重。武林中都说青城掌门是个矮小道人,但若非亲见,怎知他竟是这般矮法,又怎能相信他便是名满天下的余观主?四周站满了数十名弟子,都目不转睛的瞧着四名弟子拆剑。我看得几招,便知这四人所拆的,正是这几天来他们所学的新招。

"我知道当时处境十分危险,若被青城派发觉了,不但我自身定会受重大羞辱,而传扬了出去,于本派声名也大有妨碍。大师哥一脚将位列'青城四秀'之首的侯人英、洪人雄踢下楼去,师父他老人家虽然责打大师哥,说他不守门规,惹是生非,得罪了朋友,但在师父心中恐怕与是喜欢的。毕竟大师哥替本派争光,甚么青城四秀,可挡不了本派大弟子的一脚。但我如偷窥人家隐秘,给人家拿获,这可比偷人钱财还更不堪,回到山来,师父一气之下，多半便会将我逐出门墙。

"但眼见人家斗得热闹，此事说不定和我派大有干系，我又怎肯掉头不顾？我心中只是说：'只看几招，立时便走。'可是看了几招，又是几招。眼见这四人所使的剑法甚是希奇古怪，我生平可从来没见过，但说这些剑招有甚行大威力，却又不像。我只是奇怪：'这剑法并不见得有甚么惊人之处，青城派干么要日以继夜的加紧修习？难道这路剑法，竟然便是我华山派剑法的克星么？看来也不见得。'又看得几招，实在不敢再看下去了，乘着那四人斗得正紧，当即悄悄回房。等到他四人剑招一停，止了声息，那便无法脱身了。以余观主这等高强的武功，我在殿外只须跨出一步，只怕立时便给他发觉。

"以后两天晚上，剑击声仍不绝传来。我却不敢再去看了。其实，我倘若早知他们是在余观主面前练剑，说甚么也不敢去偷看，那也是阴错阳差，刚好撞上而已。六师弟恭维我有胆色，这可是受之有愧。那天晚上你要是见到我吓得面无人色的那副德行，不骂二师哥是天下第一胆小鬼，我已多谢你啦。"

陆大有道："不敢，不敢！二师哥你最多是天下第二。不过如果换了我，倒也不怕给余观主发觉。那时我吓得全身僵硬，大气不透，寸步难移，早就跟僵尸没甚么分别。余观主本领再高，也决不会知道长窗之外，有我陆大有这么一号英雄人物。"众人尽皆绝倒。

劳德诺续道："后来余观主终于接见了我。他言语说得很客气，说师父重责大师哥，未免太过见外了。华山、青城两派素来交好，弟子们一时闹着玩，就如小孩子打架一般，大人何必当真？当晚设筵请了我。次日清晨我向他告辞，余观主还一直送到松风观大门口。我是小辈，辞别时自须跪下磕头。我左膝一跪，余观主右手轻轻一托，就将人托了起来。他这股劲力当真了不起，我只觉全身虚飘飘的，半点力气也使不出来，他若要将人摔出十余丈外，或者将我连翻七八个筋斗，当时我是连半点反抗余地也没有。他微微一笑，问道：'你大师哥比你入师门早了几年？你是带艺投师的，是不是？'我当时给他这么一托，一口气换不过来，隔了好半天才答：'是，弟子是带艺投师的。弟子拜入华山派时，大师哥已在恩师门下十二年了。'余观主又笑了笑，说道：'多十二年，嗯，多十二年。'"

那少女问道："他说'多十二年'，那是甚么意思？"劳德诺道："：他当时脸上神气很古怪，依我猜想，当是说我武功平平，大师哥就算比我多练了十二年功夫，也未必能好得了多少。"那少女嗯了一声，不再言语。

劳德诺续道："我回到山上，向师父呈上余观主的回书。那封信写得礼貌周到，十分谦下，师父看后很是高兴，问起松风中的情状。我将青城群弟子黉夜练剑的事说了，师父命我照式试演。我只记得七八式，当即演了出来。师父一看之后，便道：'这是福威镖局林家的辟邪剑法！'"

林平之听到这句话，忍不住身子一颤。

门帘掀处，一个小尼姑悄步走进花厅。但见她清秀绝俗，容色照人，身形婀娜，虽裹在一袭宽大缁衣之中，仍掩不住窈窕娉婷之态。她走到定逸身前，盈盈拜倒。

三　救难

　　劳德诺又道："当时我问师父：'林家这辟邪剑法威力很大么？青成派为甚么这样用心修习???'师父不答，闭眼沉思半晌，才道：'德诺，你入我门之前，已在江湖上闯荡多年，可曾听得武林之中，对福威镖局总镖头林震南的武功，如何评论？'我道：'武林中朋友们说，林震南手面阔，交朋友够义气，大家都买他的帐，不去动他的镖。至于手底下真实功夫怎样，我不大清楚。'师父道："是了！福威镖局这些年来兴旺发达，倒是江湖上朋友给面子的居多。你可曾听说，余观主的师父长青子少年之时，曾栽在林远图的辟邪剑下？'我道：'林……林无图"是林震南的父亲？'师父道：'不，林远图是林震南的祖父，福威镖局是他一手创办的。当年林远图以七十二路辟邪剑法开创镖局，当真是打遍黑道无敌手。其时白道上英雄见他太过威风，也有去打他比试武艺的，长青子便因此而在他辟邪剑法下输了几招。'我道："如此说来，辟邪剑法果然是厉害得很了"师父道："长青子输招之事，双方都守口如瓶，因此武林中都不知道。长青子前辈和你师祖是好朋友，曾对你师祖说起过，他自认这是他毕生的奇耻大辱，但自忖敌不过林远峰，此仇终于难报。你师祖曾和他拆解辟邪剑法，想助他找出这剑法中的破绽，然而这七十二路剑法看似平平无奇，中间却藏着许多旁人猜测不透的奥妙，突然之间会变得迅速无比。两人钻研了数月，一直没破解的把握。那时我刚入师门，还只是个十来岁的少年，在旁斟茶侍候，看得熟了，你一试演，便知道这是辟邪剑法。唉，岁月如流，那是许多年前的事了。'"

林平之自被青城派弟子打得毫无招架之功，对家传武功早已信心全失，只盼另投明师，再报此仇，此刻听得劳德诺说起自己曾祖林远图的威风，不由得精神大振，心道："原来我家的辟邪剑法果然非同小可，当年青城派和华山派的首脑人物尚且敌不过。然则爹爹怎么又斗不过青城派的后生小子？多半是爹爹没学到这剑法的奥妙厉害之处。"

只听劳德诺道："我问师父：'长青子前辈后来报了此仇没有？'师父道：'比武输招，其实也算不得是甚么仇怨。何况那时侯林远图早已成名多年，是武林中众所钦服的前辈英雄，长青子却是个刚出道的小道士。后来小子输在前辈手下，又算得了甚么？你师祖劝解了他一番，此事也不再提了。后来长青子在三十六岁上便即逝世，说不定主中放不开此事，以此郁郁而终。事隔数十年，余沧海忽然率领群弟子一起练那辟邪剑法，那是甚么缘故？德诺，你想那是甚么缘故？'

"我说：'瞧着松风观中众人练剑情形，人人神色郑重，难道余观主是要大举去找福威镖局的晦气，以报上代之仇？'师父点头道：'我也这么想。长青子胸襟极狭，自视又高，输在林远图剑底这件事，一定令他耿耿于怀，多半临死时对余沧海有甚么遗命。林远图比长青子先死，余沧海要报师仇，只有去找林远图的儿子林仲雄，但不知如何，直挨到今日才动手。余沧海城府甚深，谋定后动，这一次青城派与福威镖局可要有一场大斗了。'

"我问师父：你老人家看来，这场争斗谁胜谁败？'师父笑道：'余沧海的武功青出于蓝而胜于蓝，造诣已在长青子之上。

林震南的功夫外人虽不知底细，却多半及不上乃祖。一进一退，再加上青城派在暗而福威镖局在明，还没动上手，福威镖局已输了七成。倘若林震南事先得知讯息，邀得洛阳金刀王无霸相助，那么还可斗上一斗。德诺，你想不想去瞧瞧热闹？'我自是欣然奉命。师父便教了我几招青城派的得意剑法，以作防身之作。"

陆大有道："咦，师父怎地会使青城派剑法？啊，是了，当年长青子跟咱们祖师爷爷拆招，要用青城派剑法对付辟邪剑法，师父在旁边都见到了。"

劳德诺道："六师弟，师父他老人家武功的来历，咱们做弟子的不必多加推测。师父又命我不可和众同门说起，以免泄露了风声。但小师妹毕竟机灵，却给她探知讯息，缠着师父许她和我同行。我二人乔扮改装，假作在福州城外卖酒，每日到福威镖局去察看动静。别的没看到，就看到林震南教他儿子林平之练剑。小师妹瞧得直摇头，跟我说：'这哪里是辟邪剑法了？这是邪辟剑法，邪魔一到，这位林公子便得辟易远避。'"

在华山群弟子哄笑声中，林平之满脸通红，羞愧得无地自容，寻思："原来他二人早就到我局中来窥看多次，我们却毫不知觉，也真算得无能。"

劳德诺续道："我二人在福州城外耽不了几天，青城派的弟子们就陆续到了。最先来的是方人智和于人豪二人。他二人每天到镖局中蹲盘子，我和小师妹怕撞见他们，就没再去。那一日也是真巧，这位林公子居然到我和师妹开设的大宝号来光顾，小师妹只好送酒给他们喝了。当时我们还担心是给他瞧破了，故意上门来点穿的，但跟他一搭上口，才知他是全然蒙在鼓里。这纨裤弟子甚么也不懂，跟白痴也差不了甚么。便在那时，青城派中两个最不成话的余人彦和贾人达，也到我们大宝号来光顾……"

陆大有鼓掌道："二师哥，你和小师妹开设的大宝号，当真是生意兴隆通四海，财源茂盛达三江。你们在福建可发了大财哪！"

那少女笑道："那还用说么？二师哥早成了大财主，我托他大老板的福，可也捞了不少油水。"众人尽皆大笑。

劳德诺笑道："别瞧那林少镖头武功稀松平常，给咱们小师妹做徒儿也还不配，倒是颇有骨气。余沧海那不成材的小儿子余人彦瞎了眼睛，向小师妹动手动脚，口出调笑之言，那林公子居然伸手来抱打不平……"

林平之又是惭愧，又是愤怒，寻思："原来青城派处心积虑向我镖局动手，是为了报上代败剑之辱。来到福州的其实远不止方人智等四人。我杀不杀余人彦，可说毫不相干。"他心绪烦据，劳德诺述说他如何杀死余人彦，就没怎么听进耳去，但听得劳德诺一面说，众人一面笑，显是讥笑他武功甚低，所使招数全不成话。

只听劳德诺又道："当天晚上，我和小师妹又上福威镖局去察看，只见余观主率领了侯人英、洪人雄等十多个大弟子都已到了。我们怕给青城派的人发觉，站得远远的瞧热闹，眼见他们将局中的镖头和趟子手一个个杀了，镖局派出去求援的从镖头，也都给他们治死了，一具具尸首都送了回来，下的手可也真狠毒。当时我想，青城派上代长青子和林远图比剑而败，余观主要报此仇，只须去和林震南父子比剑，胜了他们，也就是了，却何以下手如此狠毒？那定是为了给余人彦报仇。可是他们偏偏放过了林震南夫妻和林平之三人不杀，只是将他们逼出镖局。林家三口和镖局人众前脚出了镖局，余观主后脚就进去，大模大样的往大厅正中太师椅上一坐，这福威镖局算是教他青城派给占了啦。"

陆大有道:"他青城派想接手开镖局了,余沧海要做总镖头!"众人都是哈哈一笑。

劳德诺道:"林家三口乔装改扮,青城派早就瞧在眼里,方人智、于人豪、贾人达三人奉命追踪擒拿。小师妹定要跟着去瞧热闹,于是我们两个又跟在方人智他们后面。到了福州城南山里的一家小饭铺中,方人智、于人豪、贾人达三人露脸出来,将林家三口都擒住了。小师妹说:'林公子所以杀余人彦,是由我身上而起,咱们可不能 见死不救。'我极力劝阻,说道咱们一出手,必定伤了青城,华山两家的和气,何况余观主便在福州,我二人别要闹个灰头土脸。"

陆大有道:"二师哥上了几岁年纪,做事自然把细稳重,那岂不扫了小师妹的兴致?"

劳德诺笑道:"小师妹兴致勃勃,二师哥便要扫她的兴,可也扫不掉。当下小师妹先到灶间中去,将那贾人达打得头破血流,哇哇大叫,引开了方于二人,她又绕到前面去救了林公子,放他逃生。"

陆大有拍手道:"妙极,妙极!我知道啦,小师妹可不是为了救那姓林的小子。她心中却另有一番用意。很好,很好。"那少女道:"我另有甚么用意?你又来胡说八道。"陆大有道:"我为了青城派而挨师父的棍子,小师妹心中气不过,因此去揍青城派的人,为我出气,多谢啦……"说着站起身来,向 那少女深深一揖。那少女噗哧一笑,还了一礼,笑道:"六猴儿师哥不用多礼。"

那手拿算盘的人笑道:"小师妹揍青块弟子,确是为人出气。是不是为你,那可大有研究。挨师父棍子的,不见得只你六猴儿一个。"劳德诺笑道:"这一次六师弟说得对了,小师妹揍那贾人达，确是为了给六师弟出气。日后师父问起来，她也是这么说。"陆大有连连摇手，说道："这……这个人情我可不敢领，别拉在我身上，教我再挨十下八下棍子。"

那高个儿问道："那方人智和于人豪没追来吗？"

那少女道："怎么没追？可是二师哥学过青城派的剑法，只一招'鸿飞冥冥'，便将他二人的长剑绞得飞上了天。只可惜二师哥当时用黑布蒙上了脸，方于二人到这时也不知是败在我华山派手下。"

劳德诺道："不知道最好，否则可又有老大一场风波。倘若只凭真实功夫，我也未必斗得过方于二人，只是我突然使出青城派剑法来，攻的又 是他们剑法中的破绽，他哥儿 俩大吃一惊，就这么着，咱们又占了一次上风。"

众弟子纷纷议论，都说大师哥知道了这回事后，定然十分高兴。

其时雨声如洒豆一般，越下越大。只见一副馄饨担从雨中挑来，到得茶馆屋檐下，歇下来躲雨。卖馄饨的老人笃笃笃敲着竹片，锅中水气热腾腾的上冒。

华山群弟子早就饿了，见到馄饨担，都脸现喜色。陆大有叫道："喂，给咱们煮九碗馄饨，另加鸡蛋。"那老人应道："是！是1"揭开锅盖，将馄饨抛入热汤中，过不多时，便煮好了五碗，热烘烘的端了上来。

陆大有倒很守规矩，第一碗先给二师兄劳德诺，第二碗给三师兄梁发，以下依次奏给四师兄施戴子，五师兄高根明，第五碗本该他自己吃的，他端起放在那少女面前，说道："小师妹，你先吃。"那少女一直和他说笑，叫他六猴儿，但见他端过馄饨，却站了起来，说道："多谢师哥。"

林平之在旁偷眼相瞧，心想多半他们师门规矩甚严，平时虽可说笑，却不能废了长幼的规矩。劳德诺等都吃了起来，那少女却等陆大有及其他几个师兄都有了馄饨，这才同吃。

梁发问道："二师哥，你刚才说到余观主占了福威镖局，后来怎样？"

劳德诺道："小师妹救了林少镖头后，本想暗中掇着方人智他们，俟机再将林震南夫妇救出。我劝她说："余人彦当日对你无礼，林少镖头仗义出手，你感他的情，救他一命，已足以报答。青城派与福威镖局是上代结下的怨他，咱们又何必插手？小师妹依了。当下咱二人又回到福州城，只见十余名青城弟子在福威镖局前前后后严密把守。

"这可就奇了。镖局中众人早就一哄而散，连林震南夫妇也走了，青城派还忌惮甚么？我和小师妹猜不透其中缘由，好奇心起，便想去查看。我们想青城弟子守得如此把细，夜里进去可不太容易，傍晚时分，便在他们换班吃饭之时，闪进菜园子躲了起来。

"一进镖局，只见许多青城弟子到处翻箱倒箧，钻墙挖壁，几乎将偌大一座福威镖局从头至尾都翻了一个身。镖局中自有不少来不及携去的金银财宝，但这些人找到后随手放在一旁，并不如何重视。我当时便想：他们是在找寻一件十分重要的东西，那是甚么呢？"

三四个华山弟子齐声道："辟邪剑法的剑谱！"

劳德诺道："不错，我和小师妹也这么想。瞧这模样，显然他们占了福威镖局之后，便即大抄而特抄。眼见他们忙得满头大汗，摆明了是劳而无功。"

陆大有问道："后来他们抄到了没有？"劳德诺道："我和小师妹都想看个水落石出，但青城派这些人东找西抄，连茅厕出不放过，我和小师妹实在无处可躲，只好溜走了。"

五弟子高根明道："二师哥，这次余沧海亲自出马，你看是不是有点儿小题大作？"

劳德诺道："余观主的师父曾败在林远图的辟邪剑下，到底林震南是不肖之孙，还是强爷胜祖，外人不知虚实。余观主如果单派几名弟子来找回这个梁子，未免过于托大，他亲自出马，事先又督率众弟子练剑，有备不发，倒也不算小题大作。不过我瞧他的神情，此番来到福州，报仇倒是次要，主旨却是在得那部剑谱。"

四弟子施戴子道："二师哥，你在松风观中见到他们齐练辟邪剑法，这路剑法既然会使了，又何必再去找寻这剑法的剑谱？说不定是找别的东西。"

劳德诺摇头道："不会。以余观主这等高人，除了武功秘诀之外，世上更有甚么是他志在必得之物？后来在江西玉山，我和小师妹又见到他们一次。听说余观主在查问从浙江、广东各地赶去报讯的弟子，问他们有没有找到那东西，神色焦虑，看来大家都没找到。"

施戴子仍是不解，搔头道："他们明明会使这路剑法，又去找这剑谱作甚？真是奇哉怪也！"劳德诺道："四弟我你想想，林远图当年既能打败长青子，剑法自是极高明的了。可是长青子当时记在心中而传下来的辟邪剑法固然平平无奇，而余观主今日亲眼目睹，林氏父子的武功更殊不足道。这中间一定有甚么不对头的了。"施戴子问道："甚么不对头？"劳德诺道："那自然是林家的辟邪剑法之中，另有一套诀窍，剑法招式虽然不过如此，威力却极强大，这套诀窍，林震南就没学到。"

施戴子想了一会，点头道："原来如此。不过剑法口诀，都是师父亲口传授的。林远图列死了几十年啦，便是找到他的棺材，翻出他死尸来，也没用了。"

劳德诺道："本派的剑诀是师徒口传，不落文字，别家别派的武功却未必都这样。"

施戴子道："二师哥，我还是不明白。倘若在从前，他们要找辟邪剑法的秘诀是有道理的，知己知彼，百战百胜，要胜过辟邪剑法，自须明白其中的窍诀所在。可是眼下青城派将林震南夫妇都给捉了去，福威镖局总局分局，也一古脑儿给他们挑得一干二净，还有甚么仇没报"就算辟邪剑法之中真有秘诀，他们找了来又干甚么？"

劳德诺道："四弟，青城派的武功，比之咱们五岳剑派怎么样？"施戴子道："我不知道。。"过了一会，又道："恐怕不及罢？"劳德诺道："是了。恐怕有所不及。你想，余观主是何等心高气傲之人，岂不想在武林中扬眉吐气，出人头地？要是林家的确另有秘诀，能将招数平平的辟邪剑法变得威力奇大，那么将这秘诀用在青城剑法之上，却又如何？"

施戴子呆了半晌，突然伸掌在桌上大力一拍，站起身来，叫道："这才明白了！原来余沧海要青城派剑法在武林之中无人能敌！"

便在此时，只听得街上脚步声响，有一群人奔来，落足轻捷，显是武林中人。众人转头向街外望去，只见急雨之中有十余人迅速过来。

这些人身上都披了油布雨衣，奔近之时，看清楚原来是一群尼姑。当先的老尼姑身材甚高，在茶馆前一站，大声喝道："令狐冲，出来！"

劳德诺等一见此人，都认得这老尼姑道号定逸，是恒山白云庵庵主，恒山派掌门定闲师太的师妹，不但在恒山派中威名甚盛，武林中也是谁都忌惮她三分，当即站起，一齐恭恭敬敬的躬身行礼。劳德诺朗声说道："参见师叔""

定逸师太眼光在众人脸一掠过，粗声粗气的叫道："令狐冲躲到哪里去啦？快给我滚出来。"声音比男子汉还粗豪几分。

劳德诺道："启禀师叔，令狐师兄不在这儿。弟子等一直在此相候，他尚未到来。"

林平之寻思："原来他们说了半天的大师哥名叫令狐冲。此人也真多事，不知怎地，却又得罪这老尼姑了。"

定逸目光在茶馆中一扫，目光射到那少女脸上时，说道："你是灵珊么？怎地装扮成这副怪相吓人？"那少女笑道："有恶人要和我为难，只好装扮了避他一避。"

定逸哼了一声，说道："你华山派的门规越来越松了，你爹爹老是纵容弟子，在外面胡闹，此间事情一了，我亲自上华山来评这个理。"灵珊急道："师叔，你可千万别去。大师哥最近挨了爹爹三十下棍子，打得他路也走不动。你去跟爹爹一说，他又得挨六十棍，那不打死了他么？"定逸道："这畜生打死得愈早愈好。灵珊，你也来当面跟我撒谎！甚么令狐冲路也走不动？他走不动路，怎地会将我的小徒儿掳了去？"

她此言一出，华山群弟子尽皆失色。灵珊急得几乎哭了出来，忙道："师叔，不会的！大师哥再胆大妄为，也决计不敢冒犯贵派的师姊。定是有人造谣，在师叔面前挑拨。"

定逸大声道："你还要赖？仪光，泰山派的人跟你说甚么来？"

一个中年尼姑走上一步，说道："泰山派的师兄们说，天松道长在衡阳城中，亲眼见到令狐冲师兄，和仪琳师妹一起在一家酒楼上饮酒。那酒楼叫做么回雁楼。仪琳师妹显然是受了令狐冲师兄的挟持，不敢不饮，神情……神情甚是苦恼。跟他二人在一起饮酒的，还有那个……那个……无恶不作的田………

田伯光。"

定逸早已知道此事，此刻第二次听到，仍是一般的暴怒，伸掌在桌上重重拍落，两碗馄饨碗跳将起来，呛啷啷数声，在地下跌得粉碎。

华山群弟子个个神色十分尴尬。灵珊只急得泪水在眼眶中滚来滚去，颤声道："他们定是撒谎，又不然……又不然，是天松师叔看错了人。"

定逸大声道："泰山派天松道人是甚么人，怎会看错了人？又怎会胡说八道？令狐冲这畜生，居然去和田伯光这等恶徒为伍，堕落得还成甚么样子？你们师父就算护犊不理，我可不能轻饶。这万里独行田伯光贻害江湖，老尼非为天下除此大害不可。只是我得到讯息赶去时，田伯我和令狐冲却已挟制了仪琳去啦！我……我……到处找他们不到……"她说到后来，声音已甚为嘶哑，连连顿足，叹道："唉，仪琳这孩子，仪琳这孩子！"

华山派众弟子心头怦怦乱跳，均想："大师哥拉了恒山派门下的尼姑到酒楼饮酒，败坏出家人的清誉，已然大违门规，再和田伯光这等人交结，那更是糟之透顶了。"隔了良久，劳德诺才道："师叔，只怕令狐师兄和田伯光也只是邂逅相遇，并无交结。令狐师兄这几日喝得醺醺大醉，神智迷糊，醉人干事，作得不准……"定逸怒道："酒醉三分醒，这么大一个人，连是非好歹也不分么？"劳德诺道："是，是！只不知令狐师兄到了何处，师侄等急盼找到他，责以大义，先来向师叔磕头谢罪，再行禀告我师父，重重责罚。"

定逸怒道："我来替你们管师兄的吗？"突然伸手，抓住灵珊的手腕。灵珊腕上便如套上一个铁箍，"啊"的一声，惊叫出来，颤声道："师……师叔！"

定逸喝道："你们华山派掳了我仪琳去。我也掳你们华山派一个女弟子作抵。你们把我仪琳放出来还我,我便也放了灵珊!"一转身,拉了她便走。灵珊只觉上半身一片酸麻,身不由主,跌跌撞撞的跟着她走到街上。

劳德诺和梁发同时抢上,拦在定逸师太面前。劳德诺躬身道:"师叔,我大师兄得罪了师叔,难怪师叔生气。只是这件事的确跟小师妹无关,还请师叔高抬贵手。"

定逸喝道:"好,我就高抬贵手!"右臂抬起,横掠了出去。

劳德诺和梁发只觉一股极强的劲风逼将过来,气为之闭,身不由主的向后直飞出去。劳德诺背脊撞在茶馆对面一家店铺的门板之上,喀喇一声,将门板撞断了两块。梁发却向那馄饨担飞了过去。

眼见他势将把馄饨担撞翻,锅中滚水溅得满身都是,非受重伤不可。那卖馄饨的老人伸出左手,在梁发背上一托,梁发登时平平稳稳的站定。

定逸师太回过头来,向那卖馄饨的老人瞪了一眼,说道:"原来是你!"那老人笑道:"不错,是我!师太的脾气也忒大了些。"定逸道:"你管得着么?"

便在此时,街头有两个人张着油纸雨伞,提着灯笼,快步奔来,叫道:"这位是恒山派的神尼么?"

定逸道::"不敢,恒山定逸在此。尊驾是谁?"

那二人奔到临近,只见他们手中所提灯笼上都写着"刘府"两个红字。当先一人道:"晚辈奉敝业师之命,邀请定逸师伯和众位师姊,同到敝处奉斋。晚辈未得众位来到衡山的讯息,不曾出城远迎,恕罪恕罪。"说着便躬身行礼。

定逸道:"不须多礼。两位是刘三爷的弟子吗?"那人道:"是。晚辈向大年,这是我师弟米为义,向师伯请安。"说着和米为义二人又恭恭敬敬的行礼。定逸见向米二人执礼甚恭,说道："好，我们正要到府上拜访刘三爷。"

向大年向着梁发等道："这几位是?"梁发道："在下华山派梁发。"向大年欢然道："原来是华山派梁三哥，久慕英名，请各位同到敝舍。我师父嘱咐我们到处迎接各路英雄好汉，实因来的人多，简慢之极，得罪了朋友，各位请罢。"

劳德诺走将过来，说道："我们本想会齐大师哥后，同来向刘三师叔请安道贺。"向大年道："这位想必是劳二哥了。我师父常日称道华山派岳师伯座下众位师兄英雄了得，令狐师兄更是杰出的英才。令狐师兄既然未到，众位先去也是一样。"劳德诺心想："小师妹给定逸师叔拉了去，看样子是不肯放的了，我们只有陪她一起去。"便道："打扰了。"向大年道：众位劳步来到衡山，那是给我们脸上贴金，怎么还说这些客气话? 请! 请!"

定逸指着那卖馄饨的人道："这一位也也请么?"

向大年朝那老人瞧了一会，突然有悟，躬身道："原来雁荡山何师伯到了，真是失礼，请，请何师伯驾临敝舍。"他猜到这卖馄饨的老人是浙南雁荡山高手何三七。此人自幼以卖馄饨为生，学成武功后，仍是挑着副馄饨担游行江湖，这副馄饨担可是他的标记。他虽一身武功，但自甘淡泊，以小本生意过活，武林中人说起来都是好生相敬。天下市巷中卖馄饨的何止千万，但既卖馄饨而又是武林中人，那自是非何三七不可了。

何三七哈哈一笑，说道："正要打扰。"将桌上的馄饨碗收拾了。劳德诺道："晚辈有眼不识泰山。何前辈莫怪。"何三七笑道："不怪，不怪。你们来光顾我馄饨，是我衣食父母，何怪之有? 九碗馄饨，十文钱一碗，一共九十文。"说着伸出了左掌。

劳德诺好生尴尬，不知何三七是否开玩笑。定逸道："吃了馄饨就给钱啊，何三七又没说请客。"何三七笑道："是啊，小本生意，现银交易，至亲好友，赊欠免问。"劳德诺道："是，是!"

却也不敢多给，数了九十文铜钱，双手恭恭敬敬的奉上。何三七收了，转身向定逸伸出手来，说道："你打碎了我两只馄饨碗，两只调羹，一共十四文，赔来。"定逸一笑，道："不气鬼，连出家人也要讹诈。仪光，赔了给他。"仪光数了十四文，也是双手奉上。何三七接过，丢入馄饨担旁直竖的竹筒之中，挑起担子，道："去罢！"

向大年向茶博士道："这里的茶钱，回头再算，都记在刘三爷帐上。"那茶博士笑道："哈，是刘三爷的客人，哈，我们请也请不到，哈，还算甚么茶钱？"

向大年将带来的雨伞分给众宾，当先领路。定逸拉着那华山派的少女灵珊，和何三七并肩而行。恒山派和华山派群弟子跟在后面。

林平之心想："我就远远的跟着，且看是否能混进刘正风的家里。"眼见众人转过了街角，便即起身走到街角，见众人向北行去，于是在大雨下挨着屋檐下走去。过了三条长街，只见左首一座大宅，门口点着四盏大灯笼，十余人手执火把，有的张着雨伞，正忙着迎客。定逸、何三七等一行人进去后，又有好多宾客从长街两头过来。

林平之大着胆子，走到门口。这时正有两批江湖豪客由刘门弟子迎着进门，林平之一言不发的跟了进去。迎宾的只道他也是贺客，笑脸迎人，道："请进，奉茶。"

踏进大厅，只听得人声喧哗，二百余人分坐各处，分别谈笑。林平之心中一定，寻思："这里这么多人，谁也不会来留心我，只须找到青城派的那些恶徒，便能查知我爹爹妈妈的所在了。"当下在厅角暗处一张小桌旁坐下，不久便有家丁送上清茶、面点、热毛巾。

他放眼打量，见恒山群尼围坐在左侧一桌，华山群弟子围坐在其旁另一桌，那少女灵珊也坐在那里，看来定逸已放开了她。但定逸和何三七却不在其内。林平之一桌一桌瞧过去，突然间心中一震，胸口热血上涌，只见方人智、于人豪二人和一群人围坐在两张桌旁，显然都是青城派的弟子，但他父亲和母亲却不在其间，不知给他们囚禁在何处。

林平之又悲又怒，又是担心，深恐父母已遭了毒手，只想坐到附近的座位去，偷听他们说话，但转念又想，好容易混到了这时，倘若稍有轻举妄动，给方人智他们瞧出了破绽，不但全功尽弃，且有杀身这祸。

正在这时，忽然门口一阵骚动，几名青衣汉子抬着两块门板，匆匆进来。门板上卧着两人，身上盖着白布，布上都是鲜血。厅上众人一见，都抢近去看。听得有人说道："是泰山派的！""泰山派的天松道长受了重伤，还有一个是谁？""是泰山掌门天门道人的弟子，姓迟的，死了吗？""死了，你看这一刀从前胸砍到后背，那还不死？"

众人喧扰声中，一死一伤二人都抬了后厅，便有许多人跟着进去。厅上众人纷纷议论："天松道人是泰山派的好手，有谁这样大胆，居然将他砍得重伤？""能将天松道人砍伤，自然是武功比他更的好手。艺高人胆大，便没甚么希奇！"

大厅上众人议论纷纷之中，向大年匆匆出来，走到华山群弟子围坐的席上，向劳德诺道："劳师兄，我师父有请。"劳德诺应道："是！"站起身来，随着他走向内室，穿过一条长廊，来到一座花厅之中。

只见上首五张太师椅并列，四张倒是空的，只有靠东一张上坐着一个身材魁梧的红脸道人，劳德诺知道这五张太师椅是为五岳剑派的五位掌门人而设，嵩山、恒山、华山、衡山四剑派掌门人都没到，那红脸道人是泰山派的掌门天门道人。两旁坐着十九位武林前辈，恒山派定逸师太，青城派余沧海，浙南雁荡山何三七都在其内。下首主位坐着个身穿酱色茧绸袍子、矮矮胖胖、犹如财主模样的中年人，正是主人刘正风。劳德诺先向主人刘正风行礼，再向天门道人拜到，说道：“华山弟子劳德诺，叩见天门师伯。”

那天门道人满脸煞气，似是心中郁积着极大的愤怒要爆炸出来，左手在太师椅的靠手上重重一拍，喝道：“令狐冲呢？”他这一句话应声音极响，当真便如半空中打了个霹雳。

大厅上众人远远听到他这声暴喝，尽皆耸然动容。

那少女灵珊惊道：“三师哥，他们又在找大师哥啦。”梁发点了点头，并不说话，过了一会，低声道：“大家定些！大厅上各路英雄毕集，别让人小觑了我华山派。”

林平之心想：“他们又在找令狐冲啦。这个令狐老儿，闯下的乱子也真不少。”

劳德诺被天门道人这一声积怒凝气的大喝震得耳中嗡嗡作响，在地下跪了片刻，才站起来，说道：“启禀师伯，令狐师兄和晚辈一行人在衡阳分手，约定在衡山城相地，同到刘师叔府上来道贺。他今天如果不到，料想明日定会来了。”

天门道人怒道：“他还敢来？他还敢来？令狐冲是你华山派的掌门大弟子，总算是名门正派的人物。他居然去跟那奸淫掳掠、无恶不作的采花大盗田伯光混在一起，到底干甚么了？”

劳德诺道：“据弟子所知，大师哥和田伯光素不相识。大师哥平日就爱喝上三杯，多半不知对方便是田伯光，无意间跟他凑在一起喝酒了。"

天门道人一顿足，站起身来，怒道："你还在胡说八道，给令狐冲这狗崽子强辨。天松师弟，你……你说给他听，你怎么受的伤？令狐冲识不识得田伯光？"

两块门板停在西首地下，一块板上躺的是一具死尸，另一块上卧着个长须道人，脸色惨白，胡须上染满了鲜血，低声道："今儿早上……我……我和迟师侄在衡阳……回雁……回雁楼头，见到令狐冲……还有田伯光和一个小尼姑……"说到这里，已喘不过气来。

刘正风道："天松道兄，你不用再复述了，我将你刚才说过的话，跟他说便了。"转头向劳德诺道："劳贤侄，你和令狐贤侄众位同门远道光临，来向我道贺，我对岳师兄和诸位贤侄的盛情感激之至。只不知令狐贤侄如何跟田伯光那厮结识上了，咱们须得查明真相，倘若真是令狐贤侄的不是，咱们五岳剑派本是一家，自当好好劝他一番才是……"

天门道人怒道："甚么好好劝他，清理门户，取其首级！"

刘正风道："岳师兄向来门规极严。在江湖上华山派向来是一等一的声誉，只是这次令狐贤侄却也太过分了些。"

天门道人怒道："你还称他'贤侄'？贤，贤，贤贤他个屁！"他一句话出口，便觉在定逸师太这女尼之前吐言不雅，未免有失自己一派大宗师的身分，但说也说了，已无法收回，"波"的一声，怒气冲冲的重重嘘了口气，坐入椅中。

劳德诺道："刘师叔，此事到底真相如何，还请师叔赐告。"

刘正风道："适才天松道兄说道：今日大清早，他和天门道兄的弟子迟百城贤侄上衡阳回雁楼喝酒，上得酒楼，便见到三个人坐在楼上大吃大喝。这三个人，便是淫贼田伯光，令狐师侄，以及定逸师太的高足仪琳小师父了。天松道兄一见，便觉十分碍眼，这三人他本来都不认得，只是从服色之上，得知一个是华山派弟子，一个是恒山派弟子。定兔师太莫恼，仪琳师侄被人强迫，身不由主，那是显而易见的。天松道兄说，那田伯光是个三十来负的华服男子，也不知此人是谁，后来听令狐师侄说道：'田兄，你虽轻功独步天下，但要是交上了倒霉的华盖运，轻功再高，却也逃不了。'他既姓田，又说轻功独步天下，自必是万里独行田伯光了。天松道兄是个嫉恶如仇之人，他见这三人同桌共饮，自是心头火起。"

劳德诺应道："是！"心想："回雁楼头，三人共饮，一个是恶名昭彰的淫贼，一个是出家的小尼姑，另一个却是我们华山派大弟子，确是不伦不类之至。"

刘正风道："他接着听那田伯光道：'我田伯光独往独来，横行天下，哪里能顾忌得这么多？这小尼姑嘛，反正咱们见也见到了，且让她在这里陪着便是……'"

刘正风说到这里，劳德诺向他瞧了一眼，又瞧瞧天松道人，脸上露出怀疑之色。刘正风登时会意，说道："天松道兄重伤之余，自没说得这般清楚连贯，我给他补上一些，但大意不错。天松道兄，是不是？"天松道："正……正是，不错，不……不错！"

刘正风道："当时迟百城贤侄便忍耐不住，拍桌骂道：'你是淫贼田伯光么？武林中人人都要杀你而甘心，你却在这里大言不惭，可不是活得不耐烦了？'拔出兵刃，上前动手，不幸竟给田伯光杀了。少年英雄，命丧奸人之手，实在可惜。天松道兄随即上前，他侠义为怀，杀贼心切，斗了数百回合后，一不留情，竟给田伯光使卑鄙手段，在他胸口砍了一刀。其后令狐师侄却仍和 田伯光那淫贼一起坐着喝酒，未免有失我五岳剑派结盟的义气。天门道兄所以着恼，便是为此。"

天门道人怒道："甚么五岳结盟的义气，哼，哼！咱们学武人，这是非之际，总得分个明白，和这样一个淫贼……这样一个淫贼……"气得脸如蓝血，似乎一丛长须中每一根都要竖将起来，忽听得门外有人说道："师父，弟子有事启禀。"天门道人听得是徒儿声音，便道："进来！甚么事？"

一个三十来岁、英气勃勃的汉子走了进来，先向主人刘正风行了一礼，又向其余众前辈行礼，然后转向天门道人说道："师父，天柏师叔传了讯息来，说道他率领本门弟子，在衡阳搜寻田伯光、令狐冲两个淫贼，尚未见到踪迹……"

劳德诺听他居然将自己大师哥也归入"淫贼"之列，大感脸上无光，但大师哥确是和田伯光混在一起，又有甚么法子？

只听那泰山派弟子续道："但在衡阳城外，却发现了一具尸体，小腹上插着一柄长剑，那口剑是令狐冲那淫贼的……"天门道人急问："死者是谁？"那人的眼光转向余沧海，说道："是余师叔门下的一位师兄，当时我们都不识得，这尸首搬到了衡山城里之后，才有人识得，原来是罗人杰罗师兄……"

余沧海"啊"的一声，站了起来，惊道："是人杰？尸首呢？"

只听得门外有人接口道："在这里。"余沧海极沉得住气，虽然乍闻噩耗，死老又是本门"英雄豪杰"四大弟子之一的罗人杰，却仍然不动声色，说道："烦劳贤侄，将尸首抬了进来。"门外有人应道："是！"两个人抬着一块门板，走了进来。那两人一个是衡山派弟子，一个是青城派弟子。

只见门板上那尸体的腹部插着一柄利剑。这剑自死老小腹插入，斜刺而上。一柄三尺长剑，留在体外的不足一尺，显然剑尖已插到了死者的咽喉，这等自下而上的狠辣招数，武林中倒还真少见。余沧海喃喃的道："令狐冲，哼，令狐冲，你……你好辣手""

那泰山派弟子说道："天柏师叔派人带了讯来，说道他还在搜查两名淫贼，最好这里的师伯、师叔们有一两位前去相救。"

定逸和余沧海齐声道："我去！"

便在此时，门外传进来一个娇嫩的声音，叫道："师父，我回来啦！"

定逸脸色斗变，喝道："是仪琳？快给我滚进来！"

众人目光一齐望向门口，要瞧瞧这个公然与两个万恶淫贼在酒楼上饮酒的小尼姑，到底是怎么一个人物。

门帘掀处，众人眼睛陡然一亮，一个小尼姑悄步走进花厅，但见她清秀绝俗，容色照人，实是一个绝丽的美人。她还只十六七岁年纪，身形婀娜，虽裹在一袭宽大缁衣之中，仍俺不住窈窕娉婷之态。她走进定逸身前，盈盈倒拜，叫道："师父……"两字一出口，突然哇的一声，哭了起来。

定逸沉着脸道："你做……你做的好事"怎地回来了？"

仪琳哭道："师父，弟子这一次……这一次，险些儿不能再见着你老人家了。"她说话的声音十分娇媚，两只纤纤小手抓住了定逸的衣袖，白得犹如透明一般。人人心中不禁都想："这样一个美女，怎么去做了尼姑？"

余沧海只向她瞥了一眼，便不再看，一直凝视着罗人杰尸体上的那柄利剑，见剑柄上飘着青色丝穗，近剑柄处的锋刃之上，刻着"华山令狐冲"五个小字。他目光转处，见劳德诺腰间佩剑一模一样，也是飘 着青色丝穗，突然间欺身近前，左手疾伸，向他双目插了过去，指风凌厉，刹那间指尖已触到他眼皮。

劳德诺大惊，急使一招"举火撩天"，高举双手去格。余沧海一声冷笑，左手转了个极小的圈子，已将他双手抓在掌中，跟着右手伸出，刷的一声，拔出了他腰间长剑。劳德诺双手入于彼掌，一挣之下，对方屹然不动，长剑的剑尖却已对准了自己胸口，惊呼："不……不关我事！"

余沧海看那剑刃，见上面刻着"华山劳德诺"五字，字体大小，与另一柄剑上的全然相同。他手腕一沉，将剑尖指着劳德诺的小腹，阴森森的道："这一剑斜刺而上，是贵派华山剑法甚么招数？"

劳德诺额头冷汗涔涔而下，颤声道："我……我们华山剑法没……没这一招。"

余沧海寻思："致人杰于死这一招，长剑自小腹刺入，剑尖直至咽喉，难道令狐冲俯下身去，自下而上的反刺？他杀人之后，又为甚么不拔出长剑，故意留下证据？莫非有意向青城派挑衅？"忽听得仪琳说道："余师伯，令狐大哥这一招，多半不是华山剑法。"

余沧海转过身来，脸上犹似罩了一层寒霜，向定逸师太道："师太，你倒听听令高徒的说话，她叫这恶贼作甚么？"

定逸怒道："我没耳朵么"要你提醒。"她听得仪琳叫令狐冲为"令狐大哥"，心头早已有气，余沧海只须迟得片刻说这句话，她已然开口大声申斥，但偏偏他抢先说了，言语又这等无礼，她便反而转过来回护徒儿，说道："她顺口这么叫，又有甚么干系"我五岳剑派结义为盟，五派门下，都是师兄弟、师姊妹，有甚么希奇了？"

余沧海笑道："好，好！"丹田中内息上涌，左手内力外吐，将劳德诺推了出去，砰的一声，重重撞在墙上，屋顶灰泥登时簌簌而落，喝道："你这家伙难道是好东西了？一路上鬼鬼祟祟的窥探于我，存的是甚么心？"

劳德诺给他这么一推一撞，五脏六腑似乎都要翻了转来，伸手在墙上强行支撑，只觉双膝酸软得犹如灌满了黑醋一般，只想坐倒在地，勉力强行撑住，听得余沧海这么说，暗暗叫苦：

"原来我和小师妹暗中察看他们行迹,早就给这老奸巨猾的矮道士发觉了。"

定逸道:"仪琳,跟我来,你怎地失手给他们擒住,清清楚楚的给师父说。"说着拉了她手,向厅外走去。众人心中都甚明白,这样美貌的一个小尼姑,落入了田伯光这采化淫贼手中,哪里还能保得清白?其中经过情由,自不便在旁人这前吐露,定逸师太是要将她带到无人之处,再行详细查问。

突然间青影一晃,余沧海闪到门前,挡住了去咱,说道:"此事涉及两条人命,便请仪琳小师父在此间说。"他顿了一顿,又道:"迟百城贤侄,是五岳剑派中人。五派门下,大家都师兄弟,给令狐冲杀了,泰山派或许不怎么介意。我这徒儿罗人杰,可没资格跟令狐冲兄弟相称。"

定逸性格刚猛,平日连大师姊定静、掌门师姊定闲,也都容让她三分,如何肯让余沧海这般挡住去路,出言讥刺?听了这几句话后,两条淡淡的柳眉登时向上竖起。

刘正风素知定逸师太脾气暴躁,见她双眉这么一竖,料想便要动手。她和余沧海都是当今武林中一流高手,两人一交上手,事情可更闹得大了,急忙抢步上前,一揖到地,说道:"两位大驾光临刘某舍下,都是在下的贵客,千万冲着我这小小面子,别伤了和气。都是刘某招呼不周,请两位莫怪。"说着连连作揖。

定逸师太哈的一声笑,说道:"刘三爷说话倒也好笑,我自生牛鼻子的气,跟你有甚么相干?他不许我走,我偏要走。他若不拦着我的路,要我留着,倒也可以。"

余沧海对定逸原也有几分忌惮,和她交手,并无胜算,而且她师姊定闲虽为人隐扣,武功之高,却是众所周知,今日就算胜了定逸,她掌门师姊决不能撇下不管,这一得罪了恒山派,不免后患无穷，当即也是哈哈一笑，说道："贫道 只盼仪琳小师父向大伙儿言明真相。余沧海是甚么人，岂敢阻拦恒山派白云庵主的道路？"说着身形一晃，归位入座。

定逸师太道："你知道就好。"拉着仪琳的手，也回归己座，问道："那一天跟你失散后，到底后来事情怎样？"她生怕仪琳年幼无知，将贻羞师门之事也都说了出来，忙加上一句："只拣要紧的说，没相干的，就不用罗唆。"

仪琳应道："是！弟子没做甚么有违师训之事，只是田伯光这坏人，这坏人……他……他……他……。"定逸点头道："是了，你不用说了，我都知道。我定当杀田伯光和令狐冲那两个恶贼，给你出气……"

仪琳睁着清高明澈的双眼，脸上露出诧异的神色，说道："令狐大哥"他……他……"突然垂下泪来，呜咽道："他……他已经死了！"

众人听了，都是一惊。天门道人听说令狐冲已死，怒气登时消灭，大声问道："他怎么死的，是谁杀死他的""

仪琳道："就是这……这个青城派的……的坏人。"伸手指着罗人杰的尸体。

余沧海不禁感到得意，心想："原来令狐冲这恶棍竟是给人杰杀的。如此说来，他二人是拚了个同归于尽。好，人杰这孩子，我早知他有种，果然没堕了我青城派的威名。"他瞪视仪琳，冷笑道："你五岳剑派的都是好人，我青城派的便是坏人了？"

仪琳垂泪道："我……我不知道，我不是说你余师伯，我只是说他。"说着又向罗人杰的尸身一指。

定逸向余沧海道："你恶狠狠的吓唬孩子做甚么？仪琳，不用怕，这人怎么坏法，你都说出来好了。师父在这里，有谁敢为难你？"说着向余沧海白了一眼。

余沧海道:"出家人不打诳语。小师父,你敢奉观音菩萨之名,立一个誓吗?"他怕仪琳受了师父的指使,将罗人杰的行为说得十分不堪,自己这弟子既已和令狐冲同归于尽,死无对证,便只有听仪琳一面之辞了。

仪琳道:"我对师父决计不敢撒谎。"跟着向外跪倒,双手合十,垂眉说道:"弟子仪琳,向师父和众位师伯叔禀告,决不敢有半句不尽不实的言语。观世音菩萨神通广大,垂怜鉴察。"

众人听她说得诚恳,又是一副楚楚可怜的模样,都对她心生好感。一个黑须书生,一直在旁静听,一言不发,此时插口说道:'小师父既这般立誓,自是谁也信得过的。"定逸道:"牛鼻子听见了吗?闻先生都这般说,还有甚么假的?"她知这须生姓闻,人人都叫他闻先生,叫甚么名字,她却不知,只知他是陕南人,一对判官笔出神入化,是点穴打穴的高手。

众人目光都射向仪琳脸上,但见她秀色照人,恰似明珠美玉,纯净无瑕,连余沧海也想:"看来这小尼姑不会说谎。"花厅上寂静无声,只候仪琳开口说话。

只听她说道:"昨日下午,我随了师父和众师姊去衡阳,行到中途,下起雨来,下岭之时,我脚底一滑,伸手在山壁上扶了一下,手上弄得满是泥泞青苔。到得岭下,我去山溪里洗手,突然之间,溪水中在我的影子之旁,多了一个男子的影子。我吃了一惊,急忙站起,背心上一痛,已被他点中了穴道。我害怕得很,想要呼叫师父来救我,但已叫不出声来。那人将我身子提起,走了几丈,放在一个山洞之中。我心里害怕之极,偏偏动不了,又叫不出声。过了好一会,听得三位师姊分在三个地方叫我:'仪琳,仪琳,你在哪里?'那人只是笑,低声道:'他们倘若找到这里,我一起都捉了!'三位师姊到处找寻,又走回了头。

"隔了好一会，那人听得我三位师姊已去远了，便拍开了我的穴道。我当即向山洞外逃走，哪知这人的身法比我快得多，我急步外冲，没想到他早已挡在山洞口，我一头撞在他的胸口。他哈哈大笑，说道：'你还逃得了么？'我急忙后跃，抽出长剑，便想向他刺去，但想这人也没伤害我，出家人慈悲为本，何苦伤他性命？我佛门中杀生是第一大戒，因此这一剑就没刺出。我说：'你拦住我干甚么？你再不让开，我这剑就要……刺伤你了。'

"那人只是笑，说道：'小师父，你良心倒好。你舍不得杀我，是不是？'我说：'我跟你无怨无仇，何必杀你？'那人道：'那很好啊，那么坐下来谈谈。'我说：'师父师姊在找我呢，再说，师父不许我随便跟男人说话。'那人道：'你说都说了，多说几句，少说几句，又有甚么分别。'我说：'快让开罢，你知不知道我师父是很厉害的？她老人家见到你这样无礼，说不定把你两条腿也打断了。'他说：'你要打断我两条腿，我就让你打。你师父嘛，她这样老，我可没胃口。'……"

定逸喝道："胡闹！这些疯话，你也记在心里。"

众人无不忍俊不禁，只是碍着定逸师太，谁也不敢露出半点笑容，人人苦苦忍住。

仪琳道："他是这样说的啊。"定逸道："好啦，这些疯话，无关紧要，不用提了，你只说怎么撞到华山派的令狐冲。"

仪琳道："是。那个人又说了许多话，只是不让我出去，说我……我生得好看，要我陪他睡……"定逸喝道："住嘴！小孩子家口没遮拦，这些话也说得的？"仪琳道："是他说的，我可没答应啊，也没陪他睡觉……"定逸喝声更响："住口！"

在此时，抬着罗人杰尸身进来的那名青城弟子再也忍耐不住，终于哈的一声笑了出来。定逸大怒，抓起几上茶碗，一场手，一碗热茶便向他泼了过去，这一泼之中，使上了恒山派嫡传内力，既迅且准，那弟子不及闪避，一碗热茶都泼在脸上，只能得哇哇大叫。

余沧海怒道："你的弟子说得，我的弟子便笑不得？好不横蛮！"

定逸师太斜眼道："恒山定逸横蛮了几十年啦，你今日才知？"说着提起那只空茶碗，便欲向余沧海掷去。余沧海正眼也不向她瞧，反而转过了身子。定逸师太见他一番有恃无恐的模样，又素知青城派掌门人武功了得，倒也不敢造次，缓缓放下茶碗，向仪琳道："说下去！那些没要紧的话，别再罗唆。"

仪琳道："是了，师父。我要从山洞中出来，那人却一定拦着不放。眼看天色黑了，我心里焦急得很，提剑便向他刺去。师父，弟子不敢犯杀戒，不是真的要杀他，不过想吓他一吓。我使的是一招'金针渡劫'，不料他左手伸了过来，抓向我……我身上，我吃了一惊，向旁闪避，右手中的长剑便给他夺了去。那人武功好生厉害，右手拿着剑柄，左手大拇指和食指捏住剑尖，只轻轻一扳，卡的一声，便将我这柄剑扳断了一寸来长的一截。"定逸道："扳断了一寸来长的一截？"仪琳道："是！"

定逸和天门道人对望一眼，均想："那田伯光若将长剑从中折断，那是毫不希奇，但以二指之力，扳断一柄纯钢剑寸许一截，指力实是非同小可。"天门道人一伸手，从一名弟子腰间拔出一柄长剑，左手大拇指和食指捏住剑尖，轻轻一扳，卜的一声，扳断了寸许长的一截，问道："是这样么？"仪琳道："是。原来师伯也会！"天门道人哼的一声，将断剑还入弟子剑鞘，左手在几上一拍，一段寸许来长的 断剑头平平嵌入了几面。

仪琳喜道："师伯这一手好功夫，我猜那恶人田伯光一定不会了。"突然间神色黯然。垂下眼皮，轻轻叹息了一声，说道：

"唉，可惜师伯那时没有，否则令狐大哥也不会身受重伤了。"天门道人道："甚么身受重伤？你不是说他已经死了么？"仪琳道："是啊，令狐大哥因为身受重伤，才会给青城派那个恶人罗人杰害死。"

余沧海听她称田伯光为"恶人"，称自己的弟子也是"恶人"，竟将青城门下与那臭名昭彰的淫贼相提并论，不禁又哼了一声。

众人见仪琳一双妙目之中泪水滚来滚去，眼见便要哭出声来，一时谁也不敢去问她。天门道人、刘正风、闻先生、何三七一干长辈，都不自禁的对她心生爱怜之意，倘若她不是出家的尼姑，好几个人都想伸手去拍拍她背脊，摸摸她头顶的加以慰抚了。

仪琳伸衣袖拭了拭眼泪，哽咽道："那恶人田伯光只是逼我，伸手扯我衣裳。我反掌打他，两只手又都被他捉住了。就在这时候，洞外忽然有人笑了起来，哈哈哈，笑三声，停一停，又笑三声。田伯光厉声问道：'是谁？'外面那人又哈哈哈的连笑了三次。田伯光骂道：'识相的便给我滚得远远地。田大爷发作起来，你可没命啦！'那人又是哈哈哈的笑了三声。田伯光不去理他，又来扯我的衣裳，山洞外那人却又笑了起来。那人一笑，田伯光就发怒，我直盼那人快来救我。可是那人知道田伯光厉害，不敢进洞，只是在山洞外笑个不停。

"田伯光就破口骂人，点了我的穴道，呼的一声，窜了出去，但那人早就躲了起来。田伯光找了一会找不到，又回进洞来，刚走到我身边。那人便在山洞外哈哈哈的笑了起来。我觉得有趣，忍不住也笑了出来。"

定逸师太横了她一眼，斥道："自己正在生死关头，亏你还笑得出？"

仪琳脸上微微一红，道："是，弟子也想不该笑的，不过当时不知怎的，竟然便笑了。田伯光伏下身子，悄悄走到洞口，只待他再笑，便冲了出去。可是洞外那人机警得很，却也不发出半点声息，田伯光一步步的往外移，我想那人倘若给他擒住，可就糟了，眼见田伯光正要冲出去，我便叫了起来：'小心，他出来啦！'那人在远处哈哈哈的笑了三声，说道：'多谢你，不过他追不上我。他轻身功夫不行。'"

众人均想，田伯光号称"万里独行"，轻身功夫之了得，江湖上素来大大有名，那人居然说他"轻身功夫不行"，自是故意要激怒于他。

仪琳续道："田伯光这恶人突然回身，在我脸上重重扭了一把，我痛得大叫，他便窜了出去，叫道：'狗贼，你我来比比轻身功夫，哪知道这一下他可上了当。原来那人早就躲在山洞旁边，田伯光一冲出，他便溜了进来，低声道：'别怕，我来救你。他点了你哪里的穴道？'我说：'是右肩和背心，好像是"肩贞""大椎"！你是哪一位？'他说：'解了穴道再说。'便伸手替我在肩贞与大椎两穴推宫过血。

"多半我说的穴位不对，那人虽用力推拿，始终解不开，耳听得田伯光呼啸连连，又追回来。我说：'你快逃，他一回来，可要杀死你了。'他说：'五岳剑派，同气连枝。师妹有难，焉能不救？'"

定逸问道："他也是五岳剑派的？"

仪琳道："师父，他就是令狐冲令狐大哥啊。"

定逸和天门道人、余沧海、何三七、闻先生、刘正风等都"哦"了一声。劳德诺吁了口长气。众人中有些本已料到这人或许便是令狐冲，但总要等仪琳亲口说出，方能确定。"

仪琳道："耳听得田伯光啸声渐近，令狐大哥道：'得罪！'

将我抱起，溜出山洞，躲在草丛里。刚刚躲好，田伯光便奔进山洞，他找不到我，就大发脾气，破口大骂，骂了许多难听的话，我也不懂是甚么意思。他提了我那柄断剑，在草丛中乱砍，幸好这天晚上下雨，星月无光，他瞧不见我们，但他料想我们逃不远，一定躲在附近，因此不停手的砍削。有一次险得不得了，一剑从我头顶掠过，只差得几寸。他砍了一会，口中只是咒骂，向前砍削，一路找了过去。

"忽然之间，有些热烘烘的水点一滴滴的落在脸上，同时我闻到一阵阵血腥气。我吃了一惊，低声问：'你受了伤么?'令狐大哥伸手按住我嘴，过了好一会，听得田伯光砍草之声越去越远，他才低声道：'不碍事。'放开了手。可是流在我脸上的热血越来越多。我说：'你伤得很厉害，须得止血才好。我有"天香断续胶"。他道：'别出声，一动就给那厮发觉了!'伸手按住了自己伤口。过了一会，田伯光又奔了回来，叫道：'哈哈，原来在这里，我瞧见啦。站起身来!'我听得田伯光说已瞧见了我们，心中只是叫苦，便想站起身来，只是腿上动弹不得……"

定逸师太道："你上了当啦，田伯光骗你们的，他可没瞧见你。"仪琳道："是啊。师父，当时你又不在那里，怎么知道?"定逸道："哪有甚么难猜？他倘若真的瞧见了你们，过来一剑将令狐冲砍死便是，又何必大叫大嚷？可见令狐冲这小子也没见识。"

仪琳摇头道："不，令狐大哥也猜到了的。他一伸手便按住了我嘴，怕我惊吓出声。田伯光叫嚷了一会，不听到声音，又去砍草找寻。令狐大哥待他去远，低声道：'师妹，咱们若能再挨得半个时辰，你被封的穴道上气血渐畅，我就可以给你解开。只是田伯光那厮一定转头又来，这一次恐怕再难避过。咱们索性冒险，进山洞躲一躲。

仪琳说到这里，闻先生、何三七、刘正风三人不约而同的都击了一下手掌。闻先生道："好，有胆，有识！"

仪琳道："我听说再要进山洞去，很是害怕，但那时我对令狐大哥已很钦佩，他既这么说，总是不错的，便道：'好！'他又抱起我，窜进山洞，将我放在地下。我说：'我衣袋里有天香断续胶，是治伤的灵药，请你……请你取出来敷上伤口。'他道：'现下拿不大方便，等你手足能动之后，再给你罢。'他拔剑割下了一幅衣袖，缚在左肩。这时我才明白，原来他为了保护我，躲在草丛中之时，田伯光一剑砍在他的肩头，他一动不动，一声不哼，黑暗之中，田伯光居然没发觉。我心里难过，不明白取药有甚么不方便……"

定逸哼了一声，道："如此说来，令狐冲倒是个正人君子了。"

仪琳睁大了一双明亮的妙目，露出诧异神色，说道："令狐大哥自然是一等一的好人。他跟我素不相识，居然不顾自己安危，挺身而出，前来救我。"

余沧海冷冷的道："你跟他虽然素不相识，他可多半早就见过你的面了。否则焉有这等好心？"言下之意自说，令狐冲为了她异乎寻常的美貌，这才如此的奋不顾身。

仪琳道："不，他说从未见过我。令狐大哥决不会对我撒谎，他决计不会！"这几句话说得十分果决，声音虽然温柔，却大有斩钉截铁之意。众人为她一股纯洁的坚信之意所动，无不深信。

余沧海心想："令狐冲这厮大胆狂妄，如此天不怕、地不怕的胡作非为，既然不是为了美色，那必定是故意去和田伯光斗上一斗，好在武林中大出风头。"

仪琳续道："令狐大哥扎好自己伤口后，又在我肩头和背心穴道上给我推宫过血。过不多时，便听得洞外刷刷刷的声响越来越近，田伯光挥剑在草丛中乱砍，走到了山洞门口。我的心怦怦大跳，只听他走进洞来，坐在地上，一声不响。我屏住了呼吸，连气也不敢透一口。突然之间，我肩头一阵剧痛，我出其不意，禁不住低呼了一声。这一下可就糟了，田伯光哈哈大笑，大踏步向我走来。令狐大哥蹲在一旁，仍是不动。田伯光笑着说：‘小绵羊，原来还是躲在山洞里。’伸手来抓我，只听得嗤的一声响，他被令狐大哥刺中了一剑。

"田伯光一惊，断剑脱手落地。可惜令狐大哥这一剑没刺中他要害，田伯光向后急跃，拔出了腰间佩刀，便向令狐大哥砍去，当的一声响，刀剑相交，两个人便动起手来。他们谁也瞧不见谁，铮铮铮的拆了几招，两个人便都向后跃开。我只听到他二人的呼吸之声，心中怕得要命。"

天门道人插口问道："令狐冲和他斗了多少回合""

仪琳道："弟子当时吓得胡涂了，实在不知他二人斗了多久。只听得田伯光笑道：‘啊哈，你是华山派的！华山剑法，非我敌手。你叫甚么名字？’令狐大哥道：‘五岳剑派，同气连枝，华山派也好，恒山派也好，都是你这淫贼的对头……’"他话未说完，田伯光已攻了上去，原来他要引令狐大哥说话，好得知他处身的所在。两人交手数合。令狐大哥‘啊’的一声叫，又受了伤。田伯光笑道：‘我早说华山剑法不是我对手，便是你师父岳老儿亲来，也斗我不过。’令狐大哥却不再睬他。

"先前我肩头一阵剧痛，原来是肩上的穴道解了。这时背心的穴道又痛了几下，我支撑着慢慢爬起，伸手想去摸地下那柄断剑。令狐大哥听到了声音，喜道：‘你穴道解开了，快走，快走。’我说：‘华山派的师兄，我和你一起跟这恶人拚了！’他说：‘你快走！我们二人联手，也打他不过。’田伯光笑道：‘你知道就好！何必枉自送了性命？喂，我倒佩服你是要英雄好汉，你什么名字？'令狐大哥道：'你问我尊姓大名，本来说给你知，却也不妨。但你如此无礼询问，老子睬也不来睬你。'师父，你说好笑不好笑？令狐大哥又不是他爹爹，却自称是他'老子'。"

定逸哼了一声，道："这是市井中的粗口俗语，又不是真的'老子'！"

仪琳道："啊，原来如此。令狐大哥道：'师妹，你快到衡山城去，咱们许多朋友都在那边，谅这恶贼不敢上衡山城找你。'我道：'我如出去，他杀死了你怎么办？'令狐大哥道：'他杀不了我的！我缠住他，你还不快走！啊哟！'乒乒两声，两人刀剑相交，令狐大哥又受了一处伤，他心中急了，叫道：'你再不走，我可要开口骂你啦！'这时我已摸到了地下的断剑，叫道：'咱们两人打他一个。'田伯光笑道：'再好没有！田伯光只身单刀，会斗华山、恒山两派。'"

"令狐大哥真的骂起我来，叫道：'不懂事的小尼姑，你简直胡涂透顶，还不快逃！你再不走，下次见到你，我打你老大的耳括子！'田伯光笑道：'这小尼姑舍不得我，她不肯走！'令狐大哥急了，叫道："你到底走不走？"我说："不走！"令狐大哥道：'你再不走，我可要骂你师父啦！定闲这老尼姑是个老胡涂，教了你这小胡涂出来。'我说：'定闲师伯不是我师父。'他说：'好，那么我就骂定静师太！'我说：'定静师伯也不是我师父。'他道：'呸！你仍然不走！我骂定逸这老胡涂……'"

定逸脸色一沉，模样十分难看。

仪琳忙道："师父，你别生气，令狐大哥是为我好，并不是真的要骂你。我说：'我自己胡涂，可不是师父教的！'突然之间，田伯光欺向我身边，伸指点我点来，我在黑暗中挥剑乱砍，才将他逼退。

"令狐大哥叫道：'我还有许多难听的话，要骂你师父啦，你怕不怕?'我说:'你别骂,咱们一起逃吧!'令狐大哥道:'你站在我旁边,碍手碍脚,我最厉害的华山剑法使不出来,你一出去,我便将这恶人杀了。'田伯光哈哈大笑,道:'你对这小尼姑倒是多情多义,只可惜她连你姓名也不知道。'我想这恶人这句话倒是不错,便道:'华山派的师兄,你叫甚么名字呢?我去衡山跟师父说,说是你救了我性命。'令狐大哥道:'快走,快走!怎地这等罗唆?我姓劳,名叫劳德诺!'"

劳德诺听到这里,不由得一怔,"怎么大师哥冒我的名?"

闻先生点头道:"这令狐冲为善而不居其名,原是咱们侠义道的本色。"

定逸师太向劳德诺望了一眼,自言自语:"这令狐冲好生无礼,胆敢骂我,哼多半是他怕我事后追究,便将罪名推在别人头上。"向劳德诺瞪眼道:"喂,在那山洞中骂我老胡涂的,就是你了,是不是?"劳德诺忙躬身道:"不,不!弟子不敢。"

刘正风微笑道:"定逸师太,令狐冲冒他师弟劳德诺之名,是有道理的。这位劳贤侄带艺投师,辈份虽低,年纪却已不小,胡子也这么大把了,他足可做得仪琳师侄的祖父。"

定逸登时恍然,才知令狐冲是为了顾全仪琳。其时山洞中一团漆黑,互不见面,仪琳脱身之后,说起救她的是华山派劳德诺,此人是这么一个干瘪的老头子,旁人自无闲言闲语,这不但保全了仪琳的清白声名,也保全了恒山派的威名,言念及此,不由是脸上露出了一丝笑意,点头道:"这小子想得周到。仪琳,后来怎样?"

仪琳道:"那时我仍然不肯定,我说:'劳大哥,你为救我而涉险,我岂能遇难先遁?师父如知我如此没同道义气,定然将我杀了。师父平日时时教导,我们恒山派虽然都是女流之辈,在这侠义份上,可不能输给了男子汉。'"

定逸拍掌叫道："好，好，说得是！咱们学艺之人，要是不顾江湖义气，生不如死，不论男女，都是一样。"

众人见她说这几句话时神情豪迈，均想："这老尼姑的气概，倒是不减须眉。"

仪琳续道："可是令狐大哥却大骂起来，说道：'混帐王八蛋的小尼姑，你在这里罗哩罗唆，教我施展不出华山派天下无敌的剑法来，我这条老命，注定是要送在田伯光手中了。原来你和田伯光串通了，故意来陷害于我。我劳德诺今天倒霉，出门遇见尼姑，而且是个绝子绝孙、绝他妈十八代子孙的混帐小尼姑，害得老子空有一身无坚不摧、威力奇大的绝妙剑法，却怕凌厉剑风带到这小尼姑身上，伤了她性命，以致不能使将出来。罢了，罢了，田伯光，你一刀砍死我罢，我老头子今日是认命啦！'"

众人听得仪琳口齿伶俐，以清脆柔软之音，转述令狐冲这番粗俗无赖的说话，无不为之莞尔。

只听她又道："我听他这么说，虽知他骂我是假，但想我武艺低微，帮不了他忙，在山洞中的确反而使他碍手碍脚，施展不出他精妙的华山剑法来……"

定逸哼了一声道："这小子胡吹大气！他华山剑法也不过如此，怎能说是天下无敌？"

仪琳道："师父，他是吓唬吓唬田伯光，好叫他知难而退啊。我听他越骂越凶，只得说道：'劳大哥，我去了！后会有期。'他骂道：'滚你妈的臭鸭蛋，给我滚得 越远越好！一见尼姑，逢赌必输，我以前从来没见过你，以后也永远不见你。老子生平最爱赌钱，再见你干甚么？'"

定逸勃然大怒，拍案而起，厉声道："这小子好不混蛋！那时你还不走？"

仪琳道："我怕惹他生气，只得走了，一出山洞，就听得洞里乒乒乓乓兵刃相交之声大作。我想倘若那恶人田伯光胜了，他又会来捉我，若是那位'劳大哥'胜了，他出洞来见到了我，只怕害得他'逢赌必输'，于是我咬了咬牙，提气疾奔，想追上你老人家，请你去帮着收拾田伯光那恶人。"

　　定逸"嗯"的一声，点了点头。

　　仪琳突然问道："师父，令狐大哥后来不幸丧命，是不是因为……因为见到了我，这才运气不好？"

　　定逸怒道："甚么'一见尼姑，逢赌必输'，全是胡说八道的鬼话，那也是信得的？这里这许多人，都见到我们师徒啦，难道他们一个个运气都不好？"

　　众人听了都脸露微笑，却谁都不敢笑出声来。

　　仪琳道："是。我奔到天明时，已望见了衡阳城，心中略定，寻思多半可以在衡阳见到师父，哪知就在此时，田伯光又追了上来。我一见到他，脚也软了，奔不几步，便给他抓住了。我想他既追到这里，那位华山派的劳大哥定在山洞中给他害死了，心中说不出的难受。田伯光见道上行人很多，倒也不敢对我无礼，只说："你乖乖的跟着我，我便不对你动手动脚。如果倔强不听话，我即刻把你衣服剥个精光，教路上这许多人都笑话你。'我吓得不敢反抗，只有跟着他进城。

　　"来到那家酒楼回雁楼前，他说："小师父，你有沉鱼……没鱼落雁之容。这家回雁楼就是为我开的。咱们上去喝个大醉，大家快活快活罢。'我说："出家人不用荤酒，这是我白云庵的规矩。'他说："你白云庵的规矩多着呢，当真守得这么多？待会我还要叫你大大的破戒。甚么清规戒律，都是骗人的。你师父……你师父……'。"她说到这里，偷眼瞧了定逸一眼，不敢再说下去。

定逸道："这恶人的胡说，不必提他，你只说后来怎样？"仪琳道："是。后来我说：'你瞎三话四，我师父从来不躲了起来，偷偷的喝酒吃狗肉。'"

众人一听，忍不住都笑。仪琳虽不转述田伯光的言语，但从这句答话之中，谁都知道田伯光是诬指定逸"躲了起来，偷偷的喝酒吃狗肉。"

定逸将脸一沉，心道："这孩子便是实心眼儿，说话不知避忌。"

仪琳续道："这恶人伸手抓住我衣襟，说道：'你不上楼去陪我喝酒，我就扯烂你的衣服。'我没法子，只好跟他上去。这恶人叫了些酒菜，他也真坏，我说吃素，他偏偏叫的都是牛肉、猪肉、鸡鸭、鱼虾这些荤菜。他说我如不吃，他要撕烂我衣服。师父，我说甚么也不肯吃，佛门戒食荤肉，弟子决不能犯戒。这坏人要撕烂我衣服，虽然不好，却不是弟子的过错。

"正在这时，有一个人走上酒楼来，腰悬长剑，脸色苍白，满身都是血迹，便往我们那张桌旁一坐，一言不发，端起我面前酒碗中的酒，一口喝干了。他自己斟了一碗酒，举碗向田伯光道：'请！'向我道：'请！'又喝干了。我一听到他的声音，不由得又惊又喜，原来他便是在洞里救我的那位'劳大哥'。谢天谢寺，他没给田伯光害死，只是身上到处是血，他为了救我，受伤可着实不轻。

"田伯光向他上上下下的打量，说道：'是你！'他说：'是我！'田伯光向他大拇指一竖，赞道：'好汉子！'他也向田伯光大拇指一竖，赞道：'好刀法！'两人都哈哈大笑起来，一同喝了碗酒。我很是奇怪，他二人昨晚还打得这么厉害，怎么此刻忽然变了朋友？这人没死，我很欢喜，然而他是田伯光这恶人的朋友，弟子又担心起来啦。

"田伯光道：'你不是劳德诺！劳德诺是个糟老头了，哪有你这么年轻潇洒'"我偷偷瞧这人，他不过二十来岁年纪，原来昨晚他说'我老人家活了这大把年纪'甚么的，都是骗田伯光的。那人一笑，说道：'我不是劳德诺。'田伯光一拍桌子，说道：'是了，你是华山令狐冲，是江湖上的一号人物。'

"令狐大哥这时便承认了，笑道：'岂敢！令狐冲是你手下败将，见笑得紧。'田伯光道：'不打不相识，咱们便交个朋友如何？令狐兄既看中了这个美貌小尼姑，在下让给你便是。重色轻友，岂是我辈所为？'"

定逸脸色发青，只道："这恶贼该死之极，该死之极！"

仪琳泫然欲涕，说道："师父，令狐大哥忽然骂起我来啦，他说：'这小尼姑脸上全无血色，整日价只吃青菜豆腐，相貌决计好不了。田兄，我生平一见尼姑就生气，恨不得杀尽天下的尼姑！'田伯光笑问：'那又为甚么？'

"令狐大哥道：'不瞒田兄说，小弟生平有个嗜好，那是爱赌如命，只要瞧见了骨牌骰子，连自己姓甚么也忘记了。可是只要一见尼姑，这一天就不用赌啦，赌甚么输甚么，当真屡试不爽。不但是我一人，华山派的师兄师弟们个个都是这样。因此我们华山派弟子，见到恒山派的师伯、师叔、师姊、师妹们，脸上虽然恭恭敬敬，心中却无不大叫倒霉！'"

定逸大怒，反过手掌，拍的一声，清清脆脆的打了劳德诺一个耳括了。她出手又快又重，劳德诺不及闪避，只觉头脑一阵晕眩，险些便欲摔倒。

令狐冲哈哈大笑，说道："小尼姑，你盼我打胜呢，还是打败？"仪琳答道："自然盼你打胜。你坐着打，天下第二，决不能输了给他。"令狐冲道："好，那么你请罢！走得越快越好，越远越好！"

四　坐斗

　　刘正风笑道："师太怎地没来由生这气？令狐师侄为了要救令高足,这才跟田伯光这般胡说八道,花言巧语,你怎地信以为真了？"定逸一怔,道："你说他是为了救仪琳？"刘正风道："我是这么猜想。仪琳师侄,你说是不是？"

　　仪琳低头道："令狐大哥是好人,就是……就是说话太过粗俗无礼。师父生气,我不敢往下说了!"定逸喝道："你说出来! 一字不漏的说出来。我要知道他到底安的是好心,还是歹意。这家伙倘若是个无赖汉子,便算死了,我也要跟岳老儿算帐。"仪琳嗫嚅了几句,不敢往下说。定逸道："说啊,不许为他忌讳,是好是歹,难道咱们还分辨不出？"

　　仪琳道："是! 令狐大哥又道:'田兄,咱们学武之人,一生都在刀尖上讨生活,虽然武艺高强的占便宜,但归根结底,终究是在碰运气,你说是不是？遇到武功差不多的对手,生死存亡,便讲运道了。别说这小尼姑瘦得小鸡也似的,提起来没三两重,就算真是天仙下凡,我令狐冲正眼也不瞧她。一个人毕竟性命要紧,重色轻友固然不对,重色轻生,那更是大傻瓜一个。这小尼姑啊,万万碰她不得。'

　　"田伯光笑道:'令狐兄,我只道你是个天不怕、地不怕的好汉子,怎么一提到尼姑,便偏有这许多忌讳？'令狐大哥道:'嘿,我一生见了尼姑之后,倒的霉实在太多,可不由得我不信。你想,

· 127 ·

昨天晚上我还是好端端的，连这小尼姑的面也没见到，只不过听到了她说话的声音，就给你在身上砍了三刀，险些儿丧了性命。这不算倒霉，甚么才是倒霉？'田伯光哈哈大笑，道：'这倒说得是。'

"令狐大哥道：'田兄，我不跟尼姑说话，咱们男子汉大丈夫，喝酒便喝个痛快，你叫这小尼姑滚蛋罢！我良言劝你，你只消碰她一碰，你就交上了华盖运，以后在江湖上到处都碰钉子，除非你自己出家去做和尚。这"天下三毒"，你怎么不远而避之？'

"田伯光问道：'甚么是"天下三毒"？'令狐大哥脸上现出诧异之色，说道：'田兄多在江湖上行走，见识广博，怎么连天下三毒都不知道？常言道得好："尼姑砒霜金线蛇，有胆无胆莫碰他！"这尼姑是一毒，砒霜又是一毒，金线蛇又是一毒。天下三毒之中，又以尼姑居首。咱们五岳剑派中的男弟子们，那是常常挂在口上说的。'"

定逸大怒，伸手在茶几上重重一拍，破口骂道："放他娘的狗臭……"到得最后关头，这个"屁"字终于忍住了不说。劳德诺吃过她的苦头，本来就远远的避在一旁，见她满脸胀得通红，又退开一步。

刘正风叹道："令狐师侄虽是一番好意，但如此信口开河，也未免过分了些。不过话又得说回来，跟田伯光这等大恶徒打交道，若非说得像煞有介事，可也真不易骗得他相信。"

仪琳问道："刘师叔，你说那些言语，都是令狐大哥故意捏造出来骗那姓田的？"

刘正风道："自然是了。五岳剑派之中，哪有这等既无聊、又无礼的说话？再过一日，便是刘某金盆洗手的大日子，我说甚么也要图个吉利，倘若大伙儿对贵派真有甚么顾忌，刘某怎肯恭恭敬敬的邀请定逸师太和众位贤侄光临舍下？"

定逸听了这几句话,脸色略和,哼了一声,骂道:"令狐冲这小子一张臭嘴,不知是哪缺德之人调教出来的。"言下之意,自是将令狐冲的师父华山掌门也给骂上了。

刘正风道:"师丈不须着恼,田伯光那厮,武功是很厉害的。令狐师侄斗他不过,眼见仪琳贤侄身处极大危难,只好编造些言语出来,盼能骗得这恶贼放过了她。想那田伯光走遍天下,见多识广,岂能轻易受骗?世俗之人无知,对出家的师太们有些偏见,也是实情,令狐师侄便乘机而下说词了。咱们身在江湖,行事说话,有时免不了要从权。令狐师侄若不是看重恒山派,华山派自岳先生而下,若不都是心中敬重佩服三位老师太,他又怎肯如此尽心竭力的相救贵派弟子?"

定逸点了点头,道:"多承刘三爷美言。"转头向仪琳道:"田伯光因此而放了你?"

仪琳摇头道:"没有。令狐大哥又说:'田兄,你虽轻功独步天下,但要是交上了倒霉的华盖运,轻功再高,也逃不了。'田伯光一时好似拿不定主意,向我瞧了两眼,摇摇头说道:'我田伯光独往独来,横行天下,哪里能顾忌得这么多?这小尼姑嘛,反正咱们见也见到了,且让她在这里陪着便是。'

"就在这时,邻桌上有个青年男子突然拨出长剑,抢到田伯光面前,喝道:'你……你就是田伯光吗?'田伯光道:'怎样?'那年轻人道:'杀了你这淫贼!武林中人人都要杀你而甘心,你却在这里大言不惭,可不是活得不耐烦了?'挺剑向田伯光刺去。看他剑招,是泰山派的剑法,就是这一位师兄。"说着手指躺在门板上的那具尸身。

天门道人点头道:"迟百城这孩子,很好,很好!"

仪琳继续道:"田伯光身子一晃,手中已多了一柄单刀,笑道:'坐下,坐下,喝酒,喝酒!'将单刀还入刀鞘。那位泰山派的师兄,却不知如何胸口已中了他一刀,鲜血直冒,他眼睛瞪着田伯光,身子摇晃了几下,倒向楼板。"

她目光转向天松道人,说道:"这位泰山派的师伯,纵身抢到田伯光面前,连声猛喝,出剑疾攻。这位师伯的剑招自是十分了得,但田伯光仍不站起身,坐在椅中,拔刀招架。这位师伯攻了二三十剑,田伯光挡了二三十招,一直坐着,没站起身来。"

天门道人黑着脸,眼光瞧向躺在门板上的师弟,问道:"师弟,这恶贼的武功当真如此了得?"天松道人一声长叹,缓缓将头转了开去。

仪琳续道:"那时候令狐大哥便拔剑向田伯光疾刺。田伯光回刀挡开,站起身来。"

定逸道:"这可不对了。天松道人接连刺他二三十剑,他都不用起身,令狐冲只刺他一剑,田伯光便须站起来。令狐冲的武功,又怎能高得过天松道长?"

仪琳道:"那田伯光是有道理的。他说:'令狐兄,我当你是朋友,你出兵刃攻我,我如仍然坐着不动,那就是瞧你不起。我武功虽比你高,心中却敬你为人,因此不论胜败,都须起身招架。对付这牛……牛鼻……却又不同。'令狐大哥哼了一声,道:'承你青眼,令狐冲脸上贴金。'嗤嗤嗤向他连攻三剑。师父,这三剑去势凌厉得很,剑光将田伯光的上盘尽数笼罩住了……"

定逸点头道:"这是岳老儿的得意之作,叫甚么'太岳三青峰',据说是第二剑比第一剑的劲道狠,第三剑又胜过了第二剑。那田伯光如何拆解?"

仪琳道:"田伯光接一招,退一步,连退三步,喝彩道:'好剑法!'转头向天松师伯道:'牛鼻子,你为甚么不上来夹攻?'令狐大哥一出剑,天松师伯便即退开,站在一旁。天松师伯冷冷的道:'我是泰山派的正人君子,岂肯与淫邪之人联手?'我忍不住了,说道：'你莫冤枉了这位令狐师兄，他是好人！'天松师伯冷笑道：'他是好人？嘿嘿，他是和田伯光同流合污的大大好人！'突然之间，天松师伯'啊'的一声大叫，双手按住了胸口，脸上神色十分古怪。田伯光还刀入鞘，说道：'坐下，坐下！喝酒，喝酒。'

"我见天松师伯双手指缝中不绝的渗出鲜血。不知田伯光使了甚么奇妙的刀法，我全没见到他伸臂挥手，天松师伯胸口已然中刀，这一刀当真快极。我吓得只叫：'别……别杀他！'田伯光笑道：'小美人说不杀，我就不杀！'天松师伯按住胸口，冲下了楼梯。

"令狐大哥起身想追下去相救。田伯光拉住他，说道：'令狐兄，这牛鼻子骄傲得紧，宁死不会要你相帮，又何苦自讨没趣？'令狐大哥苦笑着摇摇头，一连喝了两碗酒。师父，那时我想，咱们佛门五大戒，第五戒酒，令狐大哥虽然不是佛门弟子，可是喝酒这么喝个不停，终究不好。不过弟子自然不敢跟他说话，怕他骂我'一见尼姑'甚么的。"

定逸道："令狐冲这些疯话，以后不可再提。"仪琳道："是。"定逸道："以后便怎样？"

仪琳道："田伯光说：'这牛鼻子武功不错，我这一刀砍得不算慢，他居然能及时缩了三寸，这一刀竟砍他不死。泰山派的玩艺倒真还有两下子。令狐兄，这牛鼻子不死，今后你的麻烦可就多了。刚才我存心要杀了他，免你后患，可惜这一刀砍他不死。'

"令狐大哥笑道：'我一生之中，麻烦天天都有，管他娘的，喝酒，喝酒。田兄，你这一刀如果砍向我胸口，我武功不及天松师伯，那便避不了。'田伯光笑道：'刚才我出刀之时，确是手下留了情，那是报答你昨晚在山洞中不杀我的情谊。'我听了好生奇怪，如此说来，昨晚山洞中两人相斗，倒还是令狐大哥占了上风，饶了他性命。"

众人听到这里，脸上都现出不以为然的神色，均觉令狐冲不该和这万恶淫贼拉交情。

仪琳续道："令狐大哥道：'昨晚山洞之中，在下已尽全力，艺不如人，如何敢说剑下留情？'田伯光哈哈一笑，说道：'当时你和这小尼姑躲在山洞之中，这小泥姑发出声息，被我查觉，可是你却屏住呼吸，我万万料不到另外有人窥伺在侧。我拉住了这小尼姑，立时便要破了她的清规戒律。你只消等得片刻，待我魂飞天外、心无旁骛之时，一剑刺出，定可取我的性命。令狐兄，你又不是十一二岁的少年，其间的轻重关节，岂有不知？我知你是堂堂丈夫，不愿施此暗算，因此那一剑嘛，嘿嘿，只是在我肩头轻轻这么一刺。'

"令狐大哥道：'我如多待得片刻，这小尼姑岂非受了你的污辱？我跟你说，我虽然见了尼姑便生气，但恒山派总是五岳剑派之一。你欺到我们头上来，那可容你不得。'田伯光笑道：'话是如此，然而你这一剑若再向前送得三四寸，我一条胳臂就此废了，干么你这一剑刺中我后，却又缩回？'令狐大哥道：'我是华山弟子，岂能暗箭伤人？你先在我肩头砍一刀，我便在你肩头还了一剑，大家扯个直，再来交手，堂堂正正，谁也不占谁的便宜。'田伯光哈哈大笑，道：'好，我交了你这个朋友，来来来，喝一碗。'

"令狐大哥道："武功我不如你，酒量却是你不如我。'田伯光道："酒量不如你吗？那也未见得，咱们便来比上一比，来，大家先喝十大碗再说。'令狐大哥皱眉道：'田兄，我只道你也是个不占人便宜的好汉，这才跟你赌酒，哪知大谬不然，令我好生失望。'

"田伯光斜眼看他，问道：'我又如何占你便宜了？'令狐大哥道：'你明知我讨厌尼姑，一见尼姑便周身不舒服，胃口大倒，如何还能跟你赌酒？'田伯光又大笑起来，说道：'令狐兄，我知你千方百计,只是要救这小尼姑,可是我田伯光爱色如命,既看上了这千娇百媚的小尼姑,说甚么也不放她走。你要我放她,唯有一个条件。'令狐大哥道:'好,你说出来罢,上刀山,下油锅,我令狐冲认命了,皱一皱眉头,不算好汉。'

"田伯光笑嘻嘻的斟满了两碗酒,道:'你喝了这碗酒,我跟你说。'令狐大哥端起酒碗,一口喝干,道:'干!'田伯光也喝了那碗酒,笑道:'令狐兄,在下既当你是朋友,就当按照江湖上的规矩,朋友妻,不可戏。你若答应娶这小尼姑……小尼姑……'"

她说到这里,双颊晕红如火,目光下垂,声音越说越小,到后来已细不可闻。

定逸伸手在桌上一拍,喝道:"胡说八道,越说越下流了。后来怎样?"

仪琳细声道:"那田伯光口出胡言,笑嘻嘻的道:'大丈夫一言既出,驷马难追。你答应娶她……娶她为妻,,我即刻放她,还向她作揖赔罪,除此之外,万万不能。'

"令狐大哥呸的一声,道:'你要我倒足一世霉么?此事再也休提。'田伯光那厮又胡说了一大篇,说甚么留起头发,就不是尼姑,还有许多教人说不出口的疯话,我掩住耳朵,不去听他。令狐大哥道:'住嘴!你再开这等无聊玩笑,令狐冲当场给你气死,哪还有性命来跟你拚酒?你不放她,咱们便来决一死战。'田伯光笑道:'讲打,你是打我不过的!'令狐大哥道:'站着打,我不是你对手。坐着打,你便不是我对手。'"

众人先前听仪琳述说,田伯光坐在椅上一直没站起身,却挡架了泰山派好手天松道人二三十招凌厉的攻势,则他善于坐着而斗,可想而知,令狐冲说"站着打,我不是你对手;坐着打,你不是我对手。"这句话,自是为了故意激恼他而说。何三七点头道:"遇上了这等恶徒淫贼,先将他激得暴跳如雷,然后乘机下手,倒也不失为一条妙计。"

仪琳续道："田伯光听了，也不生气，只笑嘻嘻的道：'令狐兄，田伯光佩服的，是你的豪气胆识，可不是你的武功。'令狐大哥道：'令狐冲佩服你的，乃是你站着打的快刀，却不却坐着打的刀法。'田伯光道：'你这个可不知道了，我少年之时，腿上得过寒疾，有两年时光我坐着练习刀法，坐着打正是我拿手好戏。适才我和那泰山派的牛……牛……道人拆招，倒不是轻视于他，只是我坐着使刀使得惯了，也就懒得站将起来。令狐兄，这一门功夫，你是不如我的。'令狐大哥道：'田兄，你这个可不知道了。你不过少年之时为了腿患寒疾，坐着练了两年刀法，时候再多，也不过两年。我别的功夫不如你，这坐着使剑，却比你强。我天天坐着练剑。'"

众人听到这里，目光都向劳德诺瞧去，均想："可不知华山派武功之中，有没这样一项坐着练剑的法门？"劳德诺摇头道："大师哥骗他的，敝派没这一门功夫。"

仪琳道："田伯光脸上露出诧异的神色，说道：'当真有这回事？在下这可是孤陋寡闻了，倒想见识见识华山派的坐……坐……甚么剑法啊？'令狐大哥笑道：'这些剑法不是我恩师所授，是我自己创出来的。'田伯光一听，登时脸色一变，道："原来如此，令狐兄大大令人好生佩服。'"

众人均知田伯光何以动容。武学之中，要新创一路拳法剑法，当真谈何容易，若非武功既高，又有过分的才智学识，决难别开蹊径，另创新招。像华山派这等开山立派数百年的名门大派，武功的一招一式无不经过千锤百炼，要将其中一招稍加变易，也已极难，何况另创一路剑法？劳德诺心想："原来大师哥暗中创了一套剑法，怎地不跟师父说？"

只听仪琳续道："当时令狐大哥嘻嘻一笑，说道："这路剑法臭气冲天，有甚么值得佩服之处？'田伯光大感诧异，问道：'怎么臭气冲天？'我也是好生奇怪，剑法最多是不高明，哪会有甚么臭气？令狐大哥道：'不瞒田兄说，我每天早晨出恭，坐在茅厕之中，到处苍蝇飞来飞去，好生讨厌，于是我便提起剑来击刺苍蝇，初时刺之不中，久而久这，熟能生巧，出剑便刺到苍蝇，渐渐意与神会，从这些击刺苍蝇的剑招之中，悟出一套剑法来。使这套剑法之时，一直坐着出恭，岂不是臭气有点难闻么？'

"他说到这里，我忍不住便笑了出来，这位令狐大哥真是滑稽，天下哪有这样练剑的。田伯光听了，却脸色铁青，怒道：'令狐兄，我当你是个朋友，你出此言，未免欺人太甚，你当我田伯光是茅厕中的苍蝇，是不是？好，我便领教领教你这路……你这路……'"

众人听到这话，都暗暗点头，均知高手比武，倘若心意浮躁，可说已先自输了三成，令狐冲这些言语显然意在激怒对方，现下田伯光终于发怒，那是第一步已中计了。

定逸道："很好！后来怎样？"

仪琳道："令狐大哥笑嘻嘻的道：'在下练这路剑法，不过是为了好玩，绝无与人争胜拼斗之意。田兄千万不可误会，小弟决不敢将你当作是茅厕里的苍蝇。'我忍不住又笑了一声。田伯光更加恼怒，抽出单刀，放在桌上，说道：'好，咱们便大家坐着，比上一比。'我见到他眼中露出凶光，很是害怕，他显然已动杀机，要将令狐大哥杀了。

"令狐大哥笑道：'坐着使刀使剑，你没我功夫深，你是比不过我的。令狐冲今日新交了田兄这个朋友，又何必伤了两家和气？再说，令狐冲堂堂丈夫，不肯在自己最擅胜场的功夫上占朋友的便宜。'田伯光道：'这是田伯光自甘情愿，不能说是你占了我便宜。'令狐大哥道：'如此说来，田兄一定要比？'田伯光道：

'一定要比！'令狐大哥道：'一定要坐着比！'田伯光道：'对了，一定要坐着比！'令狐大哥道：'好，既然如此，咱们得订下一个规条，胜败未决之时，哪一个先站了起来，便算输。'田伯光道：'不错！胜败未决之时，哪一个先站起身，便算输了。'

"令狐大哥又问：'输了的便怎样？'田伯光道：'你说如何便如何？'令狐大哥道：'待我想一想。有了，第一，比输之人，今后见到这个小尼姑，不得再有任何无礼的言语行动，一见到她，便得上前恭恭敬敬的躬身行礼，说道："小师父，弟子田伯光拜见。"'田伯光道：'呸！你怎知定是我输？要是你输呢？'令狐大哥道：'我也一样，是谁输了，谁便得改投恒山派门下，做定逸老师太的徒孙，做这小尼姑的徒弟。'师父，你想令狐大哥说得滑稽不滑稽？他二人比武，怎地输了要改投恒山派门下？我又怎能收他们做徒弟？"

她说到这里，脸上露出了淡淡的笑容。她一直愁容不展，此刻微现笑靥，更增秀色。

定逸道："这些江湖上的粗鲁汉子，甚么话都说得出，你又怎地当真了？这令狐冲存心是在激怒田伯光。"她说到这里，抬起头来，微闭双目，思索令狐冲用甚么法子能够取胜，倘若他比武败了，又如何自食其言？想了一会，知道自己的智力跟这些无赖流氓相比实在差得太远，不必徒伤脑筋，便问："那田伯光却又怎样回答？"

仪琳道："田伯光见令狐大哥说得这般有恃无恐，脸上现出迟疑之色，我料他有一些担心了，大概在想：莫非令狐冲坐着使剑，当真有过人之长？令狐大哥又激他：'倘若你决意不肯改投恒山派门下，那么咱们也不用比了。'田伯光怒道：'胡说八道！好，就是这样，输了的拜这小尼姑为师！'我道：'我可不能收你们做徒弟，我功夫不配，再说，我师父也不许。我恒山派不论出家人，

在家人,个个都是女子,怎能够……怎能够……'

　　"令狐大哥将手一挥,说道:'我和田兄商量定的,你不收也得收,哪由得你作主?'他转头向田伯光道:'第二,输了之人,就得举刀一挥,自己做了太监。'师父,不知道甚么是举刀一挥,自己做了太监?"

　　她这么一问,众人都笑了起来。定逸也忍不住好笑,严峻的脸上终于露出了笑容,说道:"那些流氓的粗话,好孩子,你不懂就不用问,没甚么好事。"

　　仪琳道:"噢,原来是粗话。我本来想有皇帝就有太监,没甚么了不起。田伯光听了这话后,斜眼向着令狐大哥问道:'令狐兄,你当真有必胜的把握?'令狐大哥道:"这个自然,站着打,我令狐冲在普天下武林之中,排名第八十九;坐着打,排名第二!'田伯光甚是好奇,问道:'你第二?第一是谁?'令狐大哥道:'那是魔教教主东方不败!'"

　　众人听她提到"魔教教主东方不败"八字,脸色都为之一变。

　　仪琳察觉到众人神色突然间大变,既感诧异,又有些害怕,深恐自己说错了话,问道:"师父,这话不对么?"定逸道:"你别提这人的名字。田伯光却怎么说?"

　　仪琳道:"田伯光点点头,道:'你说东方教主第一,我没异言,可是阁下自居排名第二,未免有些自吹自擂。难道你还胜得过尊师岳先生?'令狐大哥道:'我是说坐着打啊。站着打,我师父排名第八,我是八十九,跟他老人家可差得远了。'田伯光点头道:'原来如此!那么站着打,我排名第几?这又是谁排的?'令狐大哥道:"这是一个大秘密,田兄,我跟你言语投机,说便跟你说了,可千万不能泄露出去,否则定要惹起武林中老大一场风波。三个月之前,我五岳剑派五位掌门师尊在华山聚会,谈论当今武林名手的高下。五位师尊一时高兴,便将普天下众高手排了一排。田兄，不瞒你说，五位尊师对你的人品骂得一钱不值，说到你的武功，大家认为还真不含糊，站着打，天下可以排到第十四。'"

天门道人和定逸师太齐声道："令狐冲胡说八道，哪有此事？"

仪琳道："原来令狐大哥是骗他的。田伯光也有些将信将疑，但道'五岳剑派掌门人都是武林中了不起的高人。居然将田伯光排名第十四，那是过奖了。令狐兄，你是否当着五位掌门人之面，施展你那套臭不可闻的茅厕剑法，否则他们何以许你天下第二？'

"令狐大哥笑道：'这套茅厕剑法吗？当众施展，太过不雅，如何敢在五位尊师面前献丑？这路剑法姿势难看，可是十分厉害。令狐冲和一些旁门左道的高手谈论，大家认为除了东方教主之外，天下无人能敌。不过，田兄，话又得说回来，我这路剑法虽然了得，除了出恭时击刺苍蝇之外，却无实用。你想想，当真与人动手比武，又有谁肯大家坐着不动？就算我和你约好了非坐着比不可，等到你一输，你自然老羞成怒，站起身来，你站着的打天下第十四，轻而易举，便能将我这坐着打的天下第二一刀杀了。所以嘛，你这站着打天下第十四是真的，我这坐着打的天下第二却是徒有虚名，毫不足道。'

"田伯光冷哼一声，说道：'令狐兄，你这张嘴当真会说。你又怎知我坐着打一定会输给你，又怎知我会老羞成怒，站起身来杀你？'

"令狐大哥道：'你若答应输了之后不来杀我，那么做太……太监之约，也可不算，免得你绝子绝孙，没了后代。好罢，废话少说，这就动手！'他手一掀，将桌子连酒壶、酒碗都掀得飞了出去，两个人就面对面的坐着，一个手中提了把刀，一个手中握了柄剑。

"令狐大哥道：'进招罢！是谁先站起身来，屁股离开了椅子，谁就输了。'田伯光道：'好，瞧是谁先站起身来！'他二人刚要动手，田伯光向我瞧了一眼，突然哈哈大笑，说道：'令狐兄，我服了你啦。原来你暗中伏下人手，今日存心来跟田伯光为难，我和你坐着相斗，谁都不许离开椅子，别说你的帮手一拥而出，单是这小尼姑在我背后动手动脚，说不定便逼得我站起身来。'

"令狐大哥也是哈哈大笑，说道：'只教有人插手相助，便算是令狐冲输了。小尼姑，你盼我打胜呢，还是打败？'我道：'自然盼你打胜。你坐着打，天下第二，决不能输了给他。'令狐大哥道：'好，那么你请罢！走得越快越好，越远越好！这么一个光头小尼姑站在我眼前，令狐冲不用打便输了。'他不等田伯光出言阻止，刷的一剑，便向他刺去。

"田伯光挥刀挡开，笑道：'佩服，佩服！好一条救小尼姑脱身的妙计。令狐兄，你当真是个多……多情种子。只是这一场凶险，冒得忒也大了些。'我那时才明白，原来令狐大哥一再说谁先起谁输，是要我有机会逃走。田伯光身子不能离椅，自然无法来捉我了。"

众人听到这里，对令狐冲这番苦心都不禁赞叹。他武功不及田伯光，除此之外，确无良策可让仪琳脱身。

定逸道："甚么'多情种子'等等，都是粗话，以后嘴里千万不可提及，连心里也不许想。"仪琳垂目低眉，道："是，原来那也是粗话，弟子知道了。"定逸道："那你就该立即走路啊，倘若田伯光将令狐冲杀了，你便又难逃毒手。"

仪琳道："是。令狐大哥一再催促，我只得向他拜了拜，说道：'多谢令狐师兄救命之恩。'转身下楼，刚走到楼梯口，只听得田伯光喝道：'中！'我一回头，两点鲜血飞了过来，溅上我的衣衫，原来令狐大哥肩头中了一刀。

"田伯光笑道：'怎么样？你这坐着打天下第二的剑法，我看也是稀松平常！'令狐大哥道：'这小尼姑还不走，我怎打得过你？那是我命中注定要倒大霉。'我想令狐大哥讨厌尼姑，我留着不去，只怕真的害了他性命，只得急速下楼。一到酒楼之下，但听楼上刀剑之声相交不绝，田伯光又大喝一声：'中！'

　　"我大吃一惊，料想令狐大哥又给他砍中了一刀，但不敢再上楼去观看，于是从楼旁攀援而上，到了酒楼屋顶，伏在瓦上，从窗子里向内张望，只见令狐大哥仍是持剑狠斗，身上溅满了鲜血，田伯光却一处也没受伤。

　　"又斗了一阵，田伯光又喝一声：'中！'一刀砍在令狐大哥的左臂，收刀笑道：'令狐兄，我这一招是刀下留情！'令狐大哥笑道：'我自然知道，你落手稍重，我这条臂膀便给你砍下来啦！'师父，在这当口，他居然还笑得出来。田伯光道：'你还打不打？'令狐大哥道：'当然打啊！我又没站起身来。'田伯光道：'我劝你认输，站了起来罢。咱们说过的话不算数，你不用拜那小尼姑为师啦。'令狐大哥道：'大丈夫一言既出，驷马难追。说过的话，岂有不算数的？'田伯光道：'天下硬汉子我见过多了，令狐兄这等人物，田伯光今日第一次见到。好！咱们不分胜败，两家罢手如何？'

　　"令狐大哥笑嘻嘻的瞧着他，并不说话，身上各处伤口中的鲜血不断滴向楼板，嗒嗒嗒的作声。田伯光抛下单刀，正要站起，突然想到一站起身便算输了，身子只这么一晃，便又坐实，总算没离开椅子。令狐大哥笑道：'田兄，你可机灵得很啊！'"

　　众人听到这里，都情不自禁"唉"的一声，为令狐冲可惜。

　　仪琳继续说道："田伯光拾起单刀，说道：'我要使快刀了，再迟得片刻，那小尼姑便要逃得不知去向，追她不上了。'我听他说还要追我，只吓得浑身发抖，又担心令狐大哥遭了他的毒手，不知如何好。忽地想起，令狐大哥所以拚命和他缠斗，只是为了救我，唯有我去自刎在他二人面前，方能使令狐大哥不死。当下我拨出腰间断剑，正要涌身跃入酒楼，突然间只见令狐大哥身子一晃，连人带椅倒下地来，又见他双手撑地，慢慢爬了开去，那只椅子压在他身上。他受伤甚重，一时挣扎着站不起来。

"田伯光甚是得意，笑道：'坐着打天下第二，抓着打天下第几？'说着站起身来。

"令狐大哥也是哈哈一笑，说道：'你输了！'田伯光笑道：'你输得如此狼狈，还说是我输了？'令狐大哥伏在地下，问道：'咱们先前怎么说来？'田伯光道：'咱们约定坐着打，是谁先站起来，屁股离了椅子……便……便……便……'他连说了三个'便'字，再也说不下去，左手指着令狐大哥。原来这时他才醒悟已上了当。他已经站起，令狐大哥可兀自未曾起立，屁股也未离开椅子，模样虽然狼狈，依着约定的言语，却算是胜了。"

众人听到这里，忍不住拍手大笑，连声叫好。

只余沧海哼了一声，道："这无赖小子，跟田伯光这淫贼去耍流氓手段，岂不丢了名门正派的脸面？"定逸怒道："甚么流氓手段？大丈夫斗智不斗力。可没见你青城派中有这等见义勇为的少年英侠？"她听仪琳述说令狐冲奋不顾身，保全了恒山派的颜面，心下实是好生感激，先前怨怪令狐冲之意，早就丢到了九霄云外。余沧海又哼了一声，道："好一个爬在地下的少年英侠！"定逸厉声道："你青城派……"

刘正风怕他二人又起冲突，忙打断话头，问仪琳道："贤侄，田伯光认不认输？"

仪琳道："田伯光怔怔的站着，一时拿不定主意。令狐大哥叫道：'恒山派的小师妹，你下来罢，恭喜你新收了一位高足啊！'原来我在屋顶窥探，他早就知道了。田伯光这人虽恶，说过了的话倒不抵赖，那时他本可上前一刀将令狐大哥杀了，回头再来对付我，但他却大声叫道：'小尼姑，我跟你说，下次你再敢见我，我一刀便将你杀了。'我本来就不愿收这恶人做徒弟，他这么说，我正是求之不得。田伯光说了这句话，将单刀往刀鞘里一插，大踏步下了酒楼。我这才跳进楼去，将令狐大哥扶了起来，取出天香断续胶给他敷上伤口，我一数，他身上大大小小的伤口，竟有十三处之多……"

余沧海忽然插口道："定逸师太，恭喜恭喜！"定逸瞪眼道："恭甚么喜？"余沧海道："恭喜你新收了一位武功卓绝、天下扬名的好徒孙！"定逸大怒，一拍桌子，站起身来。天门道人道："余观主，这可是你的不对了。咱们玄门清修之士，岂可开这等无聊玩笑？"余沧海一来自知理屈，二来对天门道人十分忌惮，当下转过了头，只作没有听见。

仪琳续道："我替令狐大哥敷完了药，扶他坐上椅子。令狐大哥不住喘气，说道：'劳你驾，给斟一碗酒。'我斟了一碗酒递给他。忽然楼梯上脚步声响，上来了两人，一个就是他。"伸指指着抬罗人杰尸身进来的那青城派弟子，又道："另一个便是那恶人罗人杰。他们二人看看我，看看令狐大哥，眼光又转过来看我，神色间甚是无礼。"

众人均想，罗人杰他们乍然见到令狐冲满身鲜血，和一个美貌尼姑坐在酒楼之上，而那小尼姑又斟酒给他喝，自然会觉得大大不以为然，神色无礼，那也不足为奇了。

仪琳续道："令狐大哥向罗人杰瞧了一眼，问道：'师妹，你可知青城派最擅长的甚么功夫？'我道：'不知道，听说青城派高明的功夫多得很。'令狐大哥道：'不错，青城派高明的功夫很多，但其中最高明的一招，嘿嘿，免伤和气，不说也罢。'说着向罗人杰又瞪了一眼。罗人杰抢将过来，喝道：'最高明的是甚么？你倒说说看?'令狐大哥笑道:"我本来不想说,你一定要我说,是不是?那是一招"屁股向后平沙落雁式。"'罗人杰伸手在桌上一拍,喝道:'胡说八道,甚么叫做"屁股向后平沙落雁式",从来没听见过!'

"令狐大哥笑道:'这是贵派的看家招式,你怎地会没听见过? 你转过身来,我演给你瞧。'罗人杰骂了几句,出拳便向令狐大哥打去。令狐大哥站起来想避,但实在失血过多,半点力气也没有了,身子一晃,便即坐倒,给他这一拳打在鼻上,鲜血长流。

"罗人杰第二拳又待再打,我忙伸掌格开,道:'不能打!他身受重伤,你没瞧见么? 你欺负受伤之人,算是甚么英雄好汉?'罗人杰骂道:'小尼姑见小贼生得潇洒,动了凡心啦! 快让开。你不让开,连你也打了。'我说:'你敢打我,我告诉你师父余观主去。'他说:'哈哈,你不守清规,破了淫戒,天下人个个打得。'师父,他这可不是冤枉人吗? 他左手向我一探,我抻手格时,没料到他这一下是虚招,突然间他右手伸出,在我左颊上捏了一把,还哈哈大笑。我又气又急,连出三拳,却都给他避开了。

"令狐大哥道:'师妹,你别动手,我运一运气,那就成了。'我转头瞧他,只见他脸上半点血色也没有。就在那时,罗人杰奔将过去,握拳又要打他。令狐大哥左掌一带,将他带得身子转了半个圈子,跟着飞出一腿,踢中了他的……他的后臀。这一腿又快又准,巧妙之极。那罗人杰站立不定,直滚下楼去。

"令狐大哥低声道:'师妹,这就是他青城派最高明的招数,叫做"屁股向后平沙落雁式",屁股向后,是专门给人踢的,平沙落……落……雁,你瞧像不像?'我本想笑,可是见他脸色愈来愈差,很是担心,劝道:'你歇一歇,别说话。'我见他伤口又流出血来,显然刚才踢这一脚太过用力,又将伤口弄破了。

"那罗人杰跌下楼后立即又奔了上来,手中已多了一柄剑,喝道：'你是华山令狐冲，是不是？'令狐大哥笑道：'贵派高手向我施展这招"屁股向后平沙落雁式"的，阁下已是第三人，无怪……无怪……"说着不住咳嗽。我怕罗人杰害他，抽出剑来，在旁守护。

"罗人杰向他师弟道：'黎师弟，你对付这小尼姑。'这姓黎的恶人应了一声，抽出长剑，向我攻来，我只得出剑招架。只见罗人杰一剑又一剑向令狐大哥刺去，令狐大哥勉力举剑招架，形势甚是危急。又打几招，令狐大哥的长剑跌了下来。罗人杰长剑刺出，抵在他胸前，笑道：'你叫我三声青城派的爷爷，我便饶了你性命。令狐大哥笑道：'好，我叫，我叫！我叫了之后，你传不传我贵派那招屁股向后平沙……'他这句话没说完，罗人杰这恶人长剑往前一送，便刺入了令狐大哥胸口，这恶人当真毒辣……"

她说到这里，晶莹的泪水从面颊上滚滚流下，哽咽着继续道："我……我……我见到这等情状，扑过去阻挡，但那罗人杰的利剑，已刺……刺进了令狐大哥的胸膛。"

一时之间，花厅上静寂无声。

余沧海只觉射向自己脸上的许多眼光之中，都充满着鄙夷和愤恨之意，说道："你这番言语，未免不尽不实。你即说罗人杰已杀了令狐冲，怎地罗人杰又会死在他的剑下？"

仪琳道："令狐大哥中了那剑后，却笑了笑，向我低声道：'小师妹，我……我有个大秘密，说给你听。那福……福威镖局的辟邪……辟邪剑谱，是在……是在……'他声音越说越低，我再也听不见甚么，只见他嘴唇在动……"

余沧海听她提到福威镖局的辟邪剑谱，登时心头大震，不由自主的神色十分紧张，问道："在甚么……"他本想问：在甚么地方"，但随即想起，这句话万万不能当众相询，当即缩住，但心中扑通扑通的乱跳，只盼仪琳年幼无知，当场便说了出来，不则事后定逸师太一加详询，知道了其中的重大关连，那是无论如何不会让自己与闻机密了。

只听仪琳续道："罗人杰对那甚么剑谱，好像十分关心，走将过来，俯低身子，要听令狐大哥说那剑谱是在甚么地方，突然之间，令狐大哥抓起掉在楼板上的那口剑，一抬手，刺入了罗人杰的小腹之中。这恶人仰天一交跌倒，手足抽搐了几下，再也爬不起来。原来……原来……师父……令狐大哥是故意骗他走近，好杀他报仇。"

她述说完了这段往事，精神再也支持不住，身子晃了几晃，晕了过去。定逸师太伸出手臂，揽住了她腰，向余沧海怒目而视。

众人默然不语，想象回雁楼头那场惊心动魄的格斗。在天门道人、刘正风、闻先生、何三七等高手眼中，令狐冲、罗人杰等人的武功自然都没甚么了不起，但这场斗杀如此变幻惨酷，却是江湖上罕见罕闻的凄厉场面，而从仪琳这样一个秀美纯洁的妙龄女尼口中说来，显然并无半点夸大虚妄之处。

刘正风向那姓黎的青城派弟子道："黎世兄，当时你也在场，这件事是亲眼目睹的？"

那姓黎的青城弟子不答，眼望余沧海。众人见了他的神色，均知当时实情确是如此。否则仪琳只消有一句半句假话，他自必出言反驳。

余沧海目光转向劳德诺，脸色铁青，冷冷的问道："劳贤侄，我青城派到底在甚么事上得罪了贵派，以致令师兄一再无端生事，向我青城派弟子挑衅？"劳德诺摇头道："弟子不知。那是令狐师哥和贵派罗兄私人间的争斗，和青城、华山两派的交情绝不相干。"余沧海冷笑道："好一个绝不相干！你倒推得干干净净……"

话犹未毕，忽听得豁喇一声，西首纸窗被人撞开，飞进一个人来。厅上众人都是高手，应变奇速，分向两旁一让，各出拳掌护身，还未看清进来的人是谁，豁喇一响，又飞进一个人来。这两人摔在地下，俯伏不动。但见两人都身穿青色长袍，是青城派弟子的服色打扮，袍上臀部之处，清清楚楚的各印着一个泥水的脚印。只听得窗外一个苍老而粗豪的声音朗声道："屁股向后平沙落雁式！哈哈，哈哈！"

余沧海身子一晃，双掌劈出，跟着身随掌势，窜出窗外，左手在窗格上一按，已借势上了屋顶，左足站在屋檐，眼观四方，但见夜色沉沉，雨丝如幕，更无一个人影，心念一动："此人决不能在这瞬息之间，便即逸去无踪，定然伏在左近。"知道此人大是劲敌，伸手拔出长剑，展开身形，在刘府四周迅捷异常的游走了一周。

其时只天门道人自重身分，仍坐在原座不动，定逸师太、何三七、闻先生、刘正风、劳德诺等都已跃上了屋顶，眼见一个身材矮小的道人提剑疾行，黑暗中剑光耀眼，幻作了一道白光，在刘府数十间屋舍外绕行一圈，对余沧海轻身功夫之高，无不暗暗佩服。

余沧海奔行虽快，但刘府四周屋角、树木、草丛各处，没一处能逃过他的眼光，不见有任何异状，当即又跃入花厅，只见两名弟子仍伏在地下，屁股上那两个清清楚楚的脚印，便似化成了江湖上千万人的耻笑，正在讥嘲青城派丢尽了颜面。

余沧海伸手将一名弟子翻过身来，见是弟子申人俊，另一个不必翻身，从他后脑已可见到一部胡子，自是与申人俊焦孟不离的吉人通了。他伸手在申人俊胁下的穴道上拍了两下，问道："着了谁的道儿？"申人俊张口欲语，却发不出半点声息。

余沧海吃了一惊，适才他这么两拍，只因大批高手在侧，故意显得似乎轻描淡写，浑不着力，其实已运上了青城派的上乘内力，但申人俊被封的穴道居然无法解开。当下只得潜运功力，将内力自申人俊背心"灵台穴"中源源输入。

过了好一会儿，申人俊才结结巴巴的叫道："师……师父。"余沧海不答，又输了一阵内力。申人俊道："弟……弟子没见到对手是谁。"余沧海道："他在哪里下的手？"申人俊道："弟子和吉师弟两个同到外边解手，弟子只觉后心一麻，便着了这龟儿子的道儿。"余沧海脸一沉，道："人家是武林高手，不可胡言谩骂。"申人俊道："是。"

余沧海一时想不透对方是甚么路子，一抬头，只见天门道人脸色木然，对此事似是全不关心，寻思："他五岳剑派同气连枝，人杰杀了令狐冲，看来连天门这厮也将我怪上了。突然想起："下手之人只怕尚在大厅之中。"当即向申人俊招了招手，快步走进大厅。

厅上众人正在纷纷议论，兀自在猜测一名泰山派弟子，一名青城派弟子死于非命，是谁下的毒手，突然见到余沧海进来，有的认得他是青城派掌门，不认得他的，见这人身高不逾五尺，却自有一股武学宗匠的气度，形貌举止，不怒自威，登时都静了下来。

余沧海的眼光逐一向众人脸上扫去。厅上众人都是武林中第二辈的人物，他虽然所识者不多，但一看各人的服色打扮，十之八九便已知属于何门何派，料想任何门派的第二代弟子之中，决无内力如此深厚的好手，此人若在厅上，必然与众不同。他一个一个的看去，突然之间，两道锋锐如刀的目光停在一个人身上。

这人形容丑陋之极，脸上肌肉扭曲，又贴了几块膏药，背脊高高隆起，是个驼子。

余沧海陡然忆起一人，不由得一惊："莫非是他？听说这'塞北明驼'木高峰素在塞外出没，极少涉足中原，又跟五岳剑派没甚么交情，怎会来参与刘正风的金盆洗手之会？但若不是他，武林中又哪有第二个相貌如此丑陋的驼子？"

大厅上众人的目光也随着余沧海而射向那驼子，好几个熟知武林情事的年长之人都惊噫出声。刘正风抢上前去，深深一揖，说道："不知尊驾光临，有失礼数，当真得罪了。"

其实那个驼子，却哪里是甚么武林异人了？便是福威镖局少镖头林平之。他深恐被人认出，一直低头兜身，缩在厅角落里，若不是余沧海逐一认人，谁也不会注意到他。这时众人目光突然齐集，林平之登时大为窘迫，忙站起向刘正风还礼，说道："不敢，不敢！"

刘正风知道木高峰是塞北人士，但眼前此人说的却是南方口音，年岁相差甚远，不由得起疑，但素知木高峰行事神出鬼没，不可以常理测度，仍恭恭敬敬的道："在下刘正风，不敢请教阁下高姓大名。"

林平之从未想到有人会来询问自己姓名，嗫嚅了几句，一时不答。刘正风道："阁下跟木大侠……"林平之灵机一动，我姓'林'，拆了开来，不妨只用一半，便冒充姓'木'好了。"随口道："在下姓木。"

刘正风道："木先生光临衡山，刘某当真是脸上贴金。不知阁下跟'塞北明驼'木大侠如何称呼？"他看林平之年岁甚轻，同时脸上那些膏药，显是在故意掩饰本来面貌，决不是那成名已数十年的"塞北明驼"木高峰。

林平之从未听到过"塞北明驼木大侠"的名字，但听得刘正风语气之中对那姓木之人甚是尊敬，而余沧海在旁侧目而视，神情不善，自己但须稍露行迹，只怕立时便会毙于他的掌下，此刻情势紧迫，只好随口敷衍搪塞，说道："塞北明驼木大侠吗？那是……那是在下的长辈。"他想那人既有"大侠"之称，当然可以说是"长辈"。

余沧海眼见厅上更无别个异样之人，料想弟子申人俊和吉人通二人受辱，定是此人下的手，倘若塞北明驼木高峰亲来，虽然颇有忌惮，却也不惧，这人不过是木高峰的子侄，更加不放在心上，是他先来向青城派生事，岂能白白的咽下这口气去？当即冷冷的道："青城派和塞北木先生素无瓜葛，不知甚么地方开罪了阁下？"

林平之和这矮小道人面对面的站着，想起这些日子来家破人散，父母被擒，迄今不知生死，全是因这矮小道人而起，虽知他武功高过自己百倍，但胸口热血上涌，忍不住便要拔出兵刃向他刺去。然而这些日来多历忧患，已非复当日福州府那个斗鸡走马的纨裤少年，当下强抑怒火，说道："青城派好事多为，木大侠路见不平，自要伸手。他老人家古道热肠，最爱锄强扶弱，又何必管你开罪不开罪于他？"

刘正风一听，不由得暗暗好笑，塞北明驼木高峰武功虽高，人品却颇为低下，这"木大侠"三字，只是自己随口叫上一声，其实以木高峰为人而论，别说"大侠"两字够不上，连跟一个"侠"字也是毫不相干。此人趋炎附势，不顾信义，只是他武功高强，为人机警，倘若跟他结下了仇，那是防不胜防，武林中人对他忌惮畏惧则有之，却无人真的对他有甚么尊敬之意。刘正风听林平之这么说，更信他是木高峰的子侄，生怕余沧海出手伤了他，当好笑道："余观主，木兄，两位既来到舍下，都是在下的贵客，便请瞧着刘某的薄面，大家喝杯和气酒，来人哪，酒来！"家丁们轰声答应，斟上酒来。

余沧海对面前这年轻驼子虽不放在眼里，然而想到江湖上传说木高峰的种种阴毒无赖事迹，倒也不敢贸然破脸，见刘府家丁斟上酒来，却不出手去接，要看对方如何行动。

林平之又恨又怕，但毕竟愤慨之情占了上风，寻思："说不定此刻我爹妈已遭这矮道人的毒手，我宁可被你一掌毙于当场，也决不能跟你共饮。"目光中尽是怒火，瞪视余沧海，也不伸手去取酒杯，他本来还想辱骂几句，毕竟慑于对方之威，不敢骂出声来。

余沧海见他对自己满是敌意，怒气上冲，一伸手，便施展擒拿法抓住了他手腕，说道："好！好！好！冲着刘三爷的金面，谁都不能在刘府上无礼。木兄弟，咱们亲近亲近。"

林平之用力一挣，没能挣脱，听得他最后一个"近"字一出口，只觉手腕上一阵剧痛，腕骨格格作响，似乎立即便会给他捏得粉碎。余沧海凝力不发，要逼迫林平之讨饶。哪知林平之对他心怀深仇大恨，腕上虽痛入骨髓，却哼也没哼一声。

刘正风站在一旁，眼见他额头黄豆大的汁珠一滴滴渗将出来，但脸上神色傲然，丝毫不屈，对这青年人的硬气倒也有些佩服，说道："余观主！"正想打圆场和解，忽听得一个尖锐的声音说道："余观主，怎地兴致这么好，欺侮起木高峰的孙子来着？"

众人一齐转头，只见厅口站着一个肥肥胖胖的驼子，这人脸上生满了白癣，却又东一块西一块的都是黑记，再加上一个高高隆起的驼背，实是古怪丑陋之极。厅上众人大都没见过木高峰的庐山真面，这时听他自报姓名，又见到这副怪相，无不耸然动容。

这驼子身材臃肿，行动却敏捷无伦，众人只眼睛一花，见这驼子已欺到了林平之身边，在他肩头拍了拍，说道："好孙子，乖孙儿，你给爷爷大吹大擂，说甚么行侠仗义，锄强扶弱，爷爷听在耳里，可受用得很哪！"说着又在他肩头拍了一下。

他第一次拍肩，林平之只感全身剧震，余沧海手臂上也是一热，险些便放开了手，但随即又运功力，牢牢抓住。木高峰一拍没将余沧海的五指震脱，一面跟林平之说话，一面潜运内力，第二下拍在他肩头之时，已使上了十成功力。林平之眼前一黑，喉头发甜，一口鲜血涌到了嘴里。他强自忍住，骨嘟一声，将鲜血吞入了腹中。

余沧海虎口欲裂，再也捏不住，只得放开了手，退了一步，心道："这驼子心狠手辣，果然名不虚传，他为了震脱我手指，居然宁可让他孙子身受内伤。"

林平之勉力哈哈一笑，向余沧海道："余观主，你青城派的武功太也稀松平常，比之这位塞北明驼木大侠，那可差得远了，我瞧你不如改投木大侠门下，请他点拨几招，也可……也可……有点儿进……进益……"他身受内伤，说这番话时心情激荡，只觉五脏便如倒了转来，终于支撑着说完，身子已摇摇欲坠。

余沧海道："好，你叫我改投木先生的门下，学一些本事，余沧海正是求之不得。你自己是木先生门下，本事一定挺高的了，在下倒要领教领教。"指明向林平之挑战，却要术高峰袖手旁观，不得参预。

木高峰向后退了两步，笑道："小孙子，只怕你修为尚浅，不是青城派掌门的对手，一上去就给他毙了。爷爷难得生了你这样一个又驼又俊的好孙子，可舍不得你给人杀了。你不如跪下向爷爷磕头，请爷爷代你出手如何？"

林平之向余沧海瞧了一眼，心想："我若贸然上前和这姓余的动手，他怒火大炽之下，只怕当真一招之间就将我杀了。命既不存，又谈甚么报父母之仇？可是我林平之堂堂男子，岂能平白无端的去叫这驼子作爷爷？我自己受他差辱不要紧，连累爹爹也受此奇耻大辱，终身抬不起头来，日后如河在江湖上立足？我倘若向他一跪，那明摆是托庇于'塞北明驼'的宇下，再也不能自立了。"一时心神不定，全身微微发抖，伸左手扶在桌上。

余沧海道："我瞧你就是没种！要叫人代你出手，嗑几个头，又打甚么紧？"他已瞧出林平之和木高峰之间的关系有些特异，显然木高峰并非真的是他爷爷，否则为甚么林平之只称他"前辈"，始终没叫过一声"爷爷"？木高峰也不会在这当口叫自己的孙儿磕头。他以言语相激，要林平之沉不住气而亲自出手，那便大有回旋余地。

林平之心念电转，想起这些日来福威镖局受到青城派的种种欺压，一幕幕的耻辱，在脑海中纷至沓来的流过，寻思："大丈夫小不忍则乱大谋，只须我日后真能扬眉吐气，今日受一些折辱又有何妨？"当即转过身来，屈膝向木高峰跪倒，连连磕头，说道："爷爷，这余沧海滥杀无辜，抢劫财物，武林中人人得而诛之。请你主持公道，为江湖上除此大害。"

木高峰和余沧海都大出意料之外，这年轻驼子适才被余沧海抓住，以内力相逼，始终强忍不屈，可见颇有骨气，哪知他居然肯磕头哀求，何况是在这大庭广众之间。群豪都道这年轻驼子便是木高峰的孙子，便算不是真的亲生孙儿，也是徒孙、侄孙之类。只有木高峰才知此人与自己绝无半点瓜葛，而余沧海虽瞧出其中大有破绽，却也猜测不到两者真正的关系，只知林平之这声"爷爷"叫得极为勉强，多半是为了贪生怕死而发。

木高峰哈哈大笑，说道："好孙儿，乖孙儿，怎么？咱们真的要玩玩吗？"他口中在称赞林平之，但脸孔正对着余沧海，那两句"好孙儿，乖孙儿"，便似叫他一般。

余沧海更是愤怒，但知今日这一战，不但关系到一己的生死存亡，更与青城一派的兴衰荣辱大有关连，当下暗自凝神戒备，淡淡一笑，说道："木先生有意在众位朋友之前炫耀绝世神技，令咱们大开眼界，贫道只有舍命陪君子了。"适才木高峰这两个拍肩震手，余沧海已知他内力深厚，兼且十分霸道，一旦正面相攻，定如雷霆疾发、排山倒海一般的扑来,寻思:"素闻这驼子十分自负,他一时胜我不得,便会心浮气躁的抢攻,我在最初一百招之中只守不攻,先立于不败之地,到得一百招后,当能找到他的破绽。

木高峰见这矮小道人身材便如孩童一般,提在手里只怕还不到八十斤,然而站在当地,犹如渊停岳峙,自有一派大宗师的气度,显然内功修为颇深,心想:"这小道士果然有些鬼门道,青城派历代名手辈出,这牛鼻子为其掌门,决非泛泛之辈,驼子今日倒不可阴沟里翻船,一世英名,付于流水。"他为人向来谨细,一时不敢贸然发招。

便在二人蓄势待发之际,突然间呼的一声响,两个人从后飞了出来,砰的一声,落在地下,直挺挺的俯伏不动。这两人身穿青袍,臀部处各有一个脚印。只听得一个女童的清脆声音叫道:"这是青城派的看家本领,'屁股向后平沙落雁式'!"

余沧海大怒,一转头,不等看清是谁说话,循声辨向,晃身飞跃过去,只见一个绿衫女童站在席边,一伸手便抓住了她的手臂。那女童大叫一声"妈呀!"哇的一声,哭了起来。

余沧海吃了一惊,本来听她口出侮辱之言,狂怒之下,不及细思,认定青城派两名弟子又着了道儿,定是与她有关,这一抓手指上使力甚重,待得听她哭叫,才想此人不过是一个小小女孩,如何可以下重手对待,当着天下英雄之前,岂不是大失青城掌门的身分?急忙放手。岂知那小姑娘越哭越响,叫道:"你抓断了我骨头,妈呀,我手臂断啦!呜呜,好痛,好痛!呜呜。"这青城派掌门身经百战,应付过无数大风大浪,可是如此尴尬场面却从来没遇到过,眼见千百道目光都射向自己,而目光中均有责难甚至鄙视之色,不由得脸上发烧,手足无措,低声道:"别哭,别哭,手臂没断，不会断的。"

那女童哭道："已经断了，你欺侮人，大人打小孩，好不要脸，哎哟好痛啊，呜呜呜，呜呜呜呜！"

众人见这女童约莫十三四岁年纪，穿一身翠绿衣衫，皮肤雪白，一张脸蛋清秀可爱，无不对她生出同情之意。几个粗鲁之人已喝了起来："揍这牛鼻子！""打死这矮道士！"

余沧海狼狈之极，知道犯了众怒，不敢反唇相讥，低声道："小妹妹，别哭，对不起，我瞧瞧你的手臂，看伤了没有？"说着便欲去捋她衣袖。那白童叫道："不，不，别碰我。妈妈，妈妈，这矮道士打断了我的手臂。"

余沧海正感无法可施，人丛中走出一名青袍汉子，正是青城派中最机灵的方人智。他向那女童道："小姑娘装假，我师父的手连你的衣袖也没碰到，怎会打断了你的手臂？"那女童大叫："妈妈，又有人来打我了！"

定逸师太在旁早已看得大怒，抢步上前，伸掌便向方人智脸上拍去，喝道："大欺小，不要脸。"方人智伸臂欲挡，定逸右手疾探，抓住了他手掌，左手手臂一靠，压向他上臂和小臂之间相交的手肘关节，这一下只教压实了，方人智手臂立断。余沧海回手一指，点向定逸后心。定逸只得放开方人智，反手拍出。余沧海不欲和她相斗，说道："得罪了！"跃开两步。

定逸握住那小姑娘的手，柔声道："好孩子，那里痛？给我瞧瞧，我给你治治。"一摸她的手臂，并未断折，先放了心，拉起她的衣袖，只见一条雪白粉嫩的圆臂之上，清清楚楚的留下四条乌青的手指印。定逸大怒，向方人智喝道："小子撒谎！你师父没碰到她手臂，那么这四个指印是谁捏的？"

那小姑娘道："是乌龟捏的，是乌龟捏的。"一面说，一面指着余沧海的背心。

突然之间,群雄轰然大笑,有的笑得口中茶水都喷了出来,有的笑弯了腰,大厅之中,尽是哄笑之声。

余沧海不知众人笑些甚么,心想这小姑娘骂自己是乌龟,不过是孩子家受了委屈,随口詈骂,又有甚么好笑了?只是人人对自己发笑,却也不禁狼狈。方人智纵身而前,抢到余沧海背后,从他衣服上揭下一张纸来,随后一团,余沧海接了过来,展开一看,却见纸上画着一只大包龟,自是那女童贴在自己背后的。余沧海羞愤之下,心中一凛:"这只乌龟当然是早就绘好了的。别人要在我背心上作甚么手脚,决无可能,定是那女童大哭大叫,趁我心慌意乱之际,便即贴上,如此说来,暗中定是有大人指使。"转眼向刘正风瞧了一眼,心想:"这女孩自是刘家的人,原来刘正风暗中在给我捣鬼。"

刘正风给他这么瞧了一眼,立时明白,知他怪上了自己,当即走上一步,向那女童道:"小妹妹,你是谁家的孩子?你爹爹妈妈呢?"这两句问话,一来是向余沧海表白,二来自己确也起疑,要知道这小姑娘是何人带来。

那女童道:"我爹爹妈妈有事走开了,叫我乖乖的坐着别动,说一会儿便有把戏瞧,有两个人会飞出去躺着不动,说是青城派的看家本领,叫甚么'屁股向后平沙落雁式',果然好看!"说着拍起手来。她脸上晶莹的泪珠兀自未曾拭去,这时却笑得甚是灿烂。

众人一见,不由得都乐了,明知那是阴损青城派的,眼见那两名青城派弟子兀自躺着不动,屁股朝天,屁股上清清楚楚的各有一个脚印,大暴青城派之丑。

余沧海伸手到一名弟子身上拍了拍,发觉二人都被点了穴道,正与先前申人俊、吉人通二人所受一般无异,若要运内力解穴,殊非一时之功,不但木高峰在旁虎视眈眈,而且暗中还伏了大对头,这时可不能为了替弟子解穴而耗损内力,当即低声向方人智道:"先抬了下去。"方人智向几名同门一招手,几个青城派弟子奔了出来,将两个同门抬了出厅。

那女童忽然大声道:"青城派的人真多!一个人平沙落雁,有两个人抬!两个人平沙落雁,有四个人抬。"

余沧海铁青着脸,向那女童道:"你爹爹姓甚么?刚才这几句话,是你爹爹教的么?"他想这女童这两句话甚是阴损,若不是大人所教,她小小年纪,决计说不出来,又想:"甚么'屁股向后平沙落雁式',是令狐冲这小子胡诌出来的,多半华山派不忿令狐冲为人杰所杀,向我青城派找场子来啦。点穴之人武功甚高,难道……难道是华山派掌门岳不群在暗中捣鬼?"想到岳不群在暗算自己,不但这人甚是了得,而且他五岳剑派联盟,今日要是一齐动手,青城派非一败涂地不可。言念及此,不由得神色大变。

那女童不回答他的问话,笑着叫道:"二一得二,二二得四,二三得六,二四得八,二五得十……"不住口的背起九九乘数表来。余沧海道:"我问你啊!"声音甚是严厉。那女童嘴一扁,哇的一声,又哭了出来,将脸藏在定逸师太的怀里。

定逸轻轻拍她背心,安慰她道:"别怕,别怕,乖孩子,别怕。"转头向余沧海道:"你这么凶霸霸吓唬孩子干么?"

余沧海哼了一声,心想:"五岳剑派今日一齐跟我青城派干上了,可得小心在意。"

那女童从定逸怀中伸头出来,笑道:"老师太,二二得四,青城派两个人屁股向后平沙落雁四个人抬,二三得六,三个人屁股向后平沙落雁就得六个人抬,二四得八……"没再说下去,已格格的笑了起来。

众人觉得这小姑娘动不动便哭,哭了之后随即破涕为笑,如此忽哭忽笑,本来是七八岁孩童的事,这小姑娘看模样已有十三四岁，身材还生得甚高，何况每一句话都是在阴损余沧海，显然不是天真烂漫的孩童之言，暗中另行有人指使，那是绝无可疑的了。

余沧海大声道："大丈夫行为光明磊落，哪一位朋友跟贫道过不去的，尽可现身，这般鬼鬼祟祟的藏头露尾，指使一个小孩子来说些无聊言语，算是哪一门子英雄好汉？"

他身子虽矮，这几句话发自丹田，中气充沛，入耳嗡嗡作响。群豪听了，不由自主的肃然起敬，一改先前轻视的神态。他说完话后，大厅中一片静寂，无人答话。

隔了好一会，那女童忽道："老师太，他问是哪一门子的英雄好汉？他青城派是不是英雄好汉？"字逸是恒山派的前辈人物，虽对青城派不满，不愿公然诋毁整个门派，当下含糊其辞的答道："青城派……青城派上代，是有许多英雄好汉的。"那女童又问："那么现今呢？还有没有英雄好汉剩下来？"定逸将嘴向余沧海一努，道："你问这位青城派的掌门道长罢！"

那女童道："青城派掌门道长，倘使人家受了重伤，动弹不得，却有人上去欺侮他。你说那个乘人之危的家伙，是不是英雄好汉？"

余沧海心头怦的一跳，寻思："果然是华山派的！"

先前在花厅中曾听仪琳述说罗人杰刺杀令狐冲经过之人，也尽皆一凛："莫非这小姑娘和华山派有关？"劳德诺却想："这小姑娘说这番话，明明是为大师哥抱不平来着。她却是谁？"他为了怕小师妹伤心，匆忙之间，尚未将大师兄的死讯告知同门。

仪琳全身发抖，心中对那小姑娘感激无比。这一句话，她早就想向余沧海责问，只是她生性和善，又素来敬上，余沧海说甚么总是前辈，这句话便问不出口，此刻那小姑娘代自己说出了心头的言语，忍不住胸口一酸，泪水便扑簌簌的掉下来了。

余沧海低沉着声音问道:"这一句话,是谁教你问的?"

那女童道:"青城派有一个罗人杰,是道长的弟子罢?他见人家受了重伤,那受伤的又是个大大的好人,这罗人杰不去救他,反而上去刺他一剑。你说这罗人杰是不是英雄好汉?这是不是道长教他的青城派侠义道本事?"这身句话虽是出于一个小姑娘之口,但她说得爽脆利落,大有咄咄逼人之意。

余沧海无言可答,又厉声道:"到底是谁指使你来问我?你父亲是华山派的是不是?"

那女童转过了身子,向定逸道:"老师太,他这么吓唬小姑娘,算不算是光明磊落的大丈夫?算不算英雄好汉?"定逸汉了口气,道:"这个我可就说不上来了。"

众人愈听愈奇,这小姑娘先前那些话,多半是大人先前教定了的,但刚才这两句问话,明明是抓住了余沧海的话柄而发问,讥刺之意,十分辛辣,显是她随机应变,出于己口,瞧不出她小小年纪,竟这般厉害。

仪琳泪眼模糊之中,看到了这小姑娘苗条的背影,心念一动:"这个小妹妹我曾经见过的,是在哪里看见的呢?"侧头一想,登时记起:"是了,昨日回雁楼头,她也在那里。"脑海之中,昨天的情景逐步自朦胧而清晰起来。

昨日早晨,她被田伯光威逼上楼,酒楼上本有七八张桌旁坐满了酒客,后来泰山派的二人上前挑战,田伯光砍死了一人,众酒客吓得一哄而散,酒保也不敢再上来送菜斟酒。可是在临街的一角之中,一张小桌旁坐着个身材十分高大的和尚,另一张小桌旁坐着二人,直到令狐冲被杀,自己抱着他尸体下楼,那和尚和那二人始终没有离开。当时她心中惊惶已极,诸种事端纷至沓来,哪有心绪去留神那高大和尚以及另外两人,此刻见到那女童的背影，与脑海中残留的影子一加印证，便清清楚楚的记得，昨日坐在小桌旁的二人之中，其中之一就是这小姑娘。她背向自己，因此只记得她的背影，昨日她穿的是淡黄衫子，此刻穿的却是绿衫，若不是此刻她背转身子，说甚么也记不起来。

可是另外一人是谁呢？她只记得那是个男人，那是确定无疑的，是老是少，甚么打扮，那是甚么都记不得了。还有，记得当时看到那个和尚端起碗来喝酒，在田伯光给令狐冲骗得承认落败之时，那大和尚曾哈哈大笑，这小姑娘当时也笑了的，她清脆的笑声，这时在耳边似乎又响了起来，对，是她，正是她！

那个大和尚是谁？怎么和尚会喝酒？

仪琳的心神全部沉浸在昨日的情景之中，眼前似乎又出现了令狐冲的笑脸：他在临死之际，怎样诱骗罗人杰过来，怎样挺剑刺入敌人小腹。她抱着令狐冲的尸体跌跌撞撞的下楼，心中一片茫然，不知自己身在何处，胡里胡涂的出了城门，胡里胡涂的在道上乱走……

只觉得手中所抱的尸体渐渐冷了下去，她一点不觉得沉重，也不知道悲哀，更不知要将这尸体抱到甚么地方。突然之间，她来到了一个荷塘之旁，荷花开得十分鲜艳华美，她胸口似被一个大锤撞了一下，再也支持不住，连着令狐冲的尸体一齐摔倒，就此晕了过去。

等到慢慢醒转，只觉日光耀眼，她急忙伸手去抱尸体，却抱了个空。她一惊跃起，只见仍是在那荷塘之旁，荷花仍是一般的鲜艳华美，可是令狐冲的尸体却已影踪不见。她十分惊惶，绕着荷塘奔了几圈，尸体到了何处，找不到半点端倪。回顾自己身上衣衫血渍斑斑，显然并不是梦，险些儿又再晕去，定了定神，四下里又寻了一遍，这具尸体竟如生了翅膀般飞得无影无踪。荷塘中塘水甚浅,她下水去掏了一遍,哪有甚么踪迹?

这样,她到了衡山城,问到了刘府,找到了师父,心中却无时无刻不在思索:"令狐大哥的尸体到哪里去了?有人路过,搬了去么?给野兽拖了去么?"想到他为了相救自己而丧命,自己却连他的尸身也不能照顾周全,如果真是给野兽拖去吃了,自己实在不想活了。其实,就算令狐冲的尸身好端端的完整无缺,她也是不想活了。

忽然之间,心底深处,隐隐冒出来一个念头,那是她一直不敢去想的。这念头在过去一天中曾出现过几次,她立即强行压下,心中只想:"我怎地如此不定心?怎会这般的胡思乱想?当真荒谬绝伦! 不,决没这会子事!"

可是这时候,这念头她再也压不住了,清清楚楚的出现在心中:"当我抱着令狐大哥的尸身之时,我心中十分平静安定,甚至有一点儿欢喜,倒似乎是在打坐做功课一般,心中甚么也不想,我似乎只盼一辈子抱着他的身子,在一个人也没有的道上随意行走,永远无止无休。我说甚么也要将他的尸身找回来,那是为了甚么?是不忍他的尸身给野兽吃了么? 不! 不是的。我要抱着他的尸身在道上乱走,在荷塘边静静的待着。我为甚么晕去?真是该死!我不该这么想,师父不许,菩萨也不容,这是魔念,我不该着了魔。可是,可是令狐大哥的尸身呢?"

她心头一片混乱,一时似乎见到了令狐冲嘴角的微笑,那样满不在乎的微笑,一时又见到他大骂"倒霉的小尼姑"时那副鄙夷不屑的脸色。

她胸口剧痛起来,像是刀子在剜割一般……"

余沧海的声音又响了起来:"劳德诺,这个小女孩是你们华山派的,是不是?"劳德诺道:"不是,这个小妹妹,弟子今日也还是初见,她不是敝派的。"余沧海道:"好,你不肯认,也就算了。"

突然间手一扬，青光闪动，一柄飞锥向仪琳射了过去，喝道："小师父，你瞧这是甚么？"

仪琳正在呆呆出神，没想到余沧海竟会向自己发射暗器，心中突然感到一阵快意："他杀了我最好，我本就不想活了，杀了我最好！"心中更无半分逃生之念，眼见那飞锥缓缓飞来，好几个人齐声警告："小心暗器！"不知为了甚么，她反而觉得说不出的平安喜悦，只觉活在这世上苦得很，难以忍受的寂寞凄凉，这飞锥能杀了自己，那正是求之不得的事。

定逸将那女童轻轻一推，飞身而前，挡在仪琳的身前，别瞧她老态龙钟，这一下飞跃可快得出奇，那飞锥去势虽缓，终究是一件暗器，定逸后发先至，居然能及时伸手去接。

眼见定逸师太一伸手便可将锥接住，岂知那铁锥飞至她身前约莫两尺之处，陡地下沉，拍的一声，掉在地下。定逸伸手接了个空，那是在人前输了了招，不由得脸上微微一红，却又不能就此发作。便在此时，只见余沧海又是手一扬，将一个纸团向那女童脸上掷了过去。这纸团便是绘着乌龟的那张纸搓成的。定逸心念一动："牛鼻子发这飞锥，原来是要将我引开，并非有意去伤仪琳。"

眼见这小小纸团去势甚是劲急，比之适才的那柄飞锥势道还更凌厉，其中所含内力着实不小，掷在那小姑娘脸上，非教她受伤不可，其时定逸站在仪琳的身畔，这一下变起仓卒，已不及过去救援，只叫得一个"你"字，只见那女童矮身坐地，哭叫："妈妈，妈妈，人家要打死我啦！"

她这一缩甚是迅捷，及时避开纸团，明明身有武功，却是这般撒赖。众人都觉好笑。余沧海却也觉得不便再行相逼，满腹疑团，难以索解。

定逸师丈见余沧海神色尴尬，暗暗好笑，心想青城派出的丑已着实不小，不愿再和他多所纠缠，向仪琳道："仪琳，这小妹妹的爹娘不知到哪里去了，你陪她找找去，免得没人照顾，给人家欺侮。"

仪琳应道："是!"走过去拉住了那女童的手。那女童向她笑了笑，一同走出厅去。

余沧海冷笑一声，不再理会，转间去瞧木高峰。

令狐冲慢慢闭上了眼睛，渐渐呼吸低沉，入了梦乡。仪琳守在令狐冲身旁，拆了一根带叶的树枝，轻轻拂动，替他赶开纹蝇小虫。

五 治伤

　　仪琳和那女童到了厅外，问道："姑娘，你贵姓，叫甚么名字？"那女童嘻嘻一笑，说道："我复姓令狐，单名一个冲字。"仪琳心头怦的一跳，脸色沉了下来，道："我好好问你，你怎地开我玩笑？"那女童笑道："怎么开你玩笑了？难道只有你朋友叫得令狐冲，我便叫不得？"仪琳叹了口气，心中一酸，忍不住眼泪又掉了下来，道："这位令狐大哥于我有救命之恩，终于为我而死，我……我不配做他朋友。"

　　刚说到这里，只见两个佝偻着前脊的人，匆匆从厅外廊上走过，正是塞北明驼木高峰和林平之。那女童嘻嘻一笑，说道："天下真有这般巧，而这么个丑得怕人的老驼子，又有这么一个小驼子。"仪琳听她取笑旁人，心下甚烦，说道："姑娘，你自己去找你爹爹妈妈，好不好？我头痛得很，身子不舒服。"

　　那女童笑道："头痛不舒服，都是假的，我知道，你听我冒充令狐冲的名头，心里便不痛快。好姊姊，你师父叫你陪我的，怎能撇下我便不管了？要是我给坏人欺侮了，你师父非怪罪你不可。"仪琳道："你本事比我大得多，心眼儿又灵巧，连余观主那样天下闻名的大人物，也都栽在你手下。你不去欺侮人家，人家已经谢天谢地啦，谁又敢来欺侮你？"那女童格格而笑，拉着仪琳的手道："你可在损我啦。刚才若不是你师父护着我，这牛鼻子早就打到我了。姊姊，我姓曲，名叫非烟。我爷爷叫我非非，你也叫我非非好啦。"

仪琳听她说了真实姓名，心意顿和，只是奇怪她何以知道自己牵记着令狐冲，以致拿他名字来开玩笑？多半自己在花厅中向师父等述说之时，这精灵古怪的小姑娘躲在窗外偷听去了，说道："好，曲姑娘，咱们去找你爹爹妈妈去罢，你猜他们到了哪里去啦？"

曲非烟道："我知道他们到了哪里。你要找，自己找去，我可不去。"仪琳奇道："怎地你自己不去？"曲非烟道："我年纪这么小，怎肯便去？你却不同，你伤心难过，恨不得早早去了才是。"仪琳心下一凛，道："你说你爹爹妈妈……"曲非烟道："我爹爹妈妈早就给人害死啦。你要找他们，便得到阴世去。"仪琳甚是不快，说道："你爹爹妈妈既已去世，怎可拿这事来开玩笑？我不陪你啦。"

曲非烟抓住了她左手，央求道："好姊姊，我一个儿孤苦伶仃的，没人陪我玩儿，你就陪我一会儿。"

仪琳听她说得可怜，便道："好罢，我就陪你一会儿，可是人不许再说无聊的笑话。我是出家人，你叫我姊姊，也不大对。"曲非烟笑道："有些话你以为无聊，我却以为有聊得紧，这是各人想法不同。你比我年纪大，我就叫你姊姊，有甚么对不对的？难道我还叫你妹子吗？仪琳姊姊，你不如不做尼姑了，好不好？"

仪琳不禁愕然，退了一步。曲非烟也顺势放脱了她手，笑道："做尼姑有甚么好？鱼虾鸡鸭不能吃，牛肉、羊肉也不能吃。姊姊，你生得这般美貌，剃了光头，便大大减色，倘若留起一头乌油油的长发，那才叫好看呢。"仪琳听她说得天真，笑道："我身入空门，四大皆空，哪里还管他皮囊色相的美恶。"

曲非烟侧过了头，仔细端相仪琳的脸，其时雨势稍歇，乌云推开，淡淡的月光从云中斜身下来，在她脸上朦朦胧胧的铺了一层银光，更增秀丽之气。曲非烟叹了口气，幽幽的道："姊姊，你真美，怪不得人家这么想念你呢。"仪琳脸色一红，嗔道："你说甚么？你开玩笑，我可要去了。"曲非烟笑道："好啦，我不说了。姊姊，你给我些天香断续胶，我要去救一个人。"仪琳奇道："你去救谁？"曲非烟笑道："这个人要紧得很，这会儿可不能跟你说。"仪琳道："你要伤药去救人性命，本该给你，只是师父曾有严训，这天香断续胶调制不易，倘若受伤的是坏人，却不能救他。"

曲非烟道："姊姊，如果有人无礼，用难听的话骂你师父和你恒山派，这人是好人还是坏人？"仪琳道："这人骂我师父，骂我恒山派，自然是坏人了，怎还好得了？"曲非烟笑道："这可奇了。有一个人张口闭口的说，见了尼姑就倒大霉，逢赌必输。他既骂你师父，又骂了你，也骂了你整个恒山派，如果这样的大坏人受了伤……"

仪琳不等她说完，已是脸色一变，回头便走。曲非烟晃身拦在她身前，张开了双手，只是笑，却不让她过去。

仪琳突然心念一动："昨日回雁楼头，她和另一个男人一直坐着。直到令狐大哥死于非命，我抱着他尸首奔下酒家，似乎她还坐在那里。这一切经过，她早瞧在眼里了，也不用偷听我的说话。她会不会一直跟在我后面呢？"想要问她一句话，却胀红了脸，说不出口。

曲非烟道："姊姊，我知道你想问我：'令狐大哥的尸首到哪里去啦？'是不是？"仪琳道："正是，姑娘若能见告，我……我……实在感激不尽。"

曲非烟道："我不知道，但有一个人知道。这人身受重伤，性命危在顷刻。姊姊若能用天香断结胶救活了他生命，他便能将令狐大哥尸首的所在跟你说。"仪琳道："你自己真的不知？"

曲非烟道："我曲非烟如果得悉令狐冲死尸的所在，教我明天就死在余沧海手里，被他长剑在身上刺十七八个窟窿。"仪琳忙道："我信了，不用发誓。那人是谁？"

曲非烟道："这个人哪，救不救在你。我们要去的地方，也不是甚么善地。"

为了寻到令狐冲的尸首，便刀山剑林，也去闯了，管他甚么善地不善地，仪琳点头道："咱们这就去罢。"

两人走到大门口，见门外兀自下雨，门旁放着数十柄油纸雨伞。仪琳和曲非烟各取了一柄，出门向东北角上行去。其时已是深夜，街上行人稀少，两人走过，深巷中便有一两只狗儿吠了起来。仪琳见曲非烟一路走向偏僻狭窄的小街中，心中只挂念着令狐冲尸身的所在，也不去理会她带着自己走向何处。

行了好一会，曲非烟闪身进了一条窄窄的弄堂，左边一家门首挑着一盏小红灯笼。曲非烟走过去敲了三下门。有人从院子中走出来，开门探头出来。曲非烟在那人耳边低声说了几句话，又塞了一件物事在他手中。那人道："是，是，小姐请进。"

曲非烟回头招了招手。仪琳跟着她进门。那人脸上露出诧异之极的神色，抢在前头领路，过了一个天井，掀开东厢房的门帘，说道："小姐，师父，这边请坐。"门帘开处，扑鼻一股脂粉香气。

仪琳进门后，见房中放着一张大床，床上铺着绣花的锦被和枕头。湘绣驰名天下，大红锦被上绣的是一对戏水鸳鸯，颜色灿烂，栩栩欲活。仪琳自幼在白云庵中出家，盖的是青布粗被，一生之中从未见过如此华丽的被褥，只看了一眼，便转过了头。只见几上点着一根红烛，红烛旁是一面明镜，一只梳妆箱子。床前地下两对绣花拖鞋，一对男的，一对女的，并排而置，仪琳心中突的一跳，抬起头来，眼前出现了一张绯红的脸蛋，娇羞腼腆，又带着三分尴尬，三分诧异，正是自己映在镜中的容颜。

背后脚步声响，一个仆妇走了进来，笑眯眯的奉上香花。这仆妇衣衫甚窄，妖妖娆娆地甚是风骚。仪琳越来越害怕，低声问曲非烟："这是甚么地方？"曲非烟笑了笑，俯身在那仆妇耳边说了一句话，那仆妇应道："是。"伸手抿住了嘴，嘻的一笑，扭扭捏捏的走了出去。仪琳心想："这女人装模作样的，必定不是好人。"又问曲非烟："你带我来干甚么？这里是甚么地方？"曲非烟微笑道："这地方在衡山城大大有名，叫做群玉院。"仪琳又问："甚么群玉院？"曲非烟道："群玉院是衡山城首屈一指的大妓院。"

仪琳听到"妓院"二字，心中怦的一跳，几乎便欲晕去。她见了这屋中的摆设排场，早就隐隐感到不妙，却万万想不到这竟是一所妓院。她虽不十分明白妓院到底是甚么所在，却听同门俗家师姊说过，妓女是天下最淫贱的女子，任何男人只须有钱，便能叫妓女相陪。曲非烟带了自己到妓院中来，却不是要自己做妓女么？心中一急，险些便哭了出来。

便在这时，忽听得隔壁房中有个男子声音哈哈大笑，笑声甚是熟悉，正是那恶人"万里独行"田伯光。仪琳双腿酸软，腾的一声，坐倒在椅上，脸上已全无血色。

曲非烟一惊，抢过去看她，问道："怎么啦？"仪琳低声道："是那田……田伯光！"曲非烟嘻的一声笑，说道："不错，我也认得他的笑声，他是你的乖徒儿田伯光。"

田伯光在隔房大声道："是谁在提老子的名字？"

曲非烟道："喂！田伯光，你师父在这里，快快过来磕头！"田伯光怒道："甚么师父？小娘皮胡说八道，我撕烂你的臭嘴。"

曲非烟道："你在衡山回雁酒楼，不是拜了恒山派的仪琳小师太为师吗？她就在这里，快过来！"

田伯光道："她怎么会在这种地方，咦，你……你怎么知道？你是谁？我杀了你！"声音中颇有惊恐之意。

曲非烟笑道："你来向师父磕了头再说。"仪琳忙道："不，不！你别叫他过来！"

田伯光"啊"的一声惊呼，跟着拍的一声，显是从床上跳到了地下。一个女子声音道："大爷，你干甚么？"

曲非烟叫道："田伯光，你别逃走！你师父找你算帐来啦。"田伯光骂道："甚么师父徒儿，老子上了令狐冲这小子的当！这小尼姑过来一步，老子立刻杀了她。"仪琳颤声道："是！我不过来，你也别过来。"曲非烟道："田伯光，你在江湖上也算是一号人物，怎地说了话竟不算数？拜了师父不认帐？快过来，向你师父磕头。"田伯光哼了一声不答。

仪琳道："我不要他磕头，也不要见他，他……他不是我的徒弟。"田伯光忙道："是啊，这位小师父根本就不要见我。"曲非烟道："好，算你的。我跟你说，我们适才来时，有两个小贼鬼鬼祟祟的跟着我们，你快去给打发了。我和你师父在这里休息，你就在外看守着，谁也不许进来打扰我们。你做好了这件事，你拜恒山派小师父为师的事，我以后就绝口不提。否则的话，我宣扬得普天下人人都知。"

田伯光突然提声喝道："小贼，好大胆子。"只听得窗格子砰的一声，屋顶上呛啷啷两声响，两件兵刃掉在瓦上。跟着有人长声惨呼，又听得脚步声响，一人飞快的逃走了。

窗格子又是砰的一响，田伯光已跃回房中，说道："杀了一个，是青城派的小贼，另一个逃走了。"曲非烟道："你真没用，怎地让他逃了？"

田伯光道："那个人我不能杀，是……是恒山派的女尼。"曲非烟笑道："原来是你师伯，那自然不能杀。"仪琳却大吃一惊，低声道："是我师姊？那怎么好？"

田伯光问道："小姑娘，你是谁？"曲非烟笑道："你不用问。你乖乖的不说话，你师父永远不会来找你算帐。"田伯光果然就此更不作声。

仪琳道："曲姑娘，咱们快走罢！"曲非烟道："那个受伤之人，还没见到呢。你不是有话要跟他说吗？你要是怕师父见怪，立刻回去，却也不妨。"仪琳沉吟道："反正已经来了，咱们……咱们便瞧瞧那人去。"曲非烟一笑，走到床边，伸手在东边墙上一推，一扇门轻轻开了，原来墙上装有暗门。曲非烟招招手，走了进去。

仪琳只觉这妓院更显诡秘，幸好田伯光是在西边房内，心想跟他离得越远越好，当下大着胆子跟进。里面又是一房，却也无灯火，借着从暗门中透进来的烛光，可以看到这房甚小，也有一张床，帐子低垂，依稀似乎睡得有人。仪琳走到门边，便不敢进去。

曲非烟道："姊姊，你用天香断续胶给他治伤罢！"仪琳迟疑道："他……他当真知道令狐大哥尸首的所在？"曲非烟道："或许知道，或许不知道，我可说不上来。"仪琳急道："你刚才说他知道的。"曲非烟笑道："我又不是大丈夫，说过了的话却不算数，可不可以？你要是愿意一试，不妨便给他治你。否则的话，你即刻掉头便走，谁也不会来拦你。"

仪琳心想："无论如何要找到令狐大哥的尸首，就算只有一线机会，也不能放过了。"便道："好，我给他治伤。"回到外房去拿了烛台，走到内房的床前，揭开帐子，只见一人仰天而卧，脸上覆了一块绿色锦帕，一呼一吸，锦帕便微微颤动。仪琳见不到他脸，心下稍安，回头问道："他甚么地方受了伤？"

曲非烟道："在胸口，伤口很深，差一点儿便伤到了心脏。"

仪琳轻轻揭开盖在那人身上的薄被，只见那人袒裸着胸膛，胸口前正中大一个伤口，血流已止，但伤口甚深，显是十分凶险。仪琳定了定神，心道："无论如何，我得救活他的性命。"将手中烛台交给曲非烟拿着，从怀中取出装有天香断续胶的木盒子，打开了盒盖。放在床上的几上，伸手在那人创口四周轻轻按了按。曲非烟低声道："止血的穴道早点过了，否则怎能活得到这时候？"

仪琳点点头，发觉那人伤口四处穴道早闭，而且点得十分巧妙，远非自己所能，于是缓缓抽出塞在他伤口中的棉花，棉花一取出，鲜血便即急涌。仪琳在师门曾学过救伤的本事，左手按住伤口，右手便将天香断续胶涂到伤口之上，再将棉花塞入。这天香断续胶是恒山派治伤圣药，一涂上伤口，过不多时血便止了。仪琳听那人呼吸急促，不知他是否能活，忍不住便道："这位英雄，贫尼有一事请教，还望英雄不吝赐教。"

突然之间，曲非烟身子一侧，烛台倾斜，烛火登时熄灭，室中一片漆黑。曲非烟叫了声："啊哟"，道："蜡烛熄了。"

仪琳伸手不见五指，心下甚慌，寻思："这等不干不净的地方，岂是出家人来得的？我及早问明令狐大哥尸身的所在，立时便得离去。"颤声问道："这位英雄，你现下痛得好些了吗？"那人哼了一声，并不回答。

曲非烟道："他在发烧，你摸摸他额头，烧得好生厉害。"仪琳还未回答，右手已被曲非烟捉住，按到了那人额上。本来遮在他面上的锦帕已给曲非烟拿开，仪琳只觉触手处犹如火炭，不由得起了恻隐之心，道："我还有内服的伤药，须得给他服下才好。曲姑娘，请你点亮了蜡烛。"曲非烟道："好，你在这里等着，我去找火。"仪琳听她说要走开，心中急了，忙拉住她袖子道："不，不，你别去，留了我一个儿在这里，那怎么办？"曲非烟低低笑了一声，道："你把内服的伤药摸出来罢。"

仪琳从怀中摸出一个瓷瓶，打开瓶塞，倒了三粒药丸出来，托在掌中，道："伤药取出来啦。你给他吃罢。"曲非烟道："黑暗中别把伤药掉了，人命关天，可不是玩的。姊姊，你不敢留在这里，那么我在这里待着，你出去点火。"仪琳听得要她独自在妓院中乱闯，更是不敢，忙道："不，不！我不去。"曲非烟道："送佛送到西，救人救到底。你把伤药塞在他口里，喂他喝几口茶，不就得了？黑暗之中，他又见不到你是谁，怕甚么啊？喏，这是茶杯，小心接着，别倒翻了。"

仪琳慢慢伸出手去，接过了茶杯，踌躇了一会，心想："师父常道，出家人慈悲为本，救人一命，胜造七级浮屠。就算此人不知道令狐大哥尸首的所在，既是命在顷刻，我也当救他。"于是缓缓伸出右手，手背先碰到那人额头，翻过手掌，将三粒内服治伤的"白云熊胆丸"塞在那人口中。那人张口含了，待仪琳将茶杯送到口边时喝了几口，含含糊糊的似是说了声"多谢"。

仪琳道："这位英雄，你身受重伤，本当安静休息，只是我有一件急事请问。令狐冲令狐侠士为人所害，他尸首……"那人道："你……你问令狐冲……"仪琳道："正是！阁下可知这位令狐冲英雄的遗体落在何处？"那人迷迷糊糊的道："甚……甚么遗体？"

仪琳道："是啊，阁下可知令狐冲令狐侠士的遗体落于何方？"那人含糊说了几个字，但声音极低，全然听不出来。仪琳又问了一遍，将耳朵凑近那人的脸孔，只听得那人呼吸甚促，要想说甚么话，却始终说不出来。

仪琳突然想起："本门的天香断续胶和白云熊胆丸效验甚佳，药性却也极猛，尤其服了白云熊胆丸后往往要昏晕半日，那正是疗伤的要紧关头，我如何在这里逼问于他？"她轻轻叹了口气，从帐子中钻头出来，扶着床前一张椅子，便即坐倒，低声道："待他好一些后再问。"曲非烟道："姊姊，这人性命无碍么？"仪琳道："但愿他能痊愈才好，只是他胸前伤口实在太深。曲姑娘，这一位……是谁？"

曲非烟并不答复，过了一会，说道："我爷爷说，你甚么事情都看不开，是不能做尼姑的。"仪琳奇道："你爷爷认得我？他……他老人家怎知道我甚么事情都看不开？"曲非烟道："昨日在回雁楼头，我爷爷带着我，看你们和田伯光打架。"仪琳"啊"了一声，问道："跟你在一起的，是你爷爷？"曲非烟笑道："是啊，你那个令狐大哥，一张嘴巴也真会说，他说他坐着打天下第二，那时我爷爷真的有些相信，还以为他真有一套甚么出恭时练的剑法，还以为田伯光斗不过他呢，嘻嘻。"黑暗之中，仪琳瞧不见她的脸，但想象起来，定然满脸都是笑容。曲非烟愈是笑得欢畅，仪琳心头却愈酸楚。

曲非烟续道："后来田伯光逃走了，爷爷说这小子没出息，既然答应输了拜你为师，就应当磕头拜师啊，怎地可以混赖？"仪琳道："令狐大哥为了救我，不过使个巧计，却也不是真的赢了他。"曲非烟道："姊姊，你良心真好，田伯光这小子如此欺侮你，你还给他说好话。令狐大哥给人刺死后，你抱着他的尸身乱走。我爷爷说：'这小尼姑是个多情种子，这一下只怕要发疯，咱们跟着瞧瞧。'于是我们二人跟在你后面，见你抱着这个死人，一直不舍得放下。我爷爷说：'非非，你瞧这小尼姑多么伤心，令狐冲这小子倘若不死，小尼姑非还俗嫁给他做老婆不可。'"仪琳羞得满脸通红，黑暗中只觉耳根子和脖子都在发烧。

曲非烟道："姊姊，我爷爷的话对不对？"仪琳道："是我害死了人家。我真盼死的是我，而不是他。倘若菩萨慈悲，能叫我死了，去换得令狐大哥还阳，我……我……我便堕入十八重地狱，万劫不能超生，我也心甘情愿。"她说这几句话时声音诚恳之极。

便在这时，床上那人忽然轻轻呻吟了一下。仪琳喜道："他……他醒转了，曲姑娘，请你问他，可好些了没有？"曲非烟道："为甚么要我去问！你自己没生嘴巴！"

仪琳微一迟疑，走到床前，隔着帐子问道："这位英雄，你可……"一句话没说完，只听那人又呻吟了几声。仪琳寻思："他此刻痛苦难当，我怎可烦扰他？"悄立片刻，听得那人呼吸逐渐均匀，显是药力发作，又已入睡。

曲非烟低声道："姊姊，你为甚么愿意为令狐冲而死，你当真是这么喜欢他？"仪琳道："不，不！曲姑娘，我是出家人，你别再说这等亵渎佛祖的话。令狐大哥和我素不相识，却为了救我而死。我……我史觉万分的对他不起。"曲非烟道："要是他能活转来，你甚么事都肯为他做？"仪琳道："不错，我便为他死一千次，也是毫无怨言。"

曲非烟突然提高声音，笑道："令狐大哥，你听着。仪琳姊姊亲口说了……"仪琳怒道："你开甚么玩笑？"曲非烟继续大声道："她说，只要你没死，她甚么事都肯答允你。"仪琳听她语气不似开玩笑，头脑中一阵晕眩，心头怦怦乱跳，只道："你……你……"

只听得咯咯两声，眼前一亮，曲非烟已打着了火，点燃蜡烛，揭开帐子，笑着向仪琳招了招手。仪琳慢慢走近，蓦地里眼前金星飞舞，向后便倒。曲非烟伸手在她背后一托，令她不至摔倒，笑道："我早知你会大吃一惊，你看他是谁？"仪琳道：

"他……他……"声音微弱,几乎连气也透不过来。

床上那人虽然双目紧闭,但长方脸蛋,剑眉薄唇,正便是昨日回雁楼头的令狐冲。

仪琳伸手紧紧抓住了曲非烟的手臂,颤声道:"他……他没死?"曲非烟笑道:"他现下还没有死,但如你的伤药无效,便要死了。"仪琳急道:"不会死的,他一定不会死的。他……他没死!"惊喜逾恒,突然哭了起来。曲非烟奇道:"咦,怎么他没有死,你却反而哭了?"仪琳双脚发软,再也支持不住,伏在床前,呜呜咽咽的哭了起来,说道:"我好欢喜。曲姑娘,真是多谢你啦。原来,原来是你救了……救了令狐大哥。"

曲非烟道:"是你自己救的,我可没有这么大的本事,我又没天香断续胶。"

仪琳突然省悟,慢慢站起,拉住曲非烟的手,道:"是你爷爷救的,是你爷爷救的。"

忽然之间,外边高处有人叫道:"仪琳,仪琳!"却是定逸师太的声音。

仪琳吃了一惊,待要答应。曲非烟吐气吹熄了手中蜡烛,左掌翻转,按住了仪琳的嘴,在她耳边低声道:"这是甚么地方?别答应。"一霎时仪琳六神无主,她身在妓院之中,处境尴尬之极,但听到师父呼唤而不答应,却是一生中从所未有之事。

只听得定逸又大声叫道:"田伯光,快给我滚出来!你把仪琳放出来。"

只听得西首房中田伯光哈哈大笑,笑了一阵,才道:"这位是恒山派白云庵前辈定逸师太么?晚辈本当出来拜见,只是身边有几个俏佳人相陪,未免失礼,这就两免了。哈哈,哈哈!"跟着有四五个女子一齐吃吃而笑,声音甚是淫荡,自是妓院中的妓女，有的还嗲声叫道："好相公，别理她，再亲我一下，嘻嘻，嘻嘻。"几个妓女淫声荡语，越说越响，显是受了田伯光的吩咐，意在气走定逸。

定逸大怒，喝道："田伯光，你再不滚出来，非把你碎尸万段不可。"

田伯光笑道："我不滚出来，你要将我碎尸万段。我滚了出来，你也要将我碎尸万段。那还是不滚出来罢！定逸师太，这种地方，你出家人是来不得的，还是及早请回的为妙。令高徒不在这里，她是一位戒律精严的小师父，怎么会到这里来？你老人家到这种地方来找徒儿，岂不奇哉怪也？"

定逸怒叫："放火，放火，把这狗窝子烧了，瞧他出不出来？"

田伯光笑道："定逸师太，这地方是衡山城著名的所在，叫作'群玉院'。你把它放火烧了不打紧，有分教：江湖上众口喧传，都道湖南省的烟花之地'群玉院'，给恒山派白云庵定逸师太一把火烧了。人家一定要问：'定逸师太是位年高德劭的师太，怎地到这种地方去呀？'别人便道：'她是找徒弟去了！'人家又问：'恒山派的弟子怎会到群玉院去？'这么你一句，我一句，于贵派的声誉可大大不妙。我跟你说，万里独行田伯光天不怕，地不怕，天下就只怕令高足一人，一见到她，我远而避之还来不及，怎么还敢去惹她？"

定逸心想这话倒也不错，但弟子回报，明明见到仪琳走入了这座屋子，她又被田伯光所伤，难道还有假的？她只气得五窍生烟，将屋瓦端得一块块的粉碎。一时却无计可施。

突然间对面屋上一个冷冷的声音道："田伯光，我弟子彭人骐，可是你害死的？"却是青城掌门余沧海到了。

田的光道："失敬，失敬！连青城派掌门也大驾光临，衡山群玉院从此名闻天下，生意滔滔，再也应接不暇了。有一个小子是我杀的，剑法平庸，有些像是青城派招数，至于是不是叫甚么彭人骐，也没功夫去问他。"

只听得嗖的一声响，余沧海已穿入房中，跟着乒乒乓乓，兵刃相交声密如联珠，余沧海和田伯光已在房中交起手来。

定逸师太站在屋顶，听着二人兵刃撞击之声，心下暗暗佩服："田伯光那厮果然有点儿真功夫，这几下快刀快剑，竟和青城掌门斗了个势均力敌。"

蓦然间砰的一声大响，兵刃相交声登时止歇。

仪琳握着曲非烟的手，掌心中都是冷汗，不知田余二人相斗到底谁胜谁负，按理说，田伯光数次欺辱于她，该当盼望他被余沧海打败才是，但她竟是盼望余沧海为田伯光所败，最好余沧海快快离去，师父也快快离去，让令狐冲在这里安安静静的养伤。他此刻正在生死存亡的要紧关头，倘若见到余沧海冲进房来，一惊之下，创口再裂，那是非死不可。

却听得田伯光的声音在远处响起，叫道："余观主，房中地方太小，手脚施展不开，咱们到旷地之上，大战三四百回合，瞧瞧到底是谁厉害。要是你打胜，这个千娇百媚的小粉头玉宝儿便让给你，假如你输了，这玉宝儿可是我的。"

余沧海气得几乎胸膛也要炸了开来，这淫贼这番话，竟说自己和他相斗乃是争风吃醋，为了争夺"群玉院"中一个妓女，叫作甚么玉宝儿的。适才在房中相斗，顷刻间拆了五十余招，田伯光刀法精奇，攻守俱有法度，余沧海自忖对方武功实不在自己之下，就算再斗三四百招，可也并无必胜把握。

一霎时间，四下里一片寂静。仪琳似乎听到自己扑通扑通的心跳之声，凑头过去，在曲非烟耳边轻轻问道："他……他们会不会进来？"其实曲非烟的年纪比她轻着好几岁，但当这情急之际，仪琳一切全没了主意。曲非烟并不回答，伸手按住了她嘴。

　　忽听得刘正风的声音说道："余观主，田伯光这厮做恶多端，日后必无好死，咱们要收拾他，也不用忙在一时。这间妓院藏垢纳污，兄弟早就有心将之捣了，这事待兄弟来办。大年，为义，大伙进去搜搜，一个人也不许走了。"刘门弟子向大年和米为义齐声答应。接着听得定逸师太急促传令，吩咐众弟子四周上下团团围住。

　　仪琳越来越惶急，只听得刘门众弟子大声呼叱，一间间房查将过来。刘正风和余沧海在旁监督，向大年和米为义诸人将妓院中龟头和鸨儿打得杀猪价叫。青城派群弟子将妓院中的家具用具，茶杯酒壶，乒乒乓乓的打得落花流水。

　　耳听得刘正风诸人转眼便将过来，仪琳急得几欲晕去，心想："师父前来救我，我却不出声答应，在妓院之中，和令狐大哥深夜同处一室。虽然他身受重伤。但衡山派、青城派这许多男人一涌而进，我便有一百张嘴巴也分说不了。如此连累恒山派的清名，我……我如何对得起师父和众位师姊？"伸手拔出佩剑，便往颈中挥去。

　　曲非烟听得长剑出鞘之声，已然料到，左手一翻，黑暗中抓住了她手腕，喝声道："使不得！我和你冲出去。"

　　忽听得悉窣有声，令狐冲在床上坐了起来，低声道："点亮了蜡烛！"曲非烟道："干甚么？"令狐冲道："我叫你点亮了蜡烛！"声音中颇含威严。曲非烟便不再问，取火刀火石打着了火，点燃了蜡烛。

　　烛光之下，仪琳见到令狐冲脸色白得犹如死人，忍不住低低惊呼了一声。

　　令狐冲指着床头自己的那件大氅，道："给我披在……在身上。"仪琳全身发抖，俯身取了过来，披在他身上。令狐冲拉过大氅前襟，掩住了胸前的血迹和伤口，说道："你们两人，都睡在床上。"曲非烟嘻嘻一笑，道："好玩，好玩！"拉着仪琳，钻入了被窝。

这时外边诸人都已见到了这间房中的烛火，纷纷叫道："到那边去搜搜。"蜂拥而来。令狐冲提一口气，抢过去掩上了门，横上门闩，回身走到床前，揭开帐子，道："都钻进被窝去！"

仪琳道："你……你别动，小心伤口。"令狐冲伸出左手，将她的头推入被窝中，右手却将曲非烟的一头长发拉了出来，散在枕头之上。只是这么一推一拉，自知伤口的鲜血又在不绝外流，双膝一软，坐在床沿之上。

这时房门上已有人擂鼓般敲打，有人叫道："狗娘养的，开门！"跟着砰的一声，有人将房门踢开，三四个人同时抢将进来。

当先一人正是青城派弟子洪人雄。他一见令狐冲，大吃一惊，叫道："令狐……是令狐冲……"急退了两步。向大年和米为义不识得令狐冲，但均知他已为罗人杰所杀，听洪人雄叫出他的名字，都是心头一震，不约而同的后退。各人睁大了双眼，瞪视着他。

令狐冲慢慢站了起来，道："你们……这许多人……"洪人雄道："令狐……令狐冲，原来……原来你没死？"令狐冲冷冷的道："哪有这般容易便死？"

余沧海越众而前，叫道："你便是令狐冲了？好，好！"令狐冲向他瞧了一眼，并不回答。余沧海道："你在这妓院之中，干甚么来着？"令狐冲哈哈一笑，道："这叫做明知故问。在妓院之中，还干甚么来着？"余沧海冷冷的道："素闻华山派门规甚严，你是华山派掌门大弟子，'君子剑'岳先生的嫡派传人，却偷偷来嫖妓宿娼，好笑啊好笑！"令狐冲道："华山派门规如何，是我华山派的事，用不着旁人来瞎操心。"

余沧海见多识广，见他脸无血色，身子还在发抖，显是身受重伤模样，莫非其中有诈？心念一转之际，寻思："恒山派那小尼姑说这厮已为人杰所杀，其实并未毙命，显是那小尼姑撒谎骗人。听她说来，令狐大哥长，令狐大哥短，叫得脉脉含情，说不定他二人已结下了私情。有人见到那小尼姑到过妓院之中，此刻却又影踪全无，多半便是给这厮藏了起来。哼，他五岳剑派自负是武林中的名门正派，瞧我青城派不起，我要是将那小尼姑揪将出来，不但羞辱了华山、恒山两派，连整个五岳剑派也是面目无光，叫他们从此不能在江湖上夸口说嘴。"目光四下一转，不见房中更有别人，心想："看来那小尼姑便藏在床上。"向洪人雄道："人雄，揭开帐子，咱们瞧瞧床上有甚么好把戏。"

洪人雄道："是！"上前两步，他吃过令狐冲的苦头，情不自禁的向他望了一眼，一时不敢再跨步上前。令狐冲道："你活得不耐烦了？"洪人雄一窒，但有师父撑腰，也不如何惧他，刷的一声，拔出了长剑。

令狐冲向余沧海道："你要干甚么？"余沧海道："恒山派走失了一名女弟子，有人见到她是在这座妓院之中，咱们要查一查。"令狐冲道："五岳剑派之事，也劳你青城派来多管闲事？"余沧海道："今日之事，非查明白不可。人雄，动手！"洪人雄应道："是！"长剑伸出，挑开了帐子。

仪琳和曲非烟互相搂抱。躲在被窝之中，将令狐冲和余沧海的对话，一句句都听得清清楚楚，心头只是叫苦，全身瑟瑟发抖，听得洪人雄挑开帐子，更吓得魂飞天外。

帐子一开，众人目光都射到床上，只见一条绣着双鸳鸯的大红锦被之中裹得有人，枕头上舞着长长的万缕青丝，锦被不住颤动，显然被中人十分害怕。

余沧海一见到枕上的长发，好生失望，显然被中之人并非那个光头小尼姑了，原来令狐冲这厮果然是在宿娼。

令狐冲冷冷的道："余观主，你虽是出家人，但听说青城派道士不禁婚娶，你大老婆、小老婆着实不少。你既这般好色如命，想瞧妓院中光身赤裸的女子，干么不爽爽快快的揭开被窝，瞧上几眼？何必借口甚么找寻恒山派的女弟子？"

余沧海喝道："放你的狗屁！"右掌呼的一声劈出，令狐冲侧身一闪，避开了掌风，重伤之下，转动不灵，余沧海这一掌又劈得凌厉，还是被他掌风边缘扫中了，站立不定，一交倒在床上。他用力支撑，又站了起来，一张嘴，一大口鲜血喷了出来，身子摇晃两下，又喷出一口鲜血。余沧海欲待再行出手，忽听得窗外有人叫道："以大欺小，好不要脸！"

那"脸"字尾声未绝，余沧海已然右掌转回，劈向窗格，身随掌势，到了窗外。房内烛光照映出来，只见一个丑脸驼子正欲往墙角边逃去。余沧海喝道："站住了！"

那驼子正是林平之所扮。他在刘正风府中与余沧海朝相之后，乘着曲非烟出现，余沧海全神注视到那女童身上，便即悄悄溜了出来。

他躲在墙角边，一时打不定主意，实不知如何，才能救得爹娘，沉吟半晌，心道："我假装驼子，大厅中人人都已见到了，再遇上青城派的人，非死不可。是不是该当回复本来面目？"回思适才给余沧海抓住，全身登时酸软，更无半分挣扎之力，怎地世上竟有如此武功高强之人？心头思潮起伏，只呆呆出神。

也不知过了多少时候，忽然有人在他驼背上轻轻一拍。林平之大吃一惊，急忙转身，眼前一人背脊高耸，正是那正牌驼子"塞北明驼"木高峰，听他笑道："假驼子，做驼子有甚么好？干么你要冒充是我徒子徒孙？"

林平之情知此人性子凶暴，武功又极高，稍一对答不善，便是杀身之祸，但适才在大厅中向他磕过头，又说他行侠仗义，并未得罪于他，只须继续如此说，谅来也不致惹他生气，便道："晚辈曾听许多人言道：'塞北明驼'木大侠英名卓著，最喜急人之难，扶危解困。晚辈一直好生仰慕，是以不知不觉的便扮成木大侠的模样，万望恕罪。"

　　木高峰哈哈一笑，说道："甚么急人之难，扶危解困？当真胡说八道。"他明知林平之是在撒谎，但这些话总是听来十分入耳，问道："你叫甚么名字？是哪一个的门下？"

　　林平之道："晚辈其实姓林，无意之间冒认了前辈的姓氏。"木高峰冷笑道："甚么无意之间？你只是想拿你爷爷的名头来招摇撞骗。余沧海是青城掌门，伸一根手指头也立时将你毙了。你这小子居然敢冲撞于他，胆子当真不小。"林平之一听到余沧海的名字，胸口热血上涌，大声道："晚辈但教有一口气在，定须手刃了这奸贼。"

　　木高峰奇道："余沧海跟你有甚么怨仇？"林平之略一迟疑，寻思："凭我一己之力，难以救得爹爹妈妈，索作再拜他一拜，求他援手。"当即双膝跪倒，磕头道："晚辈父母落入这奸贼之手，恳求前辈仗义相救。"木高峰皱起眉头，连连摇头，说道："没好处之事，木驼子是向来不做的，你爹爹是谁？救了他于我有甚么得益？"

　　正说到这里，忽听门边有人压低了声音说话，语气甚是紧急，说道："快禀报师父，在群玉院妓院中，青城派又有一人给人家杀了，恒山派有人受了伤逃回来。"

　　木高峰低声道："你的事慢慢再说，眼前有一场热闹好看，你想开眼界便跟我同去。"林平之心想："只须陪在他的身边，便有机会求他。"当即道："是，是。老前辈去哪里，晚辈自当追随。"木高峰道："咱们把话说在头里，木驼子不论甚么事，总须对自己有好处才干。你若想单凭几顶高帽子，便叫你爷爷去惹麻烦上身，这种话少提为妙。"

林平之唯唯喏喏，含糊答应。忽听得木高峰道："他们去了，跟着我来。"只觉右腕一紧，已被他抓住，跟着腾身而起，犹似足不点地般在衡山街上奔驰。

到得群玉院外，木高峰和他挨在一株树后，窥看院中众人动静。余沧海和田伯光交手、刘正风等率人搜查、令狐冲挺身而出等情，他二人都一一听在耳里。待得余沧海又欲击打令狐冲，林平之再也忍耐不住，将"以大欺小，好不要脸"这八个字叫了出来。

林平之叫声出口，自知鲁莽，转身便欲躲藏，哪知余沧海来得极快，一声"站住了！"力随声至，掌力已将林平之全身笼住，只须一发，便能震得他五脏碎裂，骨骼齐折，待见到他形貌，一时含力不发，冷笑道："原来是你！"眼交向林平之身后丈许之外的木高峰射去　说道："木驼子，你几次三番，指使小辈来和我为难，到底是何用意？"

木高峰哈哈一笑，道："这人自认是我小辈，木驼子却没认他。他自姓林，我自姓木，这小子跟我有甚么干系？余观主，木驼子不是怕你，只是犯不着做冤大头，给一个无名小辈做挡箭牌。要是做一做挡箭牌有甚么好处，金银财宝滚滚而来，木驼子权衡轻重，这算盘打得响，做便做了。可是眼前这般全无进益的蚀本买卖，却是决计不做的。"

余沧海一听，心中一喜，便道："此人既跟木兄并无干系，乃是冒充招摇之徒，贫道不必再顾你的颜面了。"积蓄在掌心中的力道正欲发出，忽听窗内有人说道："以大欺小，好不要脸！"余沧海回过头来，只见一人凭窗而立，正是令独冲。

余沧海怒气更增，但"以大欺小，好不要脸"这八个字，却正是说中了要害，眼前这二人显然武功远不如己，若欲杀却，原只一举手之劳，但"以大欺小"那四个字，却无论如何是逃不过的，既是"以大欺小"，那下面"好不要脸"四字便也顺理成章的了。但若如此轻易饶了二人，这口气如何便咽得下去？他冷笑一声，向令狐冲道："你的事，以后我找你师父算帐。"回头向林平之道："小子，你到底是哪个门派的？"

林平之怒叫："狗贼，你害得我家破人亡，此刻还来问我？"

余沧海心下奇怪："我几时识得你这丑八怪了？甚么害得你家破人亡。这话却从哪里说起？"但四下里耳目众多，不欲细问，回头向洪人雄道："人雄，先宰了这小子，再擒下了令狐冲。"是青城派弟子出手，便说不上"以大欺小。"洪人雄应道："是！"拔剑上前。

林平之伸手去拔佩剑，甫一提手，洪人雄的长剑寒光森然，已直指到了胸前。林平之叫道："余沧海，我林平之……"余沧海一惊，左掌急速拍出，掌风到处，洪人雄的长剑被震得一偏。从林平之右臂外掠过。余沧海道："你说甚么？"林平之道："我林平之做了厉鬼，也会找你索命。"余沧海道："你……你是福威镖局的林平之？"

林平之既知已无法隐瞒，索性堂堂正正的死个痛快，双手撕下脸上膏药，朗声道："不错，我便是福州福威镖局的林平之。你儿子调戏良家姑娘，是我杀的。你害得我家破人亡，我爹爹妈妈，你……你……你将他们关在哪里？"

青城派一举挑了福威镖局之事，江湖上早已传得沸沸扬扬。长青子早年败在林远图剑下之事，武林中并不知情，人人都说青城派志在劫夺林家辟邪剑法的剑谱。令狐冲正因听了这传闻，才在回雁楼头以此引得罗人杰俯身过来，挺剑杀却。木高峰也已得知讯息，此刻听得眼前这假驼子是"福威镖局的林平之"，而眼见余沧海一听到他自报姓名，便忙不迭的将洪人雄长剑格开，神情紧张，看来确是想着落在这年轻人身上得到辟邪剑谱。

其时余沧海左臂长出，手指已抓住林平之的右腕，手臂一缩，便要将他拉了过去。木高峰喝道："且慢！"飞身而出，伸手抓住了林平之的左腕，向后一拉。

林平之双臂分别被两股大力前后拉扯，全身骨骼登时格格作响，痛得几欲晕去。

余沧海知道自己若再使力，非将林平之登时拉死不可，当即右手长剑递出，向木高峰刺去，喝道："木兄，撒手！"

木高峰左手一挥，当的一声响，格开长剑，手中已多了一柄青光闪闪的弯刀。

余沧海展开剑法，嗤嗤嗤声响不绝，片刻间向木高峰连刺了八九剑，说道："木兄，你我无冤无仇，何必为这小子伤了两家和气？"左手亦抓住林平之右腕不放。

木高峰挥动弯刀，将来剑一一格开，说道："适才大庭广众之间，这小子已向我磕过了头，叫了我'爷爷'，这是众目所见、众耳所闻之事。在下和余观主虽然往日无冤，近日无仇，但你将一个叫我爷爷之人捉去杀了，未免太不给我脸面。做爷爷的不能庇护孙子，以后还有谁肯再叫我爷爷？"两人一面说话，兵刃相交声叮当不绝，越打越快。

余沧海怒道："木兄，此人杀了我的亲生儿子，杀子之仇，岂可不报？"木高峰哈哈一笑，道："好，冲着余观主的金面，就替你报仇便了。来来来，你向前拉。我向后拉，一二三！咱们将这小子拉为两片！"他说完这句话后，又叫："一，二，三！"这"三"字一出口，掌上力道加强，林平之全身骨骼格格之声更响。

余沧海一惊，报仇并不急在一时，剑谱尚未得手，却决不能便伤了林平之性命，当即松手。林平之立时便给木高峰拉了过去。

木高峰哈哈一笑，说道："多谢，多谢！余观主当真够朋友，够交情，冲着木驼子的脸面，连杀子大仇也肯放过了。江湖上如此重义之人，还真的没第二位！"余沧海冷冷的道："木兄知道了就好。这一次在下相让一步，以后可不能再有第二次了。"木高峰笑嘻嘻的道："那也未必。说不定余观主义薄云天，第二次又再容让呢。"

余沧海哼了一声，左手一挥，道："咱们走！"率领本门弟子，便即退走。

这时定逸师太急于找寻仪琳，早已与恒山派群尼向西搜了下去。刘正风率领众弟子向东南方搜去。青城派一走，群玉院外便只剩下木高峰和林平之二人。

木高峰笑嘻嘻的道："你非但不是驼子，原来还是个长得挺俊的小子。小子，你也不用叫我爷爷。驼子挺喜欢你，收你做了徒弟如何？"

林平之适才被二人各以上乘内力拉扯，全身疼痛难当，兀自没喘过气来，听木高峰这么说，心想："这驼子的武功高出我爹爹十倍，余沧海对他也颇为忌惮，我要复仇雪恨，拜他为师，便有指望。可是他眼见那青城弟子使剑杀我，本来毫不理会，一听到我的来历，便即出手和余沧海争夺。此刻要收我为弟子，显是不怀好意。"

木高峰见他神色犹豫，又道："塞北明驼的武功声望，你是知道的了。迄今为止，我还没收过一个弟子。你拜我为师，为师的把一身武功倾囊相授，那时别说青城派的小子们决不是你对手，假以时日，要打败余沧海亦有何难？小子，怎么你还不磕头拜师?"

他越说得热切,林平之越是起疑:"他如当真爱惜我,怎地刚才抓住我手,用力拉扯,全无丝毫顾忌?余沧海这恶贼得知我是他的杀子大仇之后,反而不想就此拉死我了,自然是为了甚么辟邪剑谱。五岳剑派中尽多武功高强的正直之士,我欲求明师,该找那些前辈高人才是。这驼子心肠毒辣,武功再高,我也决不拜他为师。"

木高峰见他仍是迟疑,心下怒气渐增,但仍笑嘻嘻道:"怎么? 你嫌驼子的武功太低,不配做你师父么?"

林平之见木高峰霎时间满面乌云,神情狰狞可怖,但怒色一现即隐,立时又显得和蔼可亲,情知处境危险,若不拜他为师,说不定他怒气发作,立时便将自己杀了,当即道:"木大侠,你肯收晚辈为徒,那正是晚辈求之不得之事。只是晚辈学的是家传武功,倘若另投明师,须得家父允可,这一来是家法,二来也是武林中的规矩。"

木高峰点了点头,道:"这话倒也有理。不过你这一点玩意儿,压根儿说不上是甚么功夫,你爹爹想来武功也是有限。我老人家今日心血来潮,一时兴起。要收你为徒,以后我未必再有此兴致了。机缘可遇不可求,你这小子瞧来似乎机伶,怎地如此胡涂? 这样罢,你先磕头拜师。然后我去跟你爹爹说,谅他也不敢不允。"

林平之心念一动,说道:"木大侠,晚辈的父母落在青城派手中,生死不明,求木大侠去救了出来。那时晚辈感恩图报,木大侠有甚么嘱咐,自当遵从。"

木高峰怒道:"甚么? 你向我讨价还价? 你这小子有甚么了不起,我非收你为徒不可?你居然来向我要挟,岂有此理,岂有此理!"随即想到余沧海肯在众目睽睽之下让步,不将杀子大仇人撕开两片,自是另有重大图谋,像余沧海这样的人,哪会轻易上当?多半江湖上传言不错,他林家那辟邪剑谱确是非同小可,只要收了这小子为徒,这部武学宝笈迟早便能得到手,说道:"快磕头,三个头磕下去,你便是我的徒弟了。徒弟的父母,做师父的焉有不关心之理?余沧海捉了我徒弟的父母,我去向他要人,名正言顺,他怎敢不放?"

林平之救父母心切,心想:"爹爹妈妈落在奸人手中,度日如年,说甚么也得尽快将他们救了出来。我一时委屈,拜他为师,只须他救出我爹爹妈妈,天大的难事也担当了。"当即屈膝跪倒,便要磕头。木高峰怕他反悔,伸手往他头顶按落,掀将下去。

林平之本想磕头,但给他这么使力一掀,心中反感陡生,自然而然的头颈一硬,不让他按下去。木高峰怒道:"嘿,你不磕头吗?"手上加了一分劲道。林平之本来心高气傲,做惯了少镖头,平生只有受人奉承,从未遇过屈辱,此番为了搭救父母,已然决意磕头,但木高峰这么伸手一掀,弄巧反拙,激发了他的倔强本性,大声道:"你答应救我父母,我便答应拜你为师,此刻要我磕头,却是万万不能。"

木高峰道"万万不能? 咱们瞧瞧,果真是万万不能?"手上又加了一分劲力。林平之腰板力挺,想站起身来,但头顶便如有千斤大石压住了,却哪里站得起来?他双手撑地,用力挣扎,木高峰手上劲力又加了一分。林平之只听得自己颈中骨头格格作响。木高峰哈哈大笑,道:"你磕不磕头? 我手上再加一分颈道,你的头颈便折断了。"

林平之的头被他一寸一寸的按将下去,离地面已不过半尺,奋力叫道:"我不磕头,偏不磕头!"木高峰道:"瞧你磕不磕头?"手一沉,林平之的额头又被他按低了两寸。

便在此时,林平之忽觉背心上微微一热,一股柔和的力道传入体内,头顶的压力斗然间轻了,双手在地上一撑,便即站起。

这一下固然大出林平之意料之外,而木高峰更是大吃一惊,适才冲开他手上劲道的这股内力,似乎是武林中盛称的华山派"紫霞功",听说这门内功初发时若有若无,绵如云霞,然而蓄劲极韧,到后来更铺天盖地,势不可当,"紫霞"二字由此而来。

木高峰惊诧之下,手掌又迅即按上林平之头顶,掌心刚碰到林平之头顶,他顶门上又是一股柔韧的内力升起,两者一震,木高峰手臂发麻,胸口也隐隐作痛。他退后两步,哈哈一笑,说道:"是华山派的岳兄吗?怎地悄悄躲在墙角边,开驼子的玩笑?"

墙角后一人纵声大笑,一个青衫书生踱了出来,轻袍缓带,右手摇着折扇,神情甚是潇洒,笑道:"木兄,多年不见,丰彩如昔,可喜可贺。"

木高峰眼见此人果然便是华山派掌门"君子剑"岳不群,心中向来对他颇为忌惮,此刻自己正在出手欺压一个武功平平的小辈,恰好给他撞见,而且出手相救,不由得有些尴尬,当即笑嘻嘻的道:"岳兄,你越来越年轻了,驼子真想拜你为师,学一学这门'阴阳采补'之术。"岳不群"呸"的一声,笑道:"驼子越来越无聊。故人见面,不叙契阔,却来胡说八道。小弟又懂甚么这种邪门功夫了?"木高峰笑道:"你说不会采补功夫,谁也不信,怎地你快六十岁了,忽然返老还童,瞧起来倒像是驼子的孙儿一般。"

林平之当木高峰的手一松,便已跳开几步,眼见这书生颏下五柳长须,面如冠玉,一脸正气,心中景仰这情,油然而生,知道适才是他出手相救,听得木高峰叫他为"华山派的岳兄",心念一动:"这位神仙般的人物,莫非便是华山派掌门岳先生?只是他瞧上去不过四十来岁,年纪不像。那劳德诺是他弟子,可比他老得多了。"待听木高峰赞他驻颜有术,登时想起:曾听母亲说过,武林中高手内功练到深入,不但能长寿不老,简直真能返老还童,这位岳先生多半有此功夫,不禁更是钦佩。

岳不群微微一笑,说道:"木兄一见面便不说好话。木兄,这少年是个孝子,又是颇具侠气,原堪造就,怪不得木兄喜爱。他今日种种祸患,全因当日在福州仗义相救小女灵珊而起,小弟实在不能袖手不理,还望木兄瞧着小弟薄面,高抬贵手。"

木高峰脸上现出诧异神情,道:"甚么?凭这小子这一点儿微末道行,居然能去救灵珊侄女?只怕这话要倒过来说,是灵珊贤侄女慧眼识玉郎……"

岳不群知道这驼子粗俗下流,接下去定然没有好话,便截住他话头,说道:"江湖上同道有难,谁都该当出手相援,粉身碎骨是救,一言相劝也是救,倒也不在乎武艺的高低。木兄,你如决意收他为徒,不妨让这少年禀明了父母,再来投入贵派门下,岂不两全其美?"

木高峰眼见岳不群插手,今日之事已难以如愿,便摇了摇头,道:"驼子一时兴起,要收他为徒,此刻却已意兴索然,这小子便再磕我一万个头,我也不收了。"说着左腿忽起,拍的一声,将林平之踢了个筋斗,摔出数丈。这一下却也大出岳不群的意料之外,全没想到他抬腿便踢,事先竟没半点征兆,浑不及出手阻拦。好在林平之摔出后立即跃起,似乎并未受伤。岳不群道:"木兄,怎地跟孩子们一般见识?我说你倒是返老还童了。"

木高峰笑道:"岳兄放心,驼子便有天大的胆子,也不敢得罪了这位……你这位……哈哈……我也不知道是你这位甚么,再见,再见,真想不到华山派如此赫赫威名,对这《辟邪剑谱》却也会眼红。"一面说,一面拱手退开。

岳不群抢上一步,大声道:"木兄,你说甚么话来?"突然之间,脸上满布紫气,只是那紫气一现即隐,顷刻间又回复了白净面皮。

木高峰见到他脸上紫气,心中打了个突,寻思:"果然是华山派的'紫霞功'！岳不群这厮剑法高明,又练成了这神奇内功,驼子倒得罪他不得。"当下嘻嘻一笑,说道:"我也不知《辟邪剑谱》是甚么东西,只是见青城余沧海不顾性命的想抢夺,随口胡诌几句,岳兄不必介意。说着掉转身子,扬长而去。

　　岳不群瞧着他的背影在黑暗中隐没,叹了口气,自言自语:"武林中似他这等功夫,那也是很难得了,可就偏生自甘……"下面"下流"两字,忍住了不说,却摇了摇头。

　　突然间林平之奔将过来,双膝一屈,跪倒在地,不住磕头,说道:"求师父收录门墙,弟子恪遵教诲,严守门规,决不敢有丝毫违背师命。"

　　岳不群微微一笑,说道:"我若收了你为徒,不免给木驼子背后说嘴,说我跟他抢夺徒弟。"林平之磕头道:"弟子一见师父,说不出的钦佩仰慕,那是弟子诚心诚意的求恳。"说着连连磕头。岳不群笑道:"好罢,我收你不难,只是你还没禀明父母呢,也不知他们是否允可。"林平之道:"弟子得蒙恩收录,家父家母欢喜都还来不及,决无不允之理。家父家母为青城派众恶贼所擒,尚请师父援手相救。"岳不群点了点头,道:"起来罢！好,咱们这就去找你父母。"回头叫道:"德诺、阿发、珊儿,大家出来！"

　　只见墙角后走出一群人来,正是华山派的群弟子。原来这些人早就到了,岳不群命他们躲在墙后,直到木高峰离去,这才现身,以免人多难堪,令他下不了台。劳德诺等都欢然道贺:"恭喜师父新收弟子。"岳不群笑道:"平之,这几位师哥,在那小茶馆中,你早就都见过了,你向众师哥见礼。"

　　老者是二师兄劳德诺,身形魁梧的汉子是三师兄梁发,脚夫模样的是四师兄施戴子,手中总是拿着个算盘的是五师兄高根明,六师兄六猴儿陆大有,那是谁都一见就不会忘记的人物,此外七师兄陶钧、八师兄英白罗是两个年轻弟子。林平之一一拜见了。

忽然岳不群身后一声娇笑，一个清脆的声音道："爹爹，我算是师姊，还是师妹？"

林平之一怔，认得说话的是当日那个卖酒少女、华山门下人人叫她作"小师妹"的，原来她竟是师父的女儿。只见岳不群的青袍后面探出半边雪白的脸蛋，一只圆圆的左眼骨溜溜地转了几转，打量了他一眼，又缩回岳不群身后。林平之心道："那卖酒少女容貌丑陋，满脸都是麻皮，怎地变了这幅模样？"她乍一探头，便即缩回，又在夜晚，月色朦胧，无法看得清楚，但这少女容颜俏丽，却是绝无可疑。又想："她说她乔装改扮，到福州城外卖酒，定逸师太又说她装成一副怪模怪样。那么她的丑样，自然是故意装成的了。"

岳不群笑道："这里个个人入门比你迟，却都叫你小师妹。你这师妹命是坐定了的，那自然也是小师妹了。"那少女笑道："不行，从今以后，我可得做师姊了。爹爹，林师弟叫我师姊，以后你再收一百个弟子、两百个弟子，也都得叫我师姊了。"

她一面说，一面笑，从岳不群背后转了出来，蒙蒙月光下，林平之依稀见到一张秀丽的瓜子脸蛋，一双黑白分明的眼睛，射向他脸。林平之深深一揖，说道："岳师姊，小弟今日方蒙恩师垂怜收录门下。先入门者为大，小弟自然是师弟。"

岳灵珊大喜，转头向父亲道："爹，是他自愿叫我师姊的，可不是我强逼他。"岳不群笑道："人家刚入我门下，你就说到'强逼'两字。他只道我门下个个似你一般，以大压小，岂不吓坏了他？"说得众弟子都笑了起来。

岳灵珊道："爹，大师哥躲在这地方养伤，又给余沧海那臭道士打了一掌，只怕十分凶险，快去瞧瞧他。"岳不群双眉微蹙，摇了摇头，道："根明、戴子，你二人去把大师哥抬出来。"高根明和施戴子齐声应诺，从窗口跃入房中，但随即听到他二人说道："师父，大师哥不在这里，房里没人。"跟着窗中透出火光，他二人已点燃了蜡烛。

岳不群眉头皱得更加紧了。他不愿身入妓院这等污秽之地，向劳德诺道："你进去瞧瞧。"劳德诺道："是！"走得窗口。

岳灵珊道："我也去瞧瞧。"岳不群反手抓住她的手臂，道："胡闹！这种地方你去不得。"岳灵珊急得几乎要哭出声来，道："可是……可是大师哥身受重伤……只怕他有性命危险。"岳不群低声道："不用担心，他敷了恒山派的'天香断续胶'，死不了。"岳灵珊又惊又喜，道："爹，你……你怎么知道？"岳不群道："低声，别多嘴！"

令狐冲重伤之余，再给余沧海掌风带到，创口剧痛，又呕了几口血，但神智清楚，耳听得木高峰和余沧海争执，众人逐一退去，又听得师父到来。他向来天不怕、地不怕，便只怕师父，一听到师父和木高峰说话，便想自己这番胡闹到了家，不知师父会如何责罚，一时忘了创口剧痛，转身向床，悄声道："大事不好，我师父来了，咱们快逃。"立时扶着墙壁，走出房去。

曲非烟拉着仪琳，悄悄从被窝中钻出，跟了出去，只见令狐冲摇摇晃晃，站立不定，两人忙抢上扶住。令狐冲咬着牙齿，穿过了一条走廊，心想师父耳目何等灵敏，只要一出去，立时便给他知觉，眼见右首是间大房，当即走了进去，道："将……将门窗关上。"曲非烟依言带上了门，又将窗子关了。令狐冲再也支持不住，斜躺床上，喘气不止。

三个人不作一声，过了良久，才听得岳不群的声音远远说道："他不在这里了，咱们走罢！"令狐冲吁了口气，心下大宽。

又过一会，忽听得有人蹑手蹑脚的在院子中走来，低声叫道："大师哥，大师哥。"却是陆大有。令狐冲心道："毕竟还是六猴儿跟我最好。"正想答应，忽觉床帐簌簌抖动，却是仪琳听到有人寻来，害怕起来。令狐冲心想："我这一答应，累了这位小师父的清誉。"当下便不作声，耳听得陆大有从窗外走过，一路"大师哥，大师哥"的呼叫，渐渐远去，再无声息。

曲非烟忽道："喂，令狐冲，你会死么？"令狐冲道："我怎么能死？我如死了，大损恒山派的令誉，太对不住人家了。"曲非烟奇道："为甚么？"令狐冲道："恒山派的治伤灵药，给我既外敷，又内服，如果仍然治不好，令狐冲岂非大大的对不住……对不住这位恒山派的师妹？"曲非烟笑道："对，你要是死了，太也对不住人家了。"

仪琳见他伤得如此厉害，兀自在说笑话，既佩服他的胆气，又稍为宽心，道："令狐大哥，那余观主又打了你一掌，我再瞧瞧你的伤口。"令狐冲支撑要坐起身来。曲非烟道："不用客气啦，你这就躺着罢。"令狐冲全身乏力，实在坐不起身，只得躺在床上。

曲非烟点亮了蜡烛。仪琳见令狐冲衣襟都是鲜血，当下顾不得嫌疑，轻轻揭开他长袍，取过脸盆架上挂着的一块洗脸手巾，替他抹净了伤口上的血迹，将怀中所藏的天香断续胶尽数抹在他伤口上。令狐冲笑道："这么珍贵的灵药，浪费在我身上，未免可惜。"

仪琳道："令狐大哥为我受此重伤，别说区区药物，就是……就是……"说到这里，只觉难以措词，嗫嚅一会，续道："连我师父她老人家，也赞你是见义勇为的少年英侠，因此和余观主吵了起来呢。"令狐冲笑道："赞倒不用了，师太她老人家只要不骂我，已经谢天谢地啦。"仪琳道："我师父怎……怎会骂你？令狐大哥，你只须静养十二个时辰,伤口不再破裂,那便无碍了。"又取出三粒白云熊胆丸,喂着他服了。

曲非烟忽道:"姊姊,你在这里陪着他,提防坏人又来加害。爷爷等着我呢,我这可要去啦。"仪琳急道:"不,不!你不能走。我一个人怎能耽在这里?"曲非烟笑道:"令狐冲不是好端端在这里么? 你又不是一个人。"说着转身便走。仪琳大急,纵身上前,一把抓住她左臂,情急之下,使上了恒山派擒拿手法,牢牢抓住她臂膀,道:"你别走!"曲非烟笑道:"哎哟,动武吗?"仪琳脸一红,放开了手,央求道:"好姑娘,你陪着我。"曲非烟笑道:"好,好,好! 我陪着你便是。令狐冲又不是坏人,你干甚么这般怕他?"

仪琳稍稍放心,道:"对不起,曲姑娘,我抓痛了你没有?"曲非烟道:"我倒不痛。令狐冲却好像痛得很厉害。"仪琳一惊,掠开帐子看时,只见令狐冲双目紧闭,已自沉沉睡去。她伸手探他鼻息,觉得呼吸匀净,正感宽慰,忽听得曲非烟格的一笑,窗格声响。仪琳急忙转过身来,只见她已然从窗中跳了出去。

仪琳大惊失色,一时不知如何是好,走到床前,说道:"令狐大哥,令狐大哥,她……她走了。"但其时药力正在发作,令狐冲昏昏迷迷的,并不答话。仪琳全身发抖,说不出的害怕,过了好一会,才过去将窗格拉上,心想:"我快快走罢,令狐大哥倘若醒转,跟我说话,那怎么办?"转念又想:"他受伤如此厉害,此刻便是一个小童过来,随手便能制他死命,我岂能不加照护。自行离去?"黑夜之中,只听到远处深巷中偶然传来几下犬吠之声,此外一片静寂,妓院中诸人早已逃之夭夭,似乎这世界上除了帐中的令狐冲外,更无旁人。

她坐在椅上,一动也不敢动,过了良久,四处鸡啼声起,天将黎明。仪琳又着急起来:"天一亮,便有人来了,那怎么办?"

她自幼出家,一生全在定逸师太照料之下,全无处世应变的经历,此刻除了焦急之外,想不出半点法子。正慌乱间,忽听得脚步声响,有三四人从巷中过来,四下俱寂之中,脚步声特别清晰。这几人来到群玉院门前,便停住了,只听一人说道:"你二人搜东边,我二人搜西边,要是见到令狐冲,要拿活的。他身受重伤,抗拒不了。"

仪琳初时听到人声,惊惶万分,待听到那人说要来擒拿令狐冲,心中立时闪过一个念头:"说甚么也要保得令狐大哥周全,决不能让他落入坏人手里。"这主意一打定,惊恐之情立去,登时头脑清醒了过来,抢到床边,拉起垫在褥子上的被单,裹住令狐冲身子,抱了起来,吹灭烛火,轻轻推开房门,溜了出去。

这时也不辩东西南北,只是朝着人声来处的相反方向快步而行,片刻间穿过一片菜圃,来到后门。只见门户半掩,原来群玉院中诸人匆匆逃去,打开后门便没关上。她横抱着令狐冲走出后门,从小巷中奔了出去。不一会便到了城墙边,暗忖:"须得出城才好,衡山城中,令狐大哥的仇人太多。"沿着城墙疾行,一到城门口,便急窜而出。

一口气奔出七八里,只是往荒山中急钻,到后来再无路径,到了一处山坳之中。她心神略定,低头看看令狐冲时,只见他已醒转,脸露笑容,正注视着自己。

她突然见到令狐冲的笑容,心中一慌,双手发颤,失手便将他身子掉落。她"啊哟"一声,急使一招"敬捧宝经",俯身伸臂,将他托住,总算这一招使得甚快,没将他摔着,但自己下盘不稳,一个跟跄,向前抢了几步这才站住,说道:"对不住,你伤口痛吗?"

令狐冲微笑道:"还好! 你歇一歇罢!"

仪琳适才为了逃避青城群弟子的追拿,一心一意只想如何才能使令狐冲不致遭到对方毒手,全没念及自己的疲累,此刻一定下来,只觉全身四肢都欲散了开来一般,勉力将令狐冲轻轻放在草地之上,再也站立不定,一交坐倒,喘气不止。

令狐冲微笑道:"你只顾急奔,却忘了调匀气息,那是学武……学武之人的大忌,这样挺容易……容易受伤。"仪琳脸上微微一红,说道:"多谢令狐大哥指点。师父本来也教过我,一时心急,那便忘了。"顿了一顿,问道:"你伤口痛得怎样?"令狐冲道:"已不怎么痛,略略有些麻痒。"仪琳大喜,道:"好啦,好啦,伤口麻痒是痊愈之象,想不到竟好得这么快。"

令狐冲见她喜悦无限,心下也有些感动,笑道:"那是贵派灵药之功。"忽然间叹了口气,恨恨的道:"只可惜我身受重伤,致受鼠辈之侮,适才倘若落入了青城派那几个小子手中,死倒不打紧,只怕还得饱受一顿折辱。"

仪琳道:"原来你都听见了?"想起自己抱着他奔驰了这么久,也不知他从何时起便睁着眼睛在瞧自己,不由得脸如飞霞。

令狐冲不知她忽然害羞,只道她奔跑过久,耗力太多,说道:"师妹,你打坐片刻,以贵派本门心法,调匀内息,免得受了内伤。"

仪琳道:"是。"当即盘膝而坐,以师授心法运动内息,但心意烦躁,始终无法宁静,过不片刻,便睁眼向令狐冲瞧一眼,看他伤势有何变化,又看他是否在瞧自己,看到第四眼时,恰好和令狐冲的目光相接。她吓了一跳,急忙闭眼,令狐冲却哈哈大笑起来。

仪琳双颊晕红,忸怩道:"为……为甚么笑?"令狐冲道:"没甚么,你年纪小,坐功还浅,一时定不下神来,就不必勉强。定逸师伯一定教过你,练功时过分勇猛精进,会有大碍,这等调匀内息,更须心平气和才是。"他休息片刻,又道:"你放心,我元气已在渐渐恢复,青城派那些小子们再追来,咱们不用怕他,叫他们再摔一个……摔一个屁股向后……向后……"仪琳微笑道:"摔一个青城派的平沙落雁式。"令狐冲笑道:"不错,妙极。甚么尼股向后,说起来太过不雅,咱们就叫之为'青城派的平沙……落雁式'!"说到最后几个字,已有些喘不过气来。

仪琳道:"你别多说话,再好好儿睡一会罢。"

令狐冲道:"我师父也到了衡山城。我恨不得立时起身,到刘师叔家瞧瞧热闹去。"

仪琳见他口唇发焦,眼眶干枯,知他失血不少,须得多喝水才是,便道:"我去找些水给你喝。一定口干了,是不是?"令狐冲道:"我见来路之上,左首田里有许多西瓜。你去摘几个来罢。"仪琳道:"好。"站起身来,一摸身边,却一文也无,道:"令狐大哥,你身边有钱没有?"令狐冲道:"做甚么?"仪琳道:"去买西瓜呀!"令狐冲笑道:"买甚么?顺手摘来便是。左近又无人家,种西瓜的人一定住得很远,却向谁买去?"仪琳嗫嚅道:"不予而取,那是偷……偷盗了,这是五戒中的第二戒,那是不可的。倘若没钱,向他们化缘,讨一个西瓜,想来他们也肯的。"令狐冲有些不耐烦了,道:"你这小……"他本想骂她"小尼姑好胡涂",但想到她刚才出力相救,说到这"小"字便即停口。

仪琳见他脸色不快,不敢再说,依言向左首寻去。走出二里有余,果见数亩瓜田,累累的生满了西瓜,树巅蝉声鸣响,四下里却一个人影也无,寻思:"令狐大哥要吃西瓜。可是这西瓜是有主之物,我怎可随便偷人家的?"快步又走出里许,站到一个高岗之上,四下一望,始终不见有人,连农舍茅屋也不见一间,只得又退了回来,站在瓜田之中,踟蹰半晌,伸手待去摘瓜,又缩了回来,想起师父谆谆告诫的戒律,决不可偷盗他人之物,欲待退去,脑海中又出现了令狐冲唇干舌躁的脸容,咬一咬牙,双手合十,暗暗祝祷:"菩萨垂鉴,弟子非敢有意偷盗,实因令狐大哥……令狐大哥要吃西瓜。"转念一想,又觉"令狐大哥要吃西瓜"这八个字,并不是甚么了不起的理由，心下焦急，眼泪已然夺眶而出，双手捧住一个西瓜，向上一提，瓜蒂便即断了，心道："人家救你性命，你便为他堕入地狱，永受轮回之苦，却又如何？一人作事一身当，是我仪琳犯了戒律，这与令狐大哥无干。"捧起西瓜，回到令狐冲身边。

令狐冲于世俗的礼法教条，从来不瞧在眼里，听仪琳说要向人化缘讨西瓜，只道这小尼姑年轻不懂事，浑没想到她为了采摘这一个西瓜，心头有许多交战，受了这样多委曲，见她折了西瓜回来，心头一喜，赞道："好师妹，乖乖的小姑娘。"

仪琳蓦地听到他这么称呼自己，心头一震，险些将西瓜摔落，急忙抄起衣襟兜住。令狐冲笑道："干么这等慌张？你偷西瓜，有人要捉你么？"仪琳脸上又是一红，道："不，没人捉我。"缓缓坐了下来。

其时天色新晴，太阳从东方升起，令狐冲和她所坐之处是在山阴，日光照射不到，满山树木为雨水洗得一片青翠，山中清新之气扑面而来。

仪琳定了定神，拔出腰间断剑，见到剑头断折之处，心想："田伯光这恶人武功如此了得，当日若不是令狐大哥舍命相救，我此刻怎能太太平平的仍然坐在这里？"一瞥眼，见到令狐冲双目深陷，脸上没半点血色，自忖："为了他，我便再犯多大恶业，也始终无悔，偷一只西瓜，却又如何？"言念及此。犯戒后心中的不安登时尽去，用衣襟将断剑抹拭干净，便将西瓜剖了开来，一股清香透出。

令狐冲嗅了几下，叫道："好瓜！"又道："师妹，我想起了一个笑话。今年元宵，我们师兄妹相聚饮酒，灵珊师妹出了个灯谜，说是：'左边一只小狗，右边一个傻瓜'，打一个字。那时会在她左边的，是我六师弟陆大有，便是昨晚进屋来寻找我的那个师弟。我是坐在她右首。"仪琳微笑道:"她出这个谜儿,是取笑你和这位陆师兄了。"令狐冲道:"不错,这个谜儿倒不难猜,便是我令狐冲的这个'狐'字。她说是个老笑话,从书上看来的。只难得刚好六师弟坐在她左首,我坐在她右首。也真凑巧,此刻在我身旁,又是这边一只小狗,这边一只大瓜。"说着指指西瓜,又指指她,脸露微笑。

仪琳微笑道:"好啊,你绕弯儿骂我小狗。"将西瓜剖成一片一片,剔去瓜子,递了一片给他。令狐冲接过咬了一口,只觉满口香甜,几口便吃完了。仪琳见他吃得欢畅,心下甚是喜悦,又见他仰卧着吃瓜,襟前汁水淋漓,便将第二片西瓜切成一小块、一小块的递在他手里,一口一块,汁水便不再流到衣上。见他吃了几块,每次伸手来接,总不免引臂牵动伤口,心下不忍,便将一小块一小块西瓜喂在他口里。

令狐冲吃了小半只西瓜,才想起仪琳却一口未吃,说道:"你自己也吃些。"仪琳道:"等你吃够了我再吃。"令狐冲道:"我够了,你吃罢!"

仪琳早已觉得口渴,又喂了令狐冲几块,才将一小块西瓜放入自己口中,眼见令狐冲目不转睛的瞧着自己,害羞起来,转过身子,将背脊向着他。

令狐冲忽然赞道:"啊,真是好看!"语气之中,充满了激赏之意。仪琳大羞,心想他怎么忽然赞我好看,登时便想站起身来逃走,可是一时却又拿不定主意,只觉全身发烧,羞得连头颈中也红了。

只听得令狐冲又道:"你瞧,多美! 见到了么?"仪琳微微侧身,见他伸手指着西首,顺着他手指望去,只见远处一道彩虹,从树后伸了出来,七彩变幻,艳丽无方,这才知他说"真是好看",乃是指这彩虹而言,适才是自己会错了意,不由得又是一阵羞惭。

只是这时的羞惭中微含失望,和先前又是忸怩、又是暗喜的心情却颇有不同了。

令狐冲道:"你仔细听,听见了吗?"仪琳侧耳细听,但听得彩虹处隐隐传来有流水之声,说道:"好像是瀑布。"

令狐冲道:"正是,连下了几日雨,山中一定到处是瀑布,咱们过去瞧瞧。"仪琳道:"你……你还是安安静静的多躺一会儿。"令狐冲道:"这地方都是光秃秃的乱石,没一点风景好看,还是去看瀑布的好。"

仪琳不忍拂他之意,便扶着他站起,突然之间,脸上又是一阵红晕掠过,心想:"我曾抱过他两次,第一次当他已经死了,第二次是危急之际逃命。这时他虽然身受重伤,但神智清醒,我怎么能再抱他? 他一意要到瀑布那边去,莫非……莫非要我……"

正犹豫间,却见令狐冲已拾了一根断枝,撑在地下,慢慢向前走去,原来自己又会错了意。

仪琳忙抢了过去,伸手扶住令狐冲的臂膀,心下自责:"我怎么了? 令狐冲大哥明明是个正人君子,今日我怎地心猿意马,老是往歪路上想。总是我单独和一个男子在一起,心下处处提防,其实他和田伯光虽然同是男子,却是一个天上,一个地下,怎可相提并论?"

令狐冲步履虽然不稳,却尽自支撑得住。走了一会,见到一块大石,仪琳扶着他过去,坐下休息,道:"这里也不错啊,你一定要过去看瀑布么?"令狐冲笑道:"你说这里好,我就陪你在这里瞧一会。"仪琳道:"好罢。那边风景好,你瞧着心里欢喜,伤口也好得快些。"令狐冲微微一笑,站起身来。

两人缓缓转过了个山坳,便听得轰轰的水声,又行了一段路,水声愈响,穿过一片松林后,只见一条白龙也似的瀑布,从山壁上倾泻下来。令狐冲喜道:"我华山的玉女峰侧也有一道瀑布,比这还大，形状倒差不多，灵珊师妹常和我到瀑布旁练剑。她有时顽皮起来，还钻进瀑布中去呢。"

仪琳听他第二次提到"灵珊师妹"，突然醒悟："他重伤之下，一定要到瀑布旁来，不见得真是为了观赏风景，却是在想念他的灵珊师妹。"不知如何，心头猛地一痛，便如给人重重一击一般。只听令狐冲又道："有一次在瀑布旁练剑，她失足滑倒，险些摔入了下面的深潭之中，幸好我一把拉住了她，那一次可真危险。"

仪琳淡淡问道："你有很多师妹么？"令狐冲道："我华山派共有七个女弟子，灵珊师妹是师父的女儿，我们都管她叫小师妹。其余六个都是师母收的弟子。"仪琳道："嗯，原来她是岳师伯的小姐。她……她……她和你很谈得来罢？"令狐冲慢慢坐了下来，道："我是个无父无母的孤儿，十五年前蒙恩师和师母收录门下，那时小师妹还只三岁，我比她大得多，常常抱了她出去采野果、捉兔子。我和她是从小一块儿长大的。师父师母没儿子，待我犹似亲生儿子一般，小师妹便等于是我的妹子。"仪琳应了一声："嗯。"过了一会，道："我也是个无父无母的孤儿，自幼便蒙恩师收留，从小就出了家。"

令狐冲道："可惜，可惜！"仪琳转头向着他，目光中露出疑问神色。令狐冲道："你如不是已在定逸师伯门下，我就可求师母收你为弟子，我们师兄姊妹人数很多，二十几个人，大家很热闹的。功课一做完，各人结伴游玩，师父师母也不怎么管。你见到我小师妹，一定喜欢她，会和她做好朋友的。"仪琳道："可惜我没这好福气。不守，我在白云庵里，师父、师姊们都待我很好，我……我……我也很快活。"令狐冲道："是，是，我说错了。定逸师伯剑法通神，我师父师母说到各家各派的剑法时，对你师父她老人家是很佩服的。恒山派哪里不及我华山派了？"

仪琳道："令狐大哥，那日你对田伯光说，站着打，田伯光是天下第十四,岳师伯是第八,那么我师父是天下第几?"令狐冲笑了起来,道:"我是骗骗田伯光的,哪里有这回事了?武功的强弱,每日都有变化,有的人长进了,有的人年老力衰退步了,哪里真能排天下第几?田伯光这家伙武功是高的,但说是天下第十四,却也不见得。我故意把他排名排得高些,引他开心。"

仪琳道:"原来你是骗他的。"望着瀑布出了会神,问道:"你常常骗人么?"令狐冲嘻嘻一笑,道:"那得看情形,不会是'常常'罢!有些人可以骗,有些人不能骗。师父师母问起甚么事,我自然不敢相欺。"

仪琳"嗯"了一声,道:"那么你同门的师兄弟、师姊妹呢?"她本想问:"你骗不骗你的灵珊师妹?"但不知如何,竟不敢如此直截了当的相询。令狐冲笑道:"那要看是谁,又得瞧是甚么事。我们师兄弟们常闹着玩,说话不骗人,又有甚么好玩?"仪琳终于问道:"连灵珊姊姊,你也骗她么?"

令狐冲未曾想过这件事,皱了皱眉头,沉吟半晌,想起这一生之中,从未在甚么大事上骗过她,便道:"要紧事,那决不会骗她。玩的时候,哄哄她,说些笑话,自然是有的。"

仪琳在白云庵中,师父不苟言笑,戒律严峻,众师姊个个冷口冷面的,虽然大家互相爱护关顾,但极少有人说甚么笑话,闹着玩之事更是难得之极。定静、定闲两位师伯门下倒有不少年轻活泼的的俗家女弟子,但也极少和出家的同门说笑。她整个童年便在冷静寂寞之中度过,除了打坐练武之外,便是敲木鱼念经,这时听到令狐冲说及华山派众同门的热闹处,不由得悠然神往,寻思:"我若能跟着他到华山去玩玩,岂不有趣。"但随即想起:"这一次出庵,遇到这样的大风波,看来回庵之后,师父再也不许我出门了。甚么到华山去玩玩,那岂不是痴心妄想?"又想:"就算到了华山,他整日价陪着她的小师妹,我甚么人也不识,又有谁陪我玩？"心中忽然一阵凄凉，眼眶一红，险些掉下泪来。

令狐冲却全没留神，瞧着瀑布，说道："我和小师妹正在钻研一套剑法，借着瀑布水力的激荡，施展剑招。师妹，你可知那有甚么用？"仪琳摇了摇头，道："我不知道。"她声音已有些哽咽，令狐冲仍没觉察到，继续说道："咱们和人动手，对方倘若内功深厚，兵刃和拳掌中往往附有厉害的内力，无形有质，能将我们的长剑荡了开去。我和小师妹在瀑布中练剑，就当水力中的冲激是敌人内力，不但要将敌人的内力挡开，还得借力打力，引对方的内力去打他自己。"

仪琳见他说得兴高采烈，问道："你们练成了没有？"令狐冲摇头道："没有，没有！自创一套剑法，谈何容易？再说，我们也创不出甚么剑招，只不过想法子将师父所传的本门剑法，在瀑布中击刺而已。就算有些新花样，那也是闹着玩的，临敌时没半点用处。否则的话，我又怎会给田伯光这厮打得全无还手之力？"他顿了一顿，伸手缓缓比划了一下，喜道："我又想到了一招，等得伤好了，回去可和小师妹试试。"

仪琳轻轻的道："你们这套剑法，叫甚么名字？"令狐冲笑道："我本来说，这不能另立名目。但小师妹一定要给取个名字，她说叫做'冲灵剑法'，因为那是我和她两个一起试出来的。"

仪琳轻轻的道："冲灵剑法，冲灵剑法。嗯，这剑法中有你的名字，也有她的名字，将来传到后世，人们都知道是你们……你们两位合创的。"令狐冲笑道："我小师妹小孩儿脾气，才这么说的，凭我们这一点儿本领火候，哪有资格自创甚么剑法？你可千万不能跟旁人说，要是给人知道了，岂不笑掉了他们的大牙？"

仪琳道："是，我决不会对旁人说。"她停了一会，微笑道："你自创剑法的事，人家早知道了。"令狐冲吃了一惊，问道："是么？是灵珊师妹跟人说的？"仪琳笑了笑，道："是你自己跟田伯光说的。你不是说自创了一套坐着刺苍蝇的剑法么?"令狐冲大笑,说道:"我对他胡说八道,亏你都记在心里。"

令狐冲这么放声一笑,牵动伤口,眉头皱了起来。仪琳道:"啊哟,都是我不好,累得你务伤口吃痛。快别说话了,安安静静的睡一会儿。"

令狐冲闭上了眼睛,但只过得一会,便又睁了开来,道:"我只道这里风景好,但到得瀑布旁边,反而瞧不见那彩虹了。"仪琳道:"瀑布有瀑布的好看,彩虹有彩虹的好看。"令狐冲点了点头,道:"你说得不错,世上哪有十全十美之事。一个人千辛万苦的去寻求一件物事,等得到了手,也不过如此,而本来拿在手中的物事,却反而抛掉了。"仪琳微笑道:"令狐大哥,你这几句话,隐隐含有禅机,只可惜我修为太浅,不明白其中的道理。倘若师父听了,定有一番解释。"令狐冲叹了口气,道:"甚么禅机不禅机,我懂得甚么?唉,好倦!"慢慢闭上了眼睛,渐渐呼吸低沉,入了梦乡。

仪琳守在他身旁,折了一根带叶的树枝,轻轻拂动,替他赶开蚊蝇小虫,坐了一个多时辰,自己也有些倦了,迷迷糊糊的合上眼想睡,忽然心想:"待会他醒来,一定肚饿,这里没甚么好吃的,我再去采几个西瓜,既能解渴,也可以充饥。"于是快步奔向西瓜田,又摘了两个西瓜来。她生怕离开片刻,有人或是野兽来侵犯令狐冲,急急匆匆的赶回,见他兀自安安稳稳的睡着,这才放心,轻轻坐在他身边。

令狐冲睁开眼来,微笑道:"我以为你回去了。"仪琳奇道:"我回去?"令狐冲道:"你师父、师姊们不是在找你么? 她们一定挂念得很。"仪琳一直没想到这事,听他这么一说,登时焦急起来,又想:"明儿见到师父,不知他老人家会不会责怪?"

令狐冲道："师妹，多谢你陪了我半天，我的命已给你救活啦，你还是早些回去罢。"仪琳摇头道："不，荒山野岭，你独个儿耽在这里，没人服侍照料，那怎么行？"令狐冲道："你到得衡山城刘师叔家里，悄悄跟我的师弟们一说，他们就会过来照料我。"

仪琳心中一酸，暗想："原来他是要他的小师妹相陪，只盼我越快去叫她来越好。"再也忍耐不住，泪珠儿一滴一滴的落了下来。

令狐冲见她忽然流泪，大为奇怪，问道："你……你……为甚么哭了？怕回去给师父责骂么？"仪琳摇了摇头。令狐冲又道："啊，是了，你怕路上又撞到田伯光。不用怕，从今而后，他见了你便逃，再也不敢见你的面了。"仪琳又摇了摇头，泪珠儿更落得多了。

令狐冲见她哭得更厉害了，心下大惑不解，说道："好，好，是我说错了话，我跟你赔不是啦。小师妹，你别生气。"

仪琳听他言语温柔，心下稍慰，但转念又想："他说这几句话，这般的低声下气，显然是平时向他小师妹赔不是惯了的，这时候却顺口说了出来。"突然音"哇"的一声，哭了起来，顿足道："我又不是你的小师妹，你……你……你心中便是记着你那个小师妹。"这句话一出口，立时想起，自己是出家人，怎可跟他说这等言语，未免大是忘形，不由得满脸红晕，忙转过了头。

令狐冲见她忽然脸红，而泪水未绝，便如瀑布旁溅满了水珠的小红花一般，娇艳之色，难描难画，心道："原来她竟也生得这般好看。倒不比灵珊妹子差呢。"怔了一怔，柔声道："你年纪比我小得多，咱们五岳剑派，同气连枝，大家都是师兄弟姊妹，你自然也是我的小师妹啦。我甚么地方得罪了你，你跟我说，好不好？"

仪琳道："你也没得罪我。我知道了，你要我快快离开，免得瞧在眼中生气，连累你倒霉。你说过的，一见尼姑，逢赌……"说到这里,又哭了起来。

令狐冲不禁好笑,心想:"原来她要跟我算回雁楼头这笔帐,那确是非赔罪不可。便道:"令狐冲当真该死,口不择言。那日在回雁楼头胡说八道,可得罪了贵派全体上下啦,该打,该打!"提起手来,拍拍两声,便打了自己两个耳光。

仪琳急忙转身,说道:"别……别打……我……不是怪你。我……我只怕连累了你。"

令狐冲道:"该打之至!"拍的一声,又打了自己一个耳光。

仪琳急道:"我不生气了,令狐大哥,你……你别打了。"令狐冲道:"你说过不生气了?"仪琳摇了摇头。令狐冲道:"你笑也不笑,那不是还在生气么?"

仪琳勉强笑了一笑,但突然之间,也不知为甚么伤心难过,悲从中来,再也忍耐不住,泪水从脸颊上流了下来,忙又转过了身子。

令狐冲见她哭泣不止,当即长叹一声。仪琳慢慢止住了哭泣,幽幽的道:"你……你又为甚么叹气?"

令狐冲心下暗笑:"毕竟她是个小姑娘,也上了我这个当。"他自幼和岳灵珊相伴,岳灵珊时时使小性儿,生了气不理他,千哄万哄,总是哄不好,不论跟她说甚么,她都不瞅不睬,令狐冲便装模作样,引起她的好奇,反过来相问。仪琳一生从未和人闹过别扭,自是一试便灵,落入了他的圈套。令狐冲又是长叹一声,转过了头不语。

仪琳问道:"令狐大哥,你生气了么?刚才是我得罪你,你……你别放在心上。"令狐冲道:"没有,你没得罪我。"仪琳见他仍然面色忧愁,哪知他肚里正在大觉好笑,这副脸色是假装的,着急起来,道:"我害得你自己打了自己,我……我打还了赔你。"说着提起手来,拍的一声,在自己右颊上打了一掌。第二掌待要再打，令狐冲急忙仰身坐起，伸手抓住了她手腕，但这么一用力，伤口剧痛，忍不住轻哼了一声。仪琳急道："啊哟！快……快躺下，别弄痛了伤口。"扶着他慢慢卧倒，一面自怨自艾："唉，我真是蠢，甚么事情总做得不对，令狐大哥，你……你痛得厉害么？"

令狐冲的伤处痛得倒也真厉害，若在平时，他决不承认，这时心生一计："只有如此如此，方能逗她破涕为笑。"便皱起眉头，大哼了几声。仪琳甚是惶急，道："但愿不……不再流血才好。"伸手摸他额头，幸喜没有发烧，过了一会，轻声问道："痛得好些了么？"令狐冲道："还是很痛。"

仪琳愁眉苦脸，不知如何是好。令狐冲叹道："唉，好痛！六……六师弟在这里就好了。"仪琳道："怎么？ 他有止痛药吗？"令狐冲道："是啊，他一张嘴巴就是止痛药。以前我也受过伤，痛得十分厉害。六师弟最会说笑话，我听得高兴，就忘了伤处的疼痛。他要是在这里就好了，哎唷……怎么这样痛……这样痛……哎唷，哎唷！"

仪琳为难之极，定逸师太门下，人人板起了脸诵经念佛、坐功练剑，白云庵中只怕一个月里也难得听到一两句笑声，要她说个笑话，那真是要命了，心想："那位陆大有师兄不在这里，令狐大哥要听笑话，只有我说给他听了，可是……可是……我一个笑话也不知道。"突然之间，灵机一动，想起一件事来，说道："令狐大哥，笑话我是不会说，不过我在藏经阁中看到过一本经书，倒是很有趣，叫做《百喻经》，你看过没有？"

令狐冲摇头道："没有，我甚么书都不读，更加不读佛经。"仪琳脸上微微一红，说道："我真傻，问这等蠢话。你又不是佛门弟子，自然不会读经书。"顿了一顿，继续说道："那部《百喻经》，是天竺国一位高僧伽斯那作的，里面有许多有趣的故事。"

令狐冲忙道："好啊，我最爱听有趣的故事，你说几个给我听。"

仪琳微微一笑，那《百喻经》中的无数故事，一个个在她脑海中流过，便道："好，我说那个'以犁打破头喻'。从前，有一个秃子，头上一根头发也没有，他是天生的秃子。这秃子和一个种田人不知为甚么争吵起来。那种田人手中正拿着一张耕田的犁，便举起犁来，打那秃子，打得他头顶破损流血。可是那秃子只默然忍受，并不避让，反而发笑。旁人见了奇怪，问他为甚么不避，反而发笑。那秃子笑道：'这种田人是个傻子，见我头上无毛，以为是块石头，于是用犁来撞石头。我倘若逃避，岂不是教他变得聪明了？'"

她说到这里，令狐冲大笑起来，赞道："好故事！这秃子当真聪明得紧，就算要给人打死，那也是无论如何不能避开的。"

仪琳见他笑得欢畅，心下甚喜，说道："我再说个'医与王女药，令率长大喻'。从前，有一个国王，生了个公主。这国王很是性急，见婴儿幼小，盼她快些长大，便叫了御医来，要他配一服灵药给公主吃，令她立即长大。御医奏道："灵药是有的，不过搜配各种药材，再加炼制，很费功夫，现下我把公主请到家中，同时加紧制药，请陛下不可催逼。'国王道：'很好，我不催你就是。'御医便抱了公主回家，每天向国王禀报，灵药正在采集制炼。过了十二年，御医禀道：'灵药制炼已就，今日已给公主服下。'于是带领公主来到国王面前。国王见当年的小小婴儿已长成为亭亭玉立的少女，心中大喜，称赞御医医道精良，一服灵药，果然能令我女快高长大，命左右赏赐金银珠宝，不计其数。"

令狐冲又是哈哈大笑，说道："你说这国王性子急，其实一点也不性急，他不是等了十二年吗？要是我作那御医哪，只须一天功夫，便将那婴儿公主变成个十七八岁、亭亭玉立的少女公主。"

仪琳睁大了眼睛，问道："你用甚么法子？"令狐冲微笑道：

"外搽天香断续胶、内服白云熊胆丸。"仪琳笑道:"那是治疗金创之伤的药物,怎能令人快高长大？"令狐冲道:"治不治得金创,我也不理,只须你肯挺身帮忙便是了。"仪琳笑道:"要我帮忙？"令狐冲道:"不错,我把婴儿公主抱回家后,请四个裁缝……"仪琳更是奇怪,问道:"请四个裁缝干甚么？"

令狐冲道:"赶制新衣服啊。我要他们度了你的身材,连夜赶制公主衣服一袭。第二日早晨,你穿了起来,头戴玲珑凤冠,身穿百花锦衣,足登金绣珠履,这般仪态万方、娉娉婷婷的走到金銮殿上,三呼万岁,躬身下拜,叫道:'父王在上,孩儿服了御医令狐冲的灵丹妙药之后,一夜之间,便长得这般高大了。'那国王见到这样一位美丽可爱的公主,心花怒放,哪里还来问你真假。我这御医令狐冲,自是重重有赏了。"

仪琳不住口的格格笑,直听他说完,已是笑得弯下了腰,伸不直身子,过了一会,才道:"你果然比那《百喻经》中的御医聪明得多,只可惜我……我这么丑怪,半点也不像公主。"令狐冲道:"倘若你丑怪,天下便没美丽的人了。古往今来,公主成千成万,却哪有一个似你这般好看？"仪琳听他直言称赞自己,芳心窃喜,笑道:"这成千成万的公主,你都见过了？"令狐冲道:"这个自然,我在梦中一个个都见过。"仪琳笑道:"你这人,怎么做梦老是梦见公主!"令狐冲嘻嘻一笑,道:"日有所思……"但随即想起,仪琳是个天真无邪的妙龄女尼,陪着自己说笑,已犯她师门戒律,怎可再跟她肆无忌惮的胡言乱语？言念及此,脸色登时一肃,假意打个呵欠。

仪琳道:"啊,令狐大哥,你倦了,闭上眼睡一会儿。"令狐冲道:"好,你的笑话真灵,我伤口果然不痛了。"他要仪琳说笑话,本是要哄得她破涕为笑,此刻见她言笑晏晏,原意已遂,便缓缓闭上了眼睛。

仪琳坐在他身旁,又在轻轻摇动树枝,赶开蝇蚋。只听得远处山溪中传来一阵阵蛙鸣,犹如催眠的乐曲一般,仪琳到这时实在倦得很了,只觉眼皮沉重,再也睁不开来,终于也迷迷糊糊的入了睡乡。

睡梦之中,似乎自己穿了公主的华服,走进一座辉煌的宫殿,旁边一个英俊青年携着自己的手,依稀便是令狐冲,跟着足底生云,两个人轻飘飘的飞上半空,说不出的甜美欢畅。忽然间一个老尼横眉怒目,仗剑赶来,却是师父。仪琳吃了一惊,只听得师父喝道:"小畜生,你不守清规戒律,居然大胆去做公主,又和这浪子在一起厮混!"一把抓住她手臂,用力拉扯。霎时之间,眼前一片漆黑,令狐冲不见了,师父也不见了,自己在黑沉沉的乌云中不住往下翻跌。仪琳吓得大叫:"令狐大哥,令狐大哥!"只觉全身酸软,手足无法动弹,半分挣扎不得。

叫了几声,一惊而醒,却是一梦,只见令狐冲睁大了双眼,正瞧着自己。

仪琳晕红了双颊,扭怩道:"我……我……"令狐冲道:"你做了梦么?仪琳脸上又是一红,道:"也不知是不是?"一瞥眼间,见令狐冲脸上神色十分古怪,似在强忍痛楚,忙道:"你……你伤口痛得厉害么?"见令狐冲道:"还好!"但声音发颤,过得片刻,额头黄豆大的汗珠一粒粒的渗了出来,疼痛之剧,不问可知。

仪琳甚是惶急,只说:"那怎么好?那怎么好?"从怀中取出块布帕,替他抹去额上汗珠,小指碰到他额头时,犹似火炭。他曾听师父说过,一人受了刀剑之伤后,倘若发烧,情势十分凶险,情急之下,不由自主的念起经来:"若有无量百千万亿众生,受诸苦恼,闻是观世音菩萨,一心称名,观世音菩萨即时观其音声,皆得解脱。若有持是观世音菩萨名者。设入大火,火不能烧,由是菩萨威神力故。若为大水所漂,称其名号,即得浅处……她念的是

"妙法莲华经观世音普门品"，初时声音发颤，念了一会，心神逐渐宁定。

令狐冲听仪琳语音清脆，越念越是冲和安静，显是对经文的神通充满了信心，只听她继续念道："若复有人临当被害，称观世音菩萨名者，彼所持刀杖，寻段段坏，而得解脱。若三千大千国土满中夜叉罗刹，欲来恼人，闻其称观世音名者，是诸恶鬼，尚不能以恶眼视之，况复加害？设复有人，若有罪、若无罪，扭械枷锁检系其身，称观世音菩萨名者，皆凭断坏，即得解脱……"

令狐冲越听越是好笑，终于"嘿"的一声笑了出来。仪琳奇道："甚……甚么好笑？"令狐冲道："早知如此，又何必学甚么武功，如有恶人仇人要来杀我害我，我……我只须口称观世音菩萨之名，恶人的刀杖断成一段一段，岂不是平安……平安大吉。"

仪琳正色道："令狐大哥，你休得亵渎了菩萨，心念不诚，念经便无用处。"

她继续轻声念道："若恶兽围绕，利牙爪可怖，念彼观音力，疾走无边方。蟒蛇及蝮蝎，气毒烟火然，念彼观音力，寻声自回去。云雷鼓掣电，降雹澍大雨，念彼观音力，应时得消散。众生被困厄，无量苦遍身，观音妙智力，能救世间苦……"

令狐冲听她念得虔诚，声音虽低，却显是全心全意的在向观世音菩萨求救，似乎整个心灵都在向菩萨呼喊哀恳，要菩萨显大神通，解脱自己的苦难，好像在说："观世音菩萨，求求你免除令狐大哥身上痛楚，把他的痛楚都移到我身上。我变成畜生也好，身入地狱也好，只求菩萨解脱令狐大哥的灾难……"到得后来，令狐冲已听不到经文的意义，只听到一句句祈求祷告的声音，是这么恳挚，这么热切。不知不觉，令狐冲眼中充满了眼泪，他自幼没了父母，师父师母虽待他恩重，毕竟他太过顽劣，总是责打多而慈爱少；师兄弟姊妹间，人人以他是大师兄，一向尊敬，不敢拂逆；灵珊师妹虽和他交好，但从来没有对他如此关怀过，竟是这般宁愿把世间千万种苦难都放到自己身上，只是要他平安喜乐。

令狐冲不由得胸口热血上涌，眼中望出来，这小尼姑似乎全身隐隐发出圣洁的光辉。

仪琳诵经的声音越来越柔和，在她眼前，似乎真有一个手持杨枝、遍洒甘露、救苦救难的白衣大士，每一句"南无观世音菩萨"都是在向菩萨为令狐冲虔诚祈求。

令狐冲心中既感激，又安慰，在那温柔虔诚的念佛声中入了睡乡。

刘正风脸露微笑，捋起衣袖，伸出双手，便要放入金盆，忽听得大门外有人厉声喝道："且住！"

六　洗手

　　岳不群收录林平之于门墙后,率领众弟子径往刘府拜会。刘正风得到讯息,又惊又喜,武林中大名鼎鼎的"君子剑"华山掌门居然亲身驾到,忙迎了出来,没口子的道谢。岳不群甚是廉和,满脸笑容的致贺,和刘正风携手走进大门。天门道人、定逸师太、余沧海、闻先生、何三七等也都降阶相迎。

　　余沧海主怀鬼胎,寻思:"华山掌门亲自到此,谅那刘正风也没这般大的面子,必是为我而来。他五岳剑派虽然人多势众,我青城派可也不是好惹的,岳不群倘若口出不逊之言,我先问他令狐冲嫖妓宿娼,是甚么行径。当真说翻了脸,也只好动手。"哪知岳不群见到他时,一般的深深一揖,说道:"余观主,多年不见,越发的清健了。"余沧海作揖还礼,说道:"岳先生,你好。"

　　各人寒暄得几句,刘府中又有各路宾客陆续到来。这天是刘正风"金盆洗手"的正日,到和巳时二刻,刘正风便返入内堂,由门下弟子招待客人。

　　将近午时,五六百位远客流水般涌到。丐帮副帮主张金鳌、郑州六合门夏老拳量率领了三个女婿、川鄂三峡神女峰铁老老、东海海砂帮帮主潘吼、曲江二友神刀白克、神笔卢西思等人先后到来。这些人有的互相熟识,有的只是慕名而从未见过面,一时大厅上招呼引见,喧声大作。

　　天门道人和定逸师太分别在厢房中休息,不去和众人招呼,均想：“今日来客之中，有的固然在江湖上颇有名声地位，有的却显是不三不四之辈。刘正风是衡山派高手，怎地这般不知自重，如此滥交，岂不堕了我五岳剑派的名头？”岳不群名字虽然叫作“不群”，却十分喜爱朋友，来宾中许多藉藉无名、或是名声不甚清白之徒，只要过来和他说话，岳不群一样和他们有说有笑，丝毫不摆出华山派掌门、高人一等的架子来。

刘府的众弟子指挥厨夫仆役，里里外外摆设了二百来席。刘正风的亲戚、门客、帐房，和刘门弟子向大年、米为义等恭请众宾入席。依照武林中的地位声望，泰山派掌门天门道人该坐首席，只是五岳剑派结盟，天门道人和岳不群、定逸师太等有一半是主人，不便上坐，一众前辈名宿便群相退让，谁也不肯坐首席。

忽听得门外砰砰两声铳响，跟着鼓乐之声大作，又有鸣锣喝道的声音，显是甚么官府来到门外。群雄一怔之下，只见刘正风穿着崭新熟罗长袍，匆匆从内堂奔出。群雄欢声道贺。刘正风略一拱手，便走向门外，过了一会，见他恭恭敬敬的陪着一个身穿公服的官员进来。群雄都感奇怪：“难道这官儿也是个武林高手？”眼见他虽衣履皇然，但双眼昏昏，一脸酒色之气，显非身具武功。岳不群等人则想：“刘正风是衡山城大绅士，平时免不了要结交官府，今日是他大喜的好日子，地方上的官员来敷衍一番，那也不足为奇。”

却见那官员昂然直入，居中一站，身后的衙役右腿跪下，双手高举过顶，呈上一只用黄缎覆盖的托盘，盘中放着一个卷轴。那官员躬着身子，接过了卷轴，朗声道：“圣旨到，刘正风听旨。”

群雄一听，都吃了一惊：“刘正风金盆洗手，封剑归隐，那是江湖上的事情，与朝廷有甚么相干？怎么皇帝下起圣旨来？难道刘正风有逆谋大举，给朝廷发觉了，那可是杀头抄家诛九族的大罪啊。”各人不约而同的想到了这一节，登时便都站了起来，沉不住气的便去抓身上兵刃,料想这官员既来宣旨,刘府前后左右一定已密布官兵,一场大厮杀已难避免,自己和刘正风交好,决不能袖手不理,再说覆巢之下,焉有完卵,自己既来刘府赴会,自是逆党中人,纵欲置身事外,又岂可得?只待刘正风变色喝骂,众人白刃交加,倾刻间便要将那官员斩为肉酱。

哪知刘正风竟是镇定如恒,双膝一屈,便跪了下来,向那官员连磕了三个头,朗声道:"微臣刘正风听旨,我皇万岁万岁万万岁。"

群雄一见,无不愕然。

那官员展开卷轴,念道:"奉天承运皇帝诏曰:据湖南省巡抚奏知,衡山县庶民刘正风,急公好义,功在桑梓,弓马娴熟,才堪大用,着实授参将之职,今后报效朝廷,不负朕望,钦此。"

刘正风又磕头道:"微臣刘正风谢恩,我皇万岁万岁万万岁。"站起身来,向那官员弯腰道:"多谢张大人栽培提拔。"那官员捻须微笑,说道:"恭喜,恭喜,刘将军,此后你我一殿为臣,却又何必客气?"刘长风道:"小将本是一介草莽匹夫,今日蒙朝廷授官,固是皇上恩泽广被,令小将光宗耀祖,却也是当道恩相、巡抚大人和张大人的逾格栽培。"那官员笑道:"哪里,哪里。"刘正风转头向方千驹道:"方贤弟,奉敬张大人的礼物呢?"方千驹道:"早就预备在这里了。"转身取过一只圆盘,盘中是个锦袱包裹。

刘正风双手取过,笑道:"这些微礼,不成敬意,张大人哂纳。"那张大人笑道:"自己兄弟,刘大人却又这般多礼。"使个眼色,身旁的差役便接了过去。那差身接过盘子时,双臂向下一沉,显然盘中之物分量着实不轻,并非白银而是黄金。那张大人眉花眼笑,道:"小弟公务在身,不克久留,来来来,斟三杯酒,恭贺刘将军今日封官授职,不久又再升官晋爵,皇上恩泽,绵绵加被。"早有左右斟过酒来。张大人连尽三杯,拱拱手,转身出门。刘正风满脸笑容，直送到大门外。只听鸣锣喝道之声响起，刘府又放礼铳相送。

这一幕大出群雄意料之外，人人面面相觑，做声不得，各人脸色又是尴尬，又是诧异。

来到刘府的一众宾客虽然并非黑道中人，也不是犯上作乱之徒，但在武林中各具名望，均是自视甚高的人物，对官府向来不瞧在眼中，此刻见刘正风趋炎附势，给皇帝封一个"参将"那样芝麻绿豆的小小武官，便感激涕零，作出种种肉麻的神态来，更且公然行贿，心中都瞧他不起，有些人忍不住便露出鄙夷之色。年纪较大的来宾均想："看这情形，他这顶官帽定是用金银买来的，不知他花了多少黄金白银，才买得了巡抚的保举。刘正风向来为人正直，怎地临到老来，利禄熏心，居然不择手段的买个官来做做？"

刘正风走到群雄身前，满脸堆欢，揖请各人就座。无人肯座首席，居中那张太师椅便任其空着。左首是年寿最高的六合门夏老拳师，右首是丐帮副帮主张金鳌。张金鳌本人虽无惊人艺业，但丐帮是江湖上第一大帮，丐帮帮主解风武功及名望均高，人人都敬他三分。

群雄纷纷坐定，仆役上来献菜斟酒。米为义端出一张茶几，上面铺了锦缎。向大年双手捧着一双金光灿烂、径长尺半的黄金盆子，放在花几之上，盆中已盛满了清水。只听得门外砰砰砰放了三声铳，跟着砰拍、砰拍的连放了八响大爆竹。在后厅、花厅坐席的一众后辈子弟，都涌到大厅来瞧热闹。

刘正风笑嘻嘻的走到厅中，抱拳团团一揖。群雄都站起还礼。

刘正风朗声说道："众位前辈英雄，众位好朋友，众位年轻朋友。各位远道光临，刘正风实是脸上贴金，感激不尽。兄弟今日金盆洗手，从此不过问江湖上的事，各位想必已知其中原因。兄弟已受朝廷恩典，做一个小小官儿。常言道：食君之禄，忠君之事。江湖上行事讲究义气；国家公事，却须奉公守法，以报君恩。这两者如有冲突，叫刘正风不免为难。从今以后，刘正风退出武林，我门下弟子如果愿意改投别门别派，各任自便。刘某邀请各位到此，乃是请众位好朋友作个见证。以后各位来到衡山城，自然仍是刘某人的好朋友，不过武林中的种种恩怨是非，刘某却恕不过问了。"说着又是一揖。

群雄早已料到他有这一番说话，均想："他一心想做官，那是人各有志，勉强不来。反正他也没得罪我，从此武林中算没了这号人物便是。"有的则想："此举实在有损衡山派的光彩，想必衡山掌门莫大先生十分恼怒，是以竟没到来。"更有人想："五岳剑派近年来在江湖上行侠仗义，好生得人钦仰，刘正风却做出这等事来。人家当面不敢说甚么，背后却不免齿冷。"也有人幸灾乐祸，寻思："说甚么五岳剑派是侠义门派，一遇到升官发财，还不是巴巴的向官员磕头？还提甚么'侠义'二字？"

群雄各怀心事，一时之间，大厅上鸦雀无声。本来在这情景之下，各人应纷纷向刘正风道贺，恭维他甚么"福寿全归"、"急流勇退"、"大智大勇"等等才是，可是一千余人济济一堂，竟是谁也不说话。

刘正风转身向外，朗声说道："弟子刘正风蒙恩师收录门下，授以武艺，未能张大衡山派门楣，十分惭愧。好在本门有莫师哥主持，刘正风庸庸碌碌，多刘某一人不多，少刘某一人不少。从今而后，刘某人金盆洗手，专心仕宦，却也决计不用师传武艺，以求升官进爵，至于江湖上的恩怨是非，门派争执，刘正风更加决不过问。若违是言，有如此剑。"右手一翻，从袍底抽出长剑，双手一扳，拍的一声，将剑锋扳得断成两截，他折断长剑，顺手让两截断剑堕下,嗤嗤两声轻响,断剑插入了青砖之中。

群雄一见,皆尽骇异,自这两截断剑插入青砖的声音中听来,这口剑显是砍金断玉的利器,以手劲折断一口寻常钢剑,以刘正风这等人物,自是毫不希奇,但如此举重若轻,毫不费力的折断一口宝剑,则手指上功夫之纯,实是武林中一流高手的造诣。闻先生叹了口气,说道:"可惜,可惜!"也不知是他可惜这口宝剑,还是可惜刘正风这样一位高手,竟然甘心去投靠官府。

刘正风脸露微笑,捋起了衣袖,伸出双手,便要放入金盆,忽听得大门外有人厉声喝道:"且住!"

刘正风微微一惊,抬起头来,只见大门口走进四个身穿黄衫的汉子。这四人一进门,分往两边一站,又有一名身材甚高的黄衫汉子从四人之间昂首直入。这人手中高举一面五色锦旗,旗上缀满了珍珠宝石,一展动处,发出灿烂宝光。许多人认得这面旗子的,心中都是一凛:"五岳剑派盟主的令旗到了!"

那人走到刘正风身前,举旗说道:"刘师叔,奉五岳剑派左盟主旗令:刘师叔金盆洗手大事,请暂行押后。"刘正风躬身说道:"但不知盟主此令,是何用意?"那汉子道:"弟子奉命行事,实不知盟主的意旨,请刘师叔恕罪。"

刘正风微笑道:"不必客气。贤侄是千丈松史贤侄吧?"他脸上虽然露出笑容但语音已微微发颤,显然这件事来得十分突兀;以他如此多历阵仗之人,也不免大为震动。

那汉子正是嵩山派门下的弟子千丈松史登达,他听得刘正风知道自己的名字和外号,心中不免得意,微微躬身,道:"弟子史登达拜见刘师叔。"他抢上几步,又向天门道人、岳不群、定逸师太等人行礼,道:"嵩山门下弟子,拜见众位师伯、师叔。"其余四名黄衣汉子同时躬身行礼。

定逸师太甚是喜欢，一面欠身还礼，说道："你师父出来阻止这件事，那是再好也没有了。我说呢，咱们学武之人，侠义为重，在江湖上逍遥自在，去做甚么劳什子的官儿？只是我见刘贤弟一切安排妥当，决不肯听老尼姑的劝，也免得多费一番唇舌。"

刘正风脸色郑重，说道："当年我五岳剑派结盟，约定攻守相助，维护武林中的正气，遇上和五派有关之事，大伙儿须得听盟主的号令。这面五色令旗是我五派所共制，见令旗如见盟主，原是不错。不过在下今日金盆洗手，是刘某的私事，既没违前武林的道义规矩，更与五岳剑派并不相干，那便不受盟主旗令约束。请史贤侄转告尊师，刘某不奉旗令，请左师兄恕罪。"说着走向金盆。

史登达身子一晃，抢着拦在金盆之前，右手高举锦旗，说道："刘师叔，我师父千叮万嘱，务请师叔暂缓金盆洗手。我师父言道，五岳剑派，同气连枝，大家情若兄弟。我师父传此旗令，既是顾全五岳剑派的情谊，亦为了维护武林中的正气，同时也是为刘师叔的好。"

刘正风道："我这可不明白了。刘某金盆洗手喜筵的请柬，早已恭恭敬敬的派人送上嵩山，另有长函禀告左师兄。左师兄倘若真有这番好意，何以事先不加劝止？直到此刻才发旗令拦阻，那不是明着要刘某在天下英雄之前出尔反尔，叫江湖上好汉耻笑于我？"

史登达道："我师父嘱咐弟子，言道刘师叔是衡山派铁铮铮的好汉子，义薄云天，武林中同道向来对刘师叔甚是尊敬，我师父心下也十分钦佩，要弟子万万不可有丝毫失礼，否则严惩不贷。刘师叔大名播于江湖，这一节却不必过虑。"

刘正风微微一笑，道："这是左盟主地奖了，刘某焉有这等声望？"

定逸师太见二人僵持不决,忍不住又插口道:"刘贤弟,这事便搁一搁又有何妨。今日在这里的,个个都是好朋友,又会有谁来笑话于你?就算有一二不知好歹之徒,妄肆讥评,纵然刘贤弟不和他计较,贫尼就先放他不过。"说着眼光在各人脸上一扫,大有挑战之意,要看谁有这么大胆,来得罪她五狱剑派中的同道。

刘正风点头道:"既然定逸师太也这么说,在下金盆洗手之事,延至明日午时再行。请各位好朋友谁都不要走,在衡山多盘桓一日,待在下向嵩山派的众位贤侄详加请教。"

便在此时,忽听得后堂一个女子的声音叫道:"喂,你这是干甚么的?我爱跟谁在一起玩儿,你管得着么?"群雄一怔,听她口音便是早一日和余沧海大抬其杠的少女曲非烟。

又听得一个男子的声音道:"你给我安安静静的坐着,不许乱动乱说,过得一会,我自然放你走。"曲非烟道:"咦,这倒奇了,这是你的家吗?我喜欢跟刘家姊姊到后园子去捉蝴蝶,为甚么你拦着不许?"那人道:"好罢!你要去,自己去好了,请刘姑娘在这里耽一会儿。"曲非烟道:"刘姊姊说见到你便讨厌,你快给我走得远远地。刘姊姊又不认得你,谁要你在这里缠七缠八。"只听得另一个女子声音说道:"妹妹,咱们去罢,别理他。"那男子道:"刘姑娘,请你在这里稍待片刻。"

刘正风愈听愈气,寻思:"哪一个大胆狂徒到我家来撒野,居然敢向我菁儿无礼?"

刘门二弟子米为义闻声赶到后堂,只见师妹和曲非烟手携着手,站在天井之中,一个黄衫青年张开双手,拦住了她二人。米为义一见那人服色,认得是嵩山派的弟子,不禁心中有气,咳嗽一声,大声道:"这位师兄是嵩山派门下罢,怎不到厅上坐地?"

那人傲然道:"不用了。奉盟主号令,要看住刘家的眷属,不许走脱了一人。"

这几句话声音并不甚响,但说得骄矜异常,大厅上群雄人人听见,无不为之变色。

刘正风大怒,向史登达道:"这是从何说起?"史登达道:"万师弟,出来罢,说话小心些。刘师叔已答应不洗手了。"后堂那汉子应道:"是!那就再好不过。"说着从后堂转了来,向刘正风微一躬身,道:"嵩山门下弟子万大平,参见刘师叔。"

刘正风气得身子微微发抖,朗声说道:"嵩山派来了多少弟子,大家一齐现身罢!"

他一言甫毕,猛听得屋顶上、大门外、厅角落、后院中、前后左右,数十人齐声应道:"是,嵩山派弟子参见刘师叔。"几十人的声音同时叫了出来,声既响亮,又是出其不意,群雄都吃了一惊。但见屋顶上站着十余人、一色的身穿黄衫。大厅中诸人却各样打扮都有,显然是早就混了进来,暗中监视着刘正风,在一千余人之中,谁都没有发觉。

定逸师太第一个沉不住气,大声道:"这……这是甚么意思?太欺侮人了!"

史登达道:"定逸师伯恕罪。我师父传下号令,说甚么也得劝阻刘师叔,不可让他金盆洗手,深恐刘师叔不服号令,因此上多有得罪。"

便在此时,后堂又走出十几个人来,却是刘正风的夫人,他的两个幼子,以及刘门的七名弟子,每一人身后都有一名嵩山弟子,手中都持匕首,抵住了刘夫人等人后心。

刘正风朗声道:"众位朋友,非是刘某一意孤行,今日左师兄竟然如此相胁,刘某若为威力所屈,有何面目立于天地之间?左师兄不许刘某金盆洗手,嘿嘿,刘某头可断,志不可屈。"说着上前一步,双手便往金盆中伸去。

史登达叫道:"且慢!"令旗一展,拦在他身前。刘正风左手疾探,两根手指往他眼中插去。史登达双臂同上挡格,刘正风左手缩回,右手两根手指又插向他双眼。史登达无可招架,只得后退。刘正风一将他逼开,双手又伸向金盆。只听得背后风声飒然,有两人扑将上来,刘正风更不回头,左腿反弹而出,砰的一声,将一名嵩山弟子远远踢了出去,右手辨声抓出,抓住另一名嵩山弟子的胸口,顺势提起,向史登达掷去。他这两下左腿反踢,右手反抓,便如背后生了眼睛一般,部位既准,动作又快得出奇,确是内家高手,大非寻常。

嵩山群弟子一怔之下,一时无人再敢上来。站在他儿子身后的嵩山弟子叫道:"刘师叔,你不住手,我可要杀你公子了。"

刘正风回过头来,向儿子望了一眼,冷冷的道:"天下英雄在此,你胆敢动我儿一根寒毛,你数十名嵩山弟子尽皆身为肉泥。"此言倒非虚声恫吓,这嵩山弟子倘若当真伤了他的幼子,定会激起公愤,群起而攻,嵩山弟子那就难逃公道。他一回身,双手又向金盆伸去。

眼见这一次再也无人能加阻止,突然银光闪动,一件细微的暗器破空而至。刘正风退后两步,只听得叮的一声轻响,那暗器打在金盆边缘。金盆倾倒,掉下地来,呛啷啷一声响,盆子翻转,盆底向天,满盆清水都泼在地下。

同时黄影晃动,屋顶上跃下一人,右足一起,往金盆底蹬落,一只金盆登时变成平平的一片。这人四十来岁,中等身材,瘦削异常,上唇留了两撇鼠须,拱手说道:"刘师兄,奉盟主号令,不许你金盆洗手。"

刘正风识得此人是嵩山派掌门左冷禅的第四师弟费彬,一套大嵩阳手武林中赫赫有名,瞧情形嵩山派今日前来对付自己的,不仅第二代弟子而已。金盆既已被他蹬烂,金盆洗手之举已不可行,眼前之事是尽力一战,还是暂且忍辱?霎时间心念电转:

"嵩山派虽执五岳盟旗,但如此咄咄逼人,难道这里千余位英雄好汉,谁都不挺身出来说一句公道话?"当下拱手还礼,说道:"费师兄驾到,如何不来喝一杯水酒,却躲在屋顶,受那日晒之苦?嵩山派多半另外尚有高手到来,一齐都请现身罢。单是对付刘某,费师兄一人已绰绰有余,若要对付这里许多英雄豪杰,嵩山派只怕尚嫌不足。"

费彬微微一笑,说道:"刘师兄何须出言挑拨离间?就算单是和刘师兄一人为敌,在下也抵挡不了适才刘师兄这一手'小落雁式'。嵩山派决不敢和衡山派有甚么过不去,决不敢得罪了此间哪一位英雄,甚至连刘师兄也不敢得罪了,只是为了武林中千百万同道的身家性命,前来相求刘师兄不可金盆洗手。"

此言一出,厅上群雄尽皆愕然,均想:"刘正风是否金盆洗手,怎么会和武林中千百万同道的身家性命相关?"

果然听得刘正风接口道:"费师兄此言,未免太也抬举小弟了。刘某只是衡山派中一介庸手,儿女俱幼,门上也只收了这么八九个不成材的弟子,委实无足轻重之至。刘某一举一动,怎能涉及武林中千百万同道的身家性命?"

定逸师太又插口道:"是啊。刘贤弟金盆洗手,去做那芝麻绿豆官儿,老实说,贫尼也大大的不以为然,可是人各有志,他爱升官发财,只要不害百姓,不坏了武林同道的义气,旁人也不能强加阻止啊。我瞧刘贤弟也没这么大的本领,居然能害到许多武林同道。"

费彬道:"定逸师太,你是佛门中有道之士,自然不明白旁人的鬼蜮伎俩。这件大阴谋倘若得逞,不但要害死武林中不计其数的同道,而且普天下善良百姓都会大受毒害。各位请想一想,衡山派刘三爷是江湖上名头响亮的英雄豪杰,岂肯自甘堕落,去受那些肮脏狗官的腌臜气?刘三爷家财万贯,哪里还贪图升官发财？这中间自有不可告人的原因。”

群雄均想：“这话倒也有理．我早在怀疑，以刘正风的为人，去做这么一个小小武官，实在太过不伦不类。”

刘正风不怒反笑，说道：“费师兄，你要血口喷人，也要看说得像不像。嵩山派别的师兄们，便请一起现身罢！”

只听得屋顶上东边西边同时各有一人应道：“好！”黄影晃动，两个人已站到了厅口，这轻身功夫，便和刚才费彬跃下时一模一样。站在东首的是个胖子，身材魁伟，定逸师太等认得他是嵩山派掌门人的二师弟托塔手丁勉，西首那人却极高极瘦，是嵩山派中坐第三把交椅的仙鹤手陆柏。这二人同时拱了拱手，道：“刘三爷请，众位英雄请。”

丁勉、陆柏二人在武林中都是大有威名，群雄都站起身来还礼，眼见嵩山派的好手陆续到来，各人心中都隐隐觉得，今日之事不易善罢，只怕刘正风非吃大亏不可。

定逸师太气忿忿的道：“刘贤弟，你不用担心，天下事抬不过一个‘理’字．别瞧人家人多势众，难道咱们泰山派、华山派、桓山派的朋友，都是来睁眼吃饭不管事的不成？”

刘正风苦笑道：“定逸师太，这件事说起来当真好生惭愧，本来是我衡山派内里的门户之事，却劳得诸位好朋友操心。刘某此刻心中已清清楚楚，想必是我莫师哥到嵩山派左盟主那里告了我一状，说了我种种不是，以致嵩山派的诸位师兄来大加问罪，好好好，是刘某对莫师哥失了礼数，由我向莫师哥认错赔罪便是。”

费彬的目光在大厅上自东而西的扫射一周，他眼睛眯成一线，但精光灿然，显得内功深厚，说道：“此事怎地跟莫大先生有关了？莫大先生请出来，大家说个明白。”他说了这几句话后，大厅中寂静无声，过了半晌，却不见“潇湘夜雨”莫大先生现身。

刘正风苦笑道："我师兄弟不和，武林朋友众所周知，那也不须相瞒。小弟仗着先人遗荫，家中较为宽裕。我莫师哥却家境贫寒。本来朋友都有通财之谊，何况是师兄弟？但莫师哥由此见嫌，绝足不上小弟之门，我师兄弟已有数年没来往、不见面，莫师哥今日自是不会光临了。在下心中所不服者，是左盟主只听了我莫师哥的一面之辞，便派了这么多位师兄来对付小弟，连刘某的老妻子女，也都成为阶下之囚，那……那未免是小题大做了。"

费彬向史登达道："举起令旗。"史登达道："是！"高举令旗，往费彬身旁一站。费彬森然说道："刘师兄，今日之事，跟衡山派掌门莫大先生没半分干系，你不须牵扯到他身上。左盟主吩咐了下来，要我们向你查明：刘师兄和魔教教主东方不败暗中有甚么勾结？设下了甚么阴谋，来对付我五岳剑派以及武林中一众正派同道？"

此言一出，群雄登时耸然动容，不少人都惊噫一声。魔教和白道中的英侠势不两立，双方结仇已逾百年，缠斗不休，互有胜败。这厅上千余人中，少说也有半数曾身受魔教之害，有的父兄被杀，有的师长受戕，一提到魔教，谁都切齿痛恨。五岳剑派所以结盟，最大的原因便是为了对付魔教。魔教人多势众，武功高强，名门正派虽然各有绝艺，却往往不敌，魔教教主东方不败更有"当世第一高手"之称，他名字叫做"不败"，果真是艺成以来，从未败过一次，实是非同小可。群雄听得费彬指责刘正风与魔教勾结，此事确与各人身家性命有关，本来对刘正风同情之心立时消失。

刘正风道："在下一生之中，从未见过魔教教主东方不败一面，所谓勾结，所谓阴谋，却是从何说起？"

费彬侧头瞧着三师兄陆柏，等他说话，陆柏细声细语的道："刘师兄，这话恐怕有些不尽不实了。魔教中有一位护法长老，名字叫作曲洋的,不知刘师兄是否相识?"

刘正风本来十分镇定,但听到他提起"曲洋"二字,登时变色,口唇紧闭,并不答话。

那胖子丁勉自进厅后从未出过一句声,这时突然厉声问道:"你识不识得曲洋?"他话声洪亮之极,这七个字吐出口来,人人耳中嗡嗡作响。他站在那里一动不动,身材本已魁梧奇伟,在各人眼中看来,似乎更突然高了尺许,显得威猛无比。

刘正风仍不置答,数千对眼光都集中在他脸上。各人都觉刘正风答与不答,都是一样,他既然答不出来,便等于默认了。过了良久,刘正风点头道:"不错!曲洋曲大哥,我不但识得,而且是我生平唯一知己,最要好的朋友。"

霎时之间,大厅中嘈杂一片,群雄纷纷议论。刘正风这几句话大出众人意料之外,各人猜到他若非抵赖不认,也不过承认和这曲洋曾有一面之缘,万没想到他竟然会说这魔教长老是他的知交朋友。

费彬脸上现出微笑,道:"你自己承认,那是再好也没有,大丈夫一人作事一身当。刘正风,左盟主定下两条路,凭你抉择。"

刘正风宛如没听到费彬的说话,神色木然,缓缓坐了下来,右手提起酒壶,斟了一杯,举杯就唇,慢慢喝了下去。群雄见他绸衫衣袖笔直下垂,不起半分波动,足见他定力奇高,在这紧急关头居然仍能丝毫不动声色,那是胆色与武功两者俱臻上乘,方克如此,两才缺一不可,各人无不暗暗佩服。

费彬朗声说道:"左盟主言道:刘正风乃衡山派中不可多得的人才,一时误交匪人,入了歧途,倘若能深自悔悟,我辈均是侠义道中的好朋友,岂可不与人为善,给他一条自新之路?左盟主吩咐兄弟转告刘师兄;你若选择这条路,限你一个月之内,杀了魔教长老曲洋,提头来见,那么过往一概不究,今后大家仍是好朋友、好兄弟。"

群雄均想:正邪不两立,魔教的旁门左道之士,和侠义道人物一见面就拚你死我活,左盟主要刘正风杀了曲洋自明心迹,那也不算是过分的要求。

刘正风脸上突然闪过一丝凄凉的笑容,说道:"曲大哥和我一见如故,倾盖相交。他和我十余次联床夜话,偶然涉及门户宗派的异见,他总是深自叹息,认为双方如此争斗,殊属无谓。我和曲大哥相交,只是研讨音律。他是七弦琴的高手,我喜欢吹箫,二人相见,大多时候总是琴箫相和,武功一道,从来不谈。"他说到这里,微微一笑,续道:"各位或者并不相信,然当今之世,刘正风以为抚琴奏乐,无人及得上曲大哥,而按孔吹箫,在下也不作第二人想。曲大哥虽是魔教中人,但自他琴音之中,我深知他性行高洁,大有光风霁月的襟怀。刘正风不但对他钦佩,抑且仰慕。刘某虽是一介鄙夫,却决计不肯加害这位君子。"

群雄越听越奇,万料不到他和曲洋相交,竟然由于音乐,欲待不信,又见他说得十分诚恳,实无半分作伪之态,均想江湖上奇行特立之士甚多,自来声色迷人,刘正风耽于音乐,也非异事。知道衡山派底细的人又想:衡山派历代高手都喜音乐,当今掌门人莫大先生外号"潇湘夜雨",一把胡琴不离手,有"琴中藏剑,剑发琴音"八字外号,刘正风由吹箫而和曲洋相结交,自也大有可能。

费彬道:"你与曲魔头由音律而结交,此事左盟主早已查得清清楚楚。左盟主言道:魔教包藏祸心,知道我五岳剑派近年来好生兴旺,魔教难以对抗,便千方百计的想从中破坏,挑拨离间,无所不用其极。或动以财帛,或诱以美色。刘师兄素来操守谨严,那便设法投你所好,派曲洋来从音律入手。刘师兄,你脑子须得清醒些,魔教过去害死过咱们多少人,怎地你受了人家鬼域伎俩的迷惑,竟然毫不醒悟?"

定逸师太道:"是啊,费师弟此言不错。魔教的可怕,倒不在武功阴毒,还在种种诡计令人防不胜防。刘师弟,你是正人君子,上了卑鄙小人的当,那有甚么关系?你尽快把曲洋这魔头一剑杀了,干净爽快之极。我五岳剑派同气连枝,千万不可受魔教中歹人的挑拨,伤了同道的义气。"天门道人点头道:"刘师弟,君子之过,如日月之食,人所共知,知过能改,善莫大焉。你只须杀了那姓曲的魔头,侠义道中人,谁都会翘起大拇指,说一声'衡山派刘正风果然是个善恶分明的好汉子。'我们做你朋友的,也都面上有光。"

刘正风并不置答,目光射到岳不群脸上,道:"岳师兄,你是位明辨是非的君子,这里许多位武林高人都逼我出卖朋友,你却怎么说?"

岳不群道:"刘贤弟,倘若真是朋友,我辈武林中人,就为朋友两胁插刀,也不会皱一皱眉头。但魔教中那姓曲的,显然是笑里藏刀,口蜜腹剑,设法来投你所好,那是最最阴毒的敌人。他旨在害得刘贤弟身败名裂,家破人亡,包藏祸心之毒,不可言喻。这种人倘若也算是朋友,岂不是污辱了'朋友'二字?古人大义灭亲,亲尚可灭,何况这种算不得朋友的大魔头、大奸贼?"

群雄听他侃侃而谈,都喝起彩来,纷纷说道:"岳先生这话说得再也明白不过。对朋友自然要讲义气,对敌人却是诛恶务尽,哪有甚么义气好讲?"

刘正风叹了口气,待人声稍静,缓缓说道:"在下与曲大哥结交之初,早就料以有今日之事。最近默察情势,猜想过不多时,我五岳剑派和魔教便有一场大火拚。一边是同盟的师兄弟,一边是知交好友,刘某无法相助那一边,因此才出此下策,今日金盆洗手,想要遍告天下同道,刘某从此退出武林,再也不与闻江湖上的恩怨仇杀,只盼置身事外,免受牵连。去捐了这个芝麻绿豆大的武官来做做,原是自污,以求掩人耳目。哪想到左盟主神通广大,刘某这一步棋,毕竟瞒不过他。"

群雄一听,这才恍然大悟,心中均道:"原来他金盆洗手,暗中含有这等深意,我本来说嘛,这样一位衡山派高手,怎么会甘心去做这等芝麻绿豆小官。"刘正风一加解释,人人都发觉自己果然早有先见之明。

费彬和丁勉、陆柏三人对视一眼,均感得意:"若不是左师兄识破了你的奸计,及时拦阻,便给你得逞了。"

刘正风续道:"魔教和我侠义道百余年来争斗仇杀,是是非非,一时也说之不尽。刘某只盼退出这腥风血雨的斗殴,从此归老林泉,吹箫课子,做一个安分守己的良民,自忖这份心愿,并不违犯本门门规和五岳剑派的盟约。"

费彬冷笑道:"如果人人都如你一般,危难之际,临阵脱逃,岂不是便任由魔教横行江湖,为害人间? 你要置身事外,那姓曲的魔头却又如何不置身事外?"

刘正风微微一笑,道:"曲大哥早已当着我的面,向他魔教祖师爷立下重誓,今后不论魔教和白道如何争斗,他一定置身事外,决不插手,人不犯我,我不犯人!"

费彬冷笑道:"好一个'人不犯我,我不犯人'!倘若我们白道中人去犯了他呢?"

刘正风道:"曲大哥言道:他当尽力忍让,决不与人争强斗胜,而且竭力弥缝双方的误会嫌隙。曲大哥今日早晨还派人来跟我说,华山派弟子令狐冲为人所伤,命在垂危,是他出手给救活了的。"

此言一出,群雄又群相耸动,尤其华山派、恒山派以及青城派诸人,更交头接耳的议论了起来。华山派的岳灵珊忍不住问道：“刘师叔，我大师哥在哪里？真的是……是那位姓曲的……姓曲的前辈救了他性命么？”

刘正风道：“曲大哥既这般说，自非虚假。日后见到令狐贤侄，你可亲自问他。”

费彬冷笑道：“那有甚么奇怪？魔教中人拉拢离间，甚么手段不会用？他能千方百计的来拉拢你，自然也会千方百计的去拉拢华山派弟子。说不定令狐冲也会由此感激，要报答他的救命之恩，咱们五岳剑派之中，又多一个叛徒了。”转头向岳不群道：“岳师兄，小弟这话只是打个比方，请勿见怪。”岳不群微微一笑，说道：“不怪！”

刘正风双眉一轩，昂然问道：“费师兄，你说又多一个叛徒，这个‘又’字，是甚么用意？”费彬冷笑道：“哑子吃馄饨，心里有数，又何必言明。”刘正风道：“哼，你直指刘某是本派叛徒了。刘某结交朋友，乃是私事，旁人却也管不着。刘正风不敢欺师灭祖，背叛衡山派本门，‘叛徒’二字，原封奉还。”他本来恂恂有礼，便如一个财主乡绅，有些小小的富贵之气，又有些土气，但这时突然显出勃勃英气，与先前大不相同。群雄眼见他处境十分不利，却仍与费彬针锋相对的论辩，丝毫不让，都不禁佩服他的胆量。

费彬道：“如此说来，刘师兄第一条路是不肯走的了，决计不愿诛妖灭邪，杀那大魔头曲洋了？”

刘正风道：“左盟主若有号令，费师兄不妨就此动手，杀了刘某的全家！”

费彬道：“你不须有恃无恐，只道天下的英雄好汉在你家里作客，我五岳剑派便有所顾忌，不能清理门户。”伸手向史登达一招，说道：“过来！”史登达应道：“是！”走上三步。费彬从他手中接过五色令旗，高高举起，说道：“刘正风听者：左盟主有令，你若不应允在一个月内杀了曲洋，则五岳剑派只好立时清理门户，以免后患,斩草除根,决不容情。你再想想罢!"

刘正风惨然一笑,道:"刘某结交朋友,贵在肝胆相照,岂能杀害朋友,以求自保?左盟主既不肯见谅,刘正风势孤力单,又怎么与左盟主相抗?你嵩山派早就布置好一切,只怕连刘某的棺材也给买好了,要动手便即动手,又等何时?"

费彬将令旗一展,朗声道:"泰山派天门师兄,华山派岳师兄,恒山派定逸师太,衡山派诸位师兄师侄,左盟主有言吩咐:自来正邪不两立,魔教和我五岳剑派仇深似海,不共戴天。刘正风结交匪人,归附仇敌,凡我五岳同门,出手共诛之。接令者请站到左首。"

天门道人站起身来,大踏步走到左首,更不向刘正风瞧上一眼。天门道人的师父当年命丧魔教一名女长老之手,是以他对魔教恨之入骨。他一走到左首,门下众弟子都跟了过去。

岳不群起身说道:"刘贤弟,你只须点一点头,岳不群负责为你料理曲洋如何?你说大丈夫不能对不起朋友,难道天下便只曲洋一人才是你朋友,我们五岳剑派和这里许多英雄好汉,便都不是你朋友了?这里千余位武林同道,一听到你要金盆洗手,都千里迢迢的赶来,满腔诚意的向你祝贺,总算够交情了罢?难道你全家老幼的性命,五岳剑派师友的恩谊,这里千百位同道的交情,一并加将起来,还及不上曲洋一人?"

刘正风缓缓摇了摇头,说道:"岳师兄,你是读书人,当知道大丈夫有所不为。你这番良言相劝,刘某甚是感激。人家逼我害曲洋,此事万万不能。正如若是有人逼我杀害你岳师兄,或是要我加害这里任何哪一位好朋友,刘某纵然全家遭难,却也决计不会点一点头。曲大哥是我至交好友,那是不错,但岳师兄何尝不是刘某的好友?曲大哥倘若有一句提到,要暗害五岳剑派中刘某那一位朋友,刘某便鄙视他的为人,再也不当他是朋友了。"他这番话说得极是诚恳，群雄不由得为之动容，武林中义气为重，刘正风这般顾全与曲洋的交情，这些江湖汉子虽不以为然，却禁不住暗自赞叹。

岳不群摇头道："刘贤弟，你这话可不对了。刘贤弟顾全朋友义气，原是令人佩服，却未免不分正邪，不问是非。魔教作恶多端，残害江湖上的正人君子、无辜百姓。刘贤弟只因一时琴箫投缘，便将全副身家性命都交给了他，可将'义气'二字误解了。"

刘正风淡淡一笑，说道："岳师兄，你不喜音律，不明白小弟的意思。言语文字可以撒谎作伪，琴箫之音却是心声，万万装不得假。小弟和曲大哥相交，以琴箫唱和，心意互通。小弟愿意以全副身家性命担保，曲大哥是魔教中人，却无一点一毫魔教的邪恶之气。"

岳不群长叹一声，走到了天门道人身侧。劳德诺、岳灵珊、陆大有等也都随着过去。

定逸师太望着刘正风，问道："从今而后，我叫你刘贤弟，还是刘正风？"刘正风脸露苦笑，道："刘正风命在顷刻，师太以后也不会再叫我了。"定逸师太合十念道："阿弥陀佛！"缓缓走到岳不群之侧，说道："魔深孽重，罪过，罪过。"座下弟子也都跟了过去。

费彬道："这是刘正风一人之事，跟旁人并不相干。衡山派的众弟子只要不甘附逆，都站到左首去。"

大厅中寂静片刻，一名年轻汉子说道："刘师伯，弟子们得罪了。"便有三十余名衡山派弟子走到恒山派群尼身侧，这些都是刘正风的师侄辈，衡山派第一代的人物都没到来。

费彬又道："刘门亲传弟子，也都站到左首去。"

向大年朗声道："我们受师门重恩，义不相负，刘门弟子，和恩师同生共死。"

刘正风热泪盈眶，道："好，好，大年！你说这番话，已很对得起师父了。你们都过去罢。师父自己结交朋友,和你们可没干系。"

米为义刷的一声,拔出长剑,说道:"刘门一系,自非五岳剑派之敌,今日之事,有死而已。哪一个要害我恩师,先杀了姓米的。"说着便在刘正风身前一站,挡住了他。

丁勉左手一扬,嗤的一声轻响,一丝银光电射而出。刘正风一惊,伸手在米为义右膀上一推,内力到处,米为义向左撞出,那银光便向刘正风胸口射来。向大年护师心切,纵身而上,只听他大叫一声,那银针正好射中心脏,立时气绝身亡。

刘正风左手将他尸体抄起,探了探他鼻息,回头向丁勉道:"丁老二,是你嵩山派先杀了我弟子!"丁勉森然道:"不错,是我们先动手,却又怎样?"

刘正风提起向大年的尸身,运力便要向丁勉掷去。丁勉见他运劲的姿式,素知衡山派的内功大有独到之处,刘正风是衡山派中的一等高手,这一掷之势非同小可,当即暗提内力,准备接过尸身,立即再向他反掷回去。哪知刘正风提起尸身,明明是要向前掷出,突然间身子往斜里窜出,双手微举,却将向大年的尸身送到费彬胸前。这一下来得好快,费彬出其不意,只得双掌竖立,运劲挡住尸身,便在此时,双胁之下一麻,已被刘正风点了穴道。

刘正风一招得手,左手抢过他手中令旗,右手拔剑,横架在他咽喉,左肘连撞,封了他背心三处穴道,任由向大年的尸身落在地下。这几下兔起鹘落,变化快极,待要费彬受制,五岳令旗被夺,众人这才醒悟,刘正风所使的,正是衡山派绝技,叫做"百变千幻衡山云雾十三式"。众人久闻其名,这一次算是大开眼界。

岳不群当年曾听师父说过,这一套"百变千幻衡山云雾十三式"乃衡山派上代一位高手所创。这位高手以走江湖变戏法卖艺为生。那走江湖变戏法,仗的是声东击西,虚虚实实,幻人耳目。

到得晚年，他武功愈高，变戏法的技能也是日增，竟然将内家功夫使用到戏法之中，街头观众一见，无不称赏，后来更是一变，反将变戏法的本领渗入了武功，五花八门，层出不穷。这位高手生性滑稽，当时创下这套武功游戏自娱，不料传到后世，竟成为衡山派的三大绝技之一。只是这套功夫变化虽然古怪，但临敌之际，却也并无太大的用处，高手过招，人人严加戒备，全身门户，无不守备綦谨，这些幻人耳目的花招多半使用不上，因此衡山派对这套功夫也并不如何着重，如见徒弟是飞扬佻脱之人，便不传授，以免他专务虚幻，于扎正根基的踏实功夫反而欠缺了。

刘正风是个深沉寡言之人，在师父手上学了这套功夫，平生从未一用，此刻临急而使，一击奏功，竟将嵩山派中这个大名鼎鼎、真实功夫决不在他之下的"大嵩阳手"费彬制服。他右手举着五岳剑派的盟旗，左手长剑架在费彬的咽喉之中，沉声道："丁师兄、陆师兄，刘某斗胆夺了五岳令旗，也不敢向两位要胁，只是向两位求情。"

丁勉与陆伯对望了一眼，均想："费师弟受了他的暗算，只好且听他有何话说。"丁勉道："求甚么情？"刘正风道："求两位转告左盟主，准许刘某全家归隐，从此不干预武林中的任何事务。刘某与曲洋曲大哥从此不再相见，与众位师兄朋友，也……也就此分手。刘某携带家人弟子，远走高飞，隐居海外，有生之日，绝足不履中原一寸土地。"

丁勉微一踌躇，道："此事我和陆师弟可做不得主，须得归告左师哥，请他示下。"

刘正风道："这里泰山、华山两派掌门在此，恒山派有定逸师太，也可代她掌门师姊作主，此外，众位英雄好汉，俱可作个见证。"他眼光向众人脸上扫过，沉声道："刘某向众位朋友求这个情，让我顾全朋友义气，也得保家人弟子的周全。"

定兔师太外刚内和，脾气虽然暴躁，心地却极慈祥，首先说道："如此甚好，也免得伤了大家的和气。丁师兄、陆师史，咱们答应了刘贤弟罢。他既不再和魔教中人结交，又远离中原，等如是世上没了这人，又何必定要多造杀业？"天门道人点头道："这样也好，岳贤弟，你以为如何？"岳不群道："刘贤弟言出如山，他既这般说，大家都是信得过的。来来来，咱们化干戈为玉帛，刘贤弟，你放了费贤弟，大伙儿喝一杯解和酒，明儿一早，你带了家人子弟，便离开衡山城罢！"

陆柏却道："泰山、华山两派掌门都这么说，定逸师太更竭力为刘正风开脱，我们又怎敢违抗众意？但费师弟刻下遭受刘正风的暗算，我们倘若就此答允，江湖上势必人人言道，嵩山派是受了刘正风的胁持，不得不低头服输，如此传扬开去，嵩山派脸面何存？"

定逸师太道："刘贤弟是在向嵩山派求情，又不是威胁逼迫，要说'低头服输'，低头服输的是刘正风，不是嵩山派。何况你们又已杀了一名刘门弟子。"

陆柏哼了一声，说道："狄修，预备着。"嵩山派弟子狄修应道："是！"手中短箭轻送，抵进刘正风长子背心的肌肉。陆柏道："刘正风，你要求情，便跟我们上嵩山去见左盟主，亲口向他求情。我们奉命差遣，可作不得主。你立刻把令旗交还，放了我费师弟。"

刘正风惨然一笑，向儿子道："孩儿，你怕不怕死？"刘公子道："孩儿听爹爹的话，孩儿不怕！"刘正风道："好孩子！"陆柏喝道："杀了！"狄修短剑往前一送，自刘公子的背心直刺入他心窝，短箭跟着拔出。刘公子俯身倒地，背心创口中鲜血泉涌。

刘夫人大叫一声，扑向儿子尸身。陆柏又喝道："杀了！"狄修手起剑落，又是一剑刺入刘夫人背心。

定逸师太大怒，呼的一掌，向狄修击了过去，骂道："禽兽！"丁勉抢上前来，也击出一掌。双掌相交，定勉师太退了三步，胸口一甜，一口鲜血涌到了嘴中，她要强好胜，硬生生将这口血咽入口腹中。丁勉微微一笑，道："承让！"

定逸师太本来不以掌力见长，何况适才这一掌击向狄修，以长攻幼，本就未使全力，也不拟这一掌击死了他，不料丁勉突然出手，他那一掌却是凝聚了十成功力。双掌陡然相交，定逸师太欲待再催内力，已然不及，丁勉的掌力如排山倒海般压到，定逸师太受伤呕血，大怒之下，第二掌待再击出，一运力间，只觉丹田中痛如刀割，知道受伤已然不轻，眼前无法与抗，一挥手，怒道："咱们走！"大踏步向门外走去，门下群尼都跟了出去。

陆柏喝道："再杀！"两名嵩山弟子推出短剑，又杀了两名刘门弟子。陆柏道："刘门弟子听了，若要活命，此刻跪地求饶，指斥刘正风之非，便可免死。"

刘正风的女儿刘菁怒骂："奸贼，你嵩山派比魔教奸恶万倍！"陆柏喝道："杀了！"万大平提起长剑，一剑劈下，从刘菁右肩直劈至腰。史登达等嵩山弟子一剑一个，将早已点了穴道制住的刘门亲传弟子都杀了。

大厅上群雄虽然都是毕生在刀枪头上打滚之辈，见到这等屠杀惨状，也不禁心惊肉跳。有些前辈英雄本想出言阻止，但嵩山派动手实在太快，稍一犹豫之际，厅上已然尸横遍地。各人又想：自来邪正不两立，嵩山派此举并非出于对刘正风的私怨，而是为了对付魔教，虽然出手未免残忍，却也未可厚非。再者，其时嵩山派已然控制全局，连恒山派的定兔师太亦已铩羽而去，眼见天门道人、岳不群等高手都不作声，这是他五岳剑派之事，旁人倘若多管闲事，强行出头，势不免惹下杀身之祸，自以明哲保身的为是。

杀到这时,刘门徒弟子女已只剩下刘正风最心爱的十五岁幼子刘芹。陆柏向史登达道:"问这小子求不求饶?若不求饶,先割了他的鼻子,再割耳朵,再挖眼珠,叫他零零碎碎的受苦。"史登达道:"是!"转向刘芹,问道:"你求不求饶?"

刘芹脸色惨白,全身发抖。刘正风道:"好孩子,你哥哥姊姊何等硬气,死就死了,怕甚么?"刘芹颤声道:"可是……爹,他们要……要割我鼻子,挖……挖我眼睛……"刘正风哈哈一笑,道:"到这地步,难道你还想他们放过咱们么?"刘芹道:"爹爹,你……你就答允杀了曲……曲伯伯……"刘正风大怒,喝道:"放屁!小畜生,你说甚么?"

史登达举起长剑,剑尖在刘芹鼻子前晃来晃去,道:"小子,你再不跪下求饶,我一剑削下来了。一……二……"他那"三"字还没说出口,刘芹身子战抖,跪倒在地,哀求道:"别……别杀我……我……"陆柏笑道:"很好,饶你不难。但你须得向天下英雄指斥刘正风的不是。"刘芹双眼望着父亲,目光中尽是哀求之意。

刘正风一直甚是镇定,虽见妻子儿女死在他的眼前,脸上肌肉亦毫不牵动,这时却愤怒难以遏制,大声喝道:"小畜生,你对得起你娘么?"

刘芹眼见母亲、哥哥、姊姊的尸身躺在血泊之中,又见史登达的长剑不断在脸前晃来晃去,已吓得心胆俱裂,向陆柏道:"求求你饶了我,饶了……饶了我爹爹。"陆柏道:"你爹爹勾结魔教中的恶人,你说对不对?"刘芹低声道:"不……不对!"陆柏道:"这样的人,该不该杀?"刘芹低下了头,不敢答话。陆柏道:"这小子不说话,一剑把他杀了。"

史登达道:"是!"知道陆柏这句话意在恫吓,举起了剑,作势砍下。

刘芹忙道:"该……该杀!"陆柏道:"很好!从今而后,你不是衡山派的人了,也不是刘正风的儿子,我饶了你的性命。"刘芹跪在地下,吓得双腿都软了,竟然站不起来。

群雄瞧着这等模样,忍不住为他羞惭,有的转过了头,不去看他。

刘正风长叹一声,道:"姓陆的,是你赢了!"右手一挥,将五岳令旗向他掷去,左足一抬,把费彬踢开,朗声道:"刘某自求了断,也不须多伤人命了。"左手横过长剑,便往自己颈中刎去。

便在这时,檐头突然掠下一个黑衣人影,行动如风,一伸臂便抓住了刘正风的左腕,喝道:"君子报仇,十年未晚,去!"右手向后舞了一个圈子,拉着刘正风向外急奔。

刘正风惊道:"曲大哥……你……"

群雄听他叫出"曲大哥"三字,知道这黑衣人便是魔教长老曲洋,尽皆心头一惊。

曲洋叫道:"不用多说!"足下加劲,只奔得三步,丁勉、陆柏二人四掌齐出,分和他二人后心拍来。曲洋向刘正风喝道:"快走!"出掌在刘正风背上一推,同时运劲于背,硬生生受了丁勉、陆柏两大高手的并力一击。砰的一声响,曲洋身子向外飞出去,跟着一口鲜血急喷而出,回手连挥,一丛黑针如雨般散出。

丁勉叫道:"黑血神针,快避!"急忙向旁闪开。群雄见到这丛黑针,久闻魔教黑血神针的大名,无不惊心,你退我闪,乱成一团,只听得"哎唷!""不好!"十余人齐声叫了起来。厅上人众密集,黑血神针又多又快,毕竟还是有不少人中了毒针。

混乱之中,曲洋与刘正风已逃得远了。

山石后转出三个人影，夜色朦胧，依稀可见三人二高一矮，高的是两个男子，矮的是个女子。

七　授谱

　　令狐冲所受剑伤虽重，但得恒山派治伤圣药天香断续胶外敷、白云熊胆丸内服，兼之他年轻力壮，内功又已有相当火候，在瀑布旁睡了一天两晚后，创口已然愈合。这一天两晚中只以西瓜为食。令狐冲求仪琳捉鱼射兔，她却说甚么也不肯，说道令狐冲这死里逃生，全凭观世音菩萨保佑，最好吃一两年长素，向观世音菩萨感恩，要她破戒杀生，那是万万不可。令狐冲笑她迂腐无聊，可也无法勉强，只索罢了。

　　这日傍晚，两人背倚石壁，望着草丛间流萤飞来飞去，点点星火，煞是好看。

　　令狐冲道："前年夏天，我曾捉了几千只萤火虫儿，装在十几只纱囊之中，挂在房里，当真有趣。"仪琳心想，凭他的性子，决不会去缝制十几只纱囊，问道："你小师妹叫你捉的，是不是？"令狐冲笑道："你真聪明，猜得好准，怎么知道是小师妹叫我捉的？"仪琳微笑道："你性子这么急，又不是小孩子了，怎会这般好耐心，去捉几千只萤火虫来玩。"又问："后来怎样？""令狐冲笑道："师妹拿来挂在她帐子里，说道满床晶光闪烁，她像是睡在天上云端里，一睁眼，前后左右都是星星。"仪琳道："你小师妹真会玩，偏你这个师哥也真肯凑趣，她就是要你去捉天上的星星，只怕你也肯。"

　　令狐冲笑道："捉萤火虫儿，原是为捉天上的星星而起。那天晚上我跟她一起乘凉,看到天上星星灿烂,小师妹忽然叹了一口气,说道:'可惜过一会儿,便要去睡了,我真想睡在露天,半夜里醒来,见到满天星星都在向我眨眼,那多有趣。但妈妈一定不会答应。'我就说:'咱们捉些萤火虫来,放在你蚊帐里,不是像星星一样吗?'"

仪琳轻轻道:"原来还是你想的主意。"

令狐冲微微一笑,说道:"小师妹说:'萤火虫飞来飞去,扑在脸上身上,那可讨厌死了。有了,我去缝些纱布袋儿,把萤火虫装在里面。'就这么,她缝袋子,我捉飞萤,忙了整整一天一晚,可惜只看得一晚,第二晚萤火虫全都死了。"

仪琳身子一震,颤声道:"几千只萤火虫,都给害死了?你们……你们怎地如此……"

令狐冲笑道:"你说我们残忍得很,是不是?唉,你是佛门子弟,良心特别好。其实萤火虫儿一到天冷,还是会尽数冻死的,只不过早死几天,那又有甚么干系?"

仪琳隔了半晌,才幽幽的道:"其实世上每个人也都这样,有的人早死,有的人迟死,或早或迟,终归要死。无常,苦,我佛说每个人都不免有生老病死之苦。但大彻大悟,解脱轮回,却又谈何容易?"令狐冲道:"是啊,所以你又何必念念不忘那些清规戒律,甚么不可杀生,不可偷盗。菩萨要是每一件事都管,可真忙坏了他。"

仪琳侧过头,不知说甚么好,便在此时,左首山侧天空中一个流星疾掠而过,在天空划成了一道长长的火光。仪琳道:"仪净师姊说,有人看到流星,如果在衣带上打一个结,同时心中许一个愿,只要在流星隐没之前先打好结,又许完愿,那么这个心愿便能得偿。你说是不是真的?"

令狐冲笑道:"我不知道。咱们不妨试试,只不过恐怕手脚没这么快。"说着拈起了衣带,道:"你也预备啊,慢得一会儿,便来不及了。"

仪琳拈起了衣带,怔怔的望着天边。夏夜流星甚多,片刻间便有一颗流星划过长空,但流星一瞬即逝,仪琳的手指只一动,流星便已隐没。她轻轻"啊"了一声,又再等待。第二颗流星自西至东,拖曳甚长,仪琳动作敏捷,竟尔打了个结。

令狐冲喜道:"好,好!你打成了!观世音菩萨保佑,一定教你得偿所愿。"仪琳叹了口气,道:"我只顾着打结,心中却甚么也没想。"令狐冲笑道:"那你快些先想好了罢,在心中先默念几遍,免得到时顾住了打结,却忘了许愿。"

仪琳拈着衣带,心想:"我许甚么愿好?我许甚么愿好?"向令狐冲望了一眼,突然晕红了双颊,急忙转开了头。

这时天上连续划过了几颗流星,令狐冲大呼小叫,不住的道:"又是一颗,咦,这颗好长,你打了结没有?这次又来不及吗?"

仪琳心乱如麻,内心深处,隐隐有一个渴求的愿望,可是这愿望自己想也不敢想,更不用说向观世音菩萨祈求了,一颗心怦怦乱跳,只觉说不出的害怕,却又是说不出的喜悦。只听令狐冲又问:"你想好了心愿没有?"仪琳心底轻轻的说:"我要许甚么愿?我要许甚么愿?"眼见一颗颗流星从天边划过,她仰起了头瞧看,竟是痴了。

令狐冲笑道:"你不说,我便猜上一猜。"仪琳急道:"不,不,你不许说。"令狐冲笑道:"那有甚么打紧?我猜三次,且看猜不猜得中。"仪琳站起身来,道:"你再说,我可要走了。"令狐冲哈哈大笑,道:"好,我不说。就算你心中想做恒山派掌门,那也没甚么可害臊的。"仪琳一怔,心道:"他……他猜我想做恒山派掌门?我可从来没这么想过。我又怎做得来掌门人?"

忽听得远处传来铮铮几声,似乎有人弹琴。令狐冲和仪琳对望了一眼,都是大感奇怪:"怎地这荒山野岭之中有人弹琴?"琴声不断传来,甚是优雅,过得片刻,有几下柔和的箫声夹入琴韵之中。七弦琴的琴音和平中正,夹着清幽的洞箫,更是动人,琴韵箫声似在一问一答,同时渐渐移近。令狐冲凑身过去,在仪琳耳边低声道:"这音乐来得古怪,只怕于我们不利,不论有甚么事,你千万别出声。"仪琳点了点头,只听琴音渐渐高亢,箫声却慢慢低沉下去,但箫声低而不断,有如游丝随风飘荡,却连绵不绝,更增回肠荡气之意。

　　只见山石后转出三个人影,其时月亮被一片浮云遮住了,夜色朦胧,依稀可见三人二高一矮,高的是两个男子,矮的是个女子。两个男子缓步走到一块大岩石旁,坐了下来,一个抚琴,一个吹箫,那女子站在抚琴者的身侧。令狐冲缩身石壁之后,不敢再看,生恐给那三人发见。只听琴箫悠扬,甚是和谐。令狐冲心道:"瀑布便在旁边,但流水轰轰,竟然掩不住柔和的琴箫之音,看来抚琴吹箫的二人内功着实不浅。嗯,是了,他们所以到这里吹奏,正是为了这里有瀑布声响,那么跟我们是不相干的。"当下便放宽了心。

　　忽听瑶琴中突然发出锵锵之音,似有杀伐之意,但箫声仍是温雅婉转。过了一会,琴声也转柔和,两音忽高忽低,蓦地里琴韵箫声陡变,便如有七八具瑶琴、七八支洞箫同时在奏乐一般。琴箫之声虽然极尽繁复变幻,每个声音却又抑扬顿挫,悦耳动心。令狐冲只听得血脉贲张,忍不住便要站起身来,又听了一会,琴箫之声又是一变,箫声变了主调,那七弦琴只是叮叮珰珰的伴奏,但箫声却愈来愈高。令狐冲心中莫名其妙的感到一阵酸楚,侧头看仪琳时,只见她泪水正涔涔而下。突然间铮的一声急响,琴音立止,箫声也即住了。霎时间四下里一片寂静,唯见明月当空,树影在地。

只听一人缓缓说道："刘贤弟，你我今日毕命于此，那也是大数使然，只是愚兄未能及早出手，累得你家眷弟子尽数殉难，愚兄心下实是不安。"另一个道："你我肝胆相照，还说这些话干么……"

仪琳听到他的口音，心念一动，在令狐冲耳边低声道："是刘正风师叔。"他二人于刘正风府中所发生大事，绝无半点知闻，忽见刘正风在这旷野中出现，另一人又说甚么"你我今日毕命于此"，甚么"家眷弟子尽数殉难"，自都惊讶不已。

只听刘正风续道："人生莫不有死，得一知己，死亦无憾。"另一人道："刘贤弟，听你箫中之意，却犹有遗恨，莫不是为了令郎临危之际，贪生怕死，羞辱了你的令名？"刘正风长叹一声，道："曲大哥猜得不错，芹儿这孩子我平日太过溺爱，少了教诲，没想到竟是个没半点气节的软骨头。"曲洋道："有气节也好，没气节也好，百年之后，均归黄土，又有甚么分别？愚兄早已伏在屋顶，本该及早出手，只是料想贤弟不愿为我之故，与五岳剑派的故人伤了和气，又想到愚兄曾为贤弟立下重誓，决不伤害侠义道中人士，是以迟迟不发，又谁知嵩山派为五岳盟主，下手竟如此毒辣。"

刘正风半晌不语，长长叹了口气，说道："此辈俗人，怎懂得你我以音律相交的高情雅致？他们以常情猜度，自是料定你我结交，将大不利于五岳剑派与侠义道。唉，他们不懂，须也怪他们不得。曲大哥，你是大椎穴受伤，震动了心脉？"曲洋道："正是，嵩山派内功果然厉害，没料到我背上挺受了这一击，内力所及，居然将你的心脉也震断了。早知贤弟也是不免，那一丛黑血神针倒也不必再发了，多伤无辜，于事无补。幸好针上并没喂毒。"

令狐冲听得"黑血神针"四字，心头一震："这人曾救我性命，难道他竟是魔教中的高手？刘师叔又怎会和他结交？"

刘正风轻轻一笑,说道:"但你我却也因此而得再合奏一曲,从今而后,世上再也无此琴箫之音了。"曲洋一声长叹,说道:"昔日嵇康临刑,抚琴一曲,叹息《广陵散》从此绝响。嘿嘿,《广陵散》纵情精妙,又怎及得上咱们这一曲《笑傲江湖》?只是当年嵇康的心情,却也和你我一般。"刘正风笑道:"曲大哥刚才还甚达观,却又如何执着起来?你我今晚合奏,将这一曲《笑傲江湖》发挥得淋漓尽致。世上已有过了这一曲,你我已奏过了这一曲,人生于世,夫复何恨?"

曲洋轻轻拍掌道:"贤弟说得不错。"过得一会,却又叹了口气。刘正风道:"大哥却又为何叹息?啊,是了,定然是放心不下非非。"

仪琳心念一动:"非非,就是那个非非?"果然听得曲非烟的声音说道:"爷爷,你和刘公公慢慢养好了伤,咱们去将嵩山派的恶徒一个个斩尽杀绝,为刘婆婆他们报仇!"

猛听山壁后传来一声长笑。笑声未绝,山壁后窜出一个黑影,青光闪动,一人站在曲洋与刘正风身前,手持长剑,正是嵩山派的大嵩阳手费彬,嘿嘿一声冷笑,说道:"女娃子好大的口气,将嵩山派赶尽杀绝,世上可有这等称心如意之事?"

刘正风站起身来,说道:"费彬,你已杀我全家,刘某中了你两位师兄的掌力,也已命在顷刻,你还想干甚么?"

费彬哈哈一笑,傲然道:"这女娃子说要赶尽杀绝,在下便是来赶尽杀绝啊!女娃子,你先过来领死吧!"

仪琳在令狐冲旁边道:"你是非非和他爷爷救的,咱们怎生想个法子,也救他们救才好?"令狐冲不等她出口,早已在盘算如何设法解围,以报答他祖孙的救命之德,但一来对方是嵩山派高手,自己纵在未受重伤之时,也就远不是他对手,二来此刻已知曲洋是魔教中人,华山派一向与魔教为敌,如何可以反助对头,是以心中好生委决不下。

只听刘正风道："姓费的，你也算是名门正派中有头有脸的人物，曲洋和刘正风今日落在你手中，要杀要剐，死而无怨，你去欺侮一个女娃娃，那算是甚么英雄好汉？非非，你快走！"曲非烟道："我陪爷爷和刘公公死在一块，决不独生。"刘正风道："快走，快走！我们大人的事，跟你孩子有甚么相干？"

曲非烟道："我不走！"刷刷两声，从腰间拔出两柄短剑，抢过去挡在刘正风身前，叫道："费彬，先前刘公公饶了你不杀，你反而来恩将仇报，你要不要脸？"

费彬阴森森的道："你这女娃娃说过要将我们嵩山派赶尽杀绝，你这可不是来赶尽杀绝了么？难道姓费的袖手任你宰割，还是掉头逃走？"

刘正风拉住曲非烟的手臂，争道："快走，快走！"但他受了嵩山派内力剧震，心脉已断，再加适才演奏了这一曲《笑傲江湖》，心力交瘁，手上已无内劲。曲非烟轻轻一挣，挣脱了刘正风的手，便在此时，眼前青光闪动，费彬的长剑刺到面前。

曲非烟左用短剑一挡，右手剑跟着递出。费彬嘿的一声笑，长剑圈转，拍的一声，击在她右手短剑上。曲非烟右臂酸麻，虎口剧痛，右手短剑登时脱手。费彬长剑斜晃反挑，拍的一声响，曲非烟左手短剑又被震脱，飞出数丈之外。费彬的长剑已指住她咽喉，向曲洋笑道："曲长老，我先把你孙女的左眼刺瞎，再瞎去她的鼻子，再割了她两只耳朵……"

曲非烟大叫一声，向前纵跃，往长剑上撞去。费彬长剑疾缩，左手食指点出，曲非烟翻身栽倒。费彬哈哈大笑，说道："邪魔外道，作恶多端，便要死却也没这么容易，还是先将你的左眼刺瞎了再说。"提起长剑，便要往曲非烟左眼刺落。

忽听得身后有人喝道："且住！"费彬大吃一惊，急速转过身来,挥剑护身。他不知令狐冲和仪琳早就隐伏在山石之后,一动不动,否则以他功夫,决不致有人欺近而竟不察觉。月光下只见一个青年汉子双手叉腰而立。

费彬喝问:"你是谁?"令狐冲道:"小侄华山派令狐冲,参见费师叔。"说着躬身行礼,身子一晃一晃,站立不定。费彬点头道:"罢了!原来是岳师兄的大弟子,你在这里干甚么?"令狐冲道:"小侄为青城派弟子所伤,在此养伤,有幸拜见费师叔。"

费彬哼了一声,道:"你来得正好。这女娃子是魔教中的邪魔外道,该当诛灭,倘若由我出手,未免显得以大欺小,你把她杀了吧。"说着伸手向曲非烟指了指。

令狐冲摇了摇头,说道:"这女娃娃的祖父和衡山派刘师叔结交,攀算起来,她比我也矮着一辈,小侄如杀了她,江湖上也道华山派以大压小,传扬出去,名声甚是不雅。再说,这位曲前辈和刘师叔都已身负重伤,在他们面前欺侮他们的小辈,决非英雄好汉行径,这种事情,我华山派是决计不会做的。尚请费师叔见谅。"言下之意甚是明白,华山派所不屑做之事,嵩山派倘若做了,那么显然嵩山派是大大不及华山派了。

费彬双眉扬起,目露凶光,厉声道:"原来你和魔教妖人也在暗中勾结。是了,适才刘正风言道,这姓曲的妖人曾为你治伤,救了你的性命,没想到你堂堂华山弟子,这么快也投了魔教。"手中长剑颤动,剑锋上冷光闪动,似是挺剑便欲向令狐冲刺去。

刘正风道:"令狐贤侄,你和此事毫不相干,不必来赶淌浑水,快快离去,免得将来教你师父为难。"

令狐冲哈哈一笑,说道:"刘师叔,咱们自居侠义道,与邪魔外道誓不两立,这'侠义'二字,是甚么意思?欺辱身负重伤之人,算不算侠义?残杀无辜幼女,算不算侠义?要是这种种事情都干得出,跟邪魔外道又有甚么分别?"

曲洋叹道："这种事情，我们魔教也是不做的。令狐兄弟，你自己请便罢，嵩山派爱干这种事，且由他干便了。"

令狐冲笑道："我才不走呢。大嵩阳手费大侠在江湖上大名鼎鼎，是嵩山派中数一数二的英雄好汉，他不过说几句吓吓女娃儿，哪能当真做这等不要脸之事，费师叔决不是那样的人。"说着双手抱胸，背脊靠上一株松树的树干。

费彬杀机陡起，狞笑道："你以为用言语僵住我，便能逼我饶了这三个妖人？嘿嘿，当真痴心梦想。你既已投了魔教，费某杀三人是杀，杀四人也是杀。"说着踏上了一步。

令狐冲见到他狞恶的神情，不禁吃惊，暗自盘算解围之策，脸上却丝毫不动声色，说道："费师叔，你连我也要杀了灭口，是不是？"

费彬道："你聪明得紧，这句话一点不错。"说着又向前逼近一步。

突然这间，山石后又转出一个妙龄女尼，说道："费师叔，苦海无边，回头是岸，你眼下只有做坏事之心，真正的坏事还没有做，悬崖勒马，犹未为晚。"这人正是仪琳。令狐冲嘱她躲在山石之后，千万不可让人瞧见了，但她眼见令狐冲处境危殆，不及多想，还想以一片良言，劝得费彬罢手。

费彬却也吃了一惊，说道："你是恒山派的，是不是？怎么鬼鬼祟祟躲在这里？"

仪琳脸上一红，嗫嚅道："我……我……"

曲非烟被点中穴道，躺在地下，动弹不得，口中却叫了出来："仪琳姊姊，我早猜到你和令狐大哥在一起。你果然医好了他的伤，只可惜……只可惜咱们都要死了。"

仪琳摇头道："不会的，费师叔是武林中大大有名的英雄豪杰，怎会真的伤害身受重伤之人和你这样的小姑娘？"曲非烟嘿嘿冷笑,道:"他真是大英雄、大豪杰么?"仪琳道:"嵩山派是五岳剑派的盟主,江湖上侠义道的领袖,不论做甚么事,自然要以侠义为先。"

她几句话出自一片诚意,在费彬耳中听来,却全成了讥嘲之言,寻思:"一不做,二不休,今日但教走漏了一个活口,费某从此声名受污,虽然杀的是魔教妖人,但诛戮伤俘,非英雄豪杰之所为,势必给人瞧得低了。"当下长剑一挺,指着仪琳道:"你既非身受重伤,也不是动弹不得的小姑娘,我总杀得你了罢?"

仪琳大吃一惊,退了几步,颤声道:"我……我……我?你为甚么要杀我?"

费彬道:"你和魔教妖人勾勾搭搭,姊妹相称,已也成了妖人一路,自是容你不得。"说着踏上了一步,挺剑要向仪琳刺去。

令狐冲争忙抢过,拦在仪琳身前,叫道:"师妹快走,去请你师父来救命。"他自知远水难救近火,所以要仪琳去讨救兵,只不过支使她开去,逃得性命。

费彬长剑晃动,剑尖向令狐冲右侧攻刺到。令狐冲斜身急避。费彬刷刷刷连环三剑,攻得他险象环生。仪琳大急,忙抽出腰间断剑,向费彬肩头刺去,叫道:"令狐大哥,你身上有伤,快快退下。"

费彬哈哈一笑,道:"小尼姑动了凡心啦,见到英俊少年,自己命也不要了。"挥剑直斩,当的一声响,双剑相交,仪琳手中断剑登时脱手而飞。费彬长剑挑起,指向她的心口。费彬眼见要杀的有五人之多,虽然个个无甚抵抗之力,但夜长梦多,只须走脱了一个,便有无穷后患,是以出手便下杀招。

令狐冲和身扑上,左手双指插向费彬眼珠。费彬双足急点,向后跃开,长剑拖回时乘势一带,在令狐冲左臂上划了长长一道口子。

令狐冲拚命扑击，救得仪琳的危难，却也已喘不过气来，身子摇摇欲坠。仪琳抢上去扶住，哽咽道："让他把咱们一起杀了！"令狐冲喘息道："你……你快走……"

曲非烟笑道："傻子，到现在还不明白人家的心意，她要陪你一块儿死……"一句话没说完，费彬长剑送出，已刺入了她的心窝。

曲洋、刘正风、令狐冲、仪琳齐声惊呼。

费彬脸露狞笑，向着令狐冲和仪琳缓缓踏上一步，跟着又踏前了一步，剑尖上的鲜血一滴滴的滴落。

令狐冲脑中一片混乱："他……他竟将这小姑娘杀了，好不狠毒！我这也就要死了。仪琳师妹为甚么要陪我一块死？我虽救过她，但她也救了我，已补报了欠我之情。我跟她以前素不相识，不过同是五岳剑派的师兄妹，虽有江湖上的道义，却用不着以性命相陪啊。没想到恒山派门下弟子，居然如此顾全武林义气，定逸师太实是个了不起的人物，嘿，是这个仪琳师妹陪着我一起死，却不是我那灵珊小师妹。她……她这时候在干甚么？"眼见费彬狞笑的脸渐渐逼近，令狐冲微微一笑，叹了口气，闭上了眼睛。

忽然间耳中传入几下幽幽的胡琴声，琴声凄凉，似是叹息，又似哭泣，跟着琴声颤抖，发出瑟瑟瑟断续之音，如是一滴滴小雨落上树叶。令狐冲大为诧异，睁开眼来。

费彬心头一震："潇湘夜雨莫大先生到了。"但听胡琴声越来越凄苦，莫大先生却始终不从树后出来。费彬叫道："莫大先生，怎地不现身相见？"

琴声突然止歇，松树后一个瘦瘦的人影走了出来。令狐冲久闻"潇湘夜雨"莫大先生之名，但从未见过他面，这时月光这下，只见他骨瘦如柴，双肩拱起，真如一个时时刻刻便会倒毙的痨病鬼,没想到大名满江湖的衡山派掌门,竟是这样一个形容猥琐之人。莫大先生左手握着胡琴,双手向费彬拱了拱,说道:"费师兄,左盟主好。"

费彬见他并无恶意,又素知他和刘正风不睦,便道:"多谢莫大先生,俺师哥好。贵派的刘正风和魔教妖人结交,意欲不利我五岳剑派。莫大先生,你说该当如何处置?"

莫大先生向刘正风走近两步,森然道:"该杀!"这"杀"字刚出口,寒光陡闪,手中已多了一柄又薄又窄的长剑,猛地反刺,直指费彬胸口。这一下出招快极,抑且如梦如幻,正是"百变千幻衡山云雾十三式"中的绝招。费彬在刘府曾着了刘正风这门武功的道儿,此刻再度中计,大骇之下,急向后退,嗤的一声,胸口已给利剑割了一道长长的口子,衣衫尽裂,胸口肌肉也给割伤了,受伤虽然不重,却已惊怒交集,锐气大失。

费彬立即还剑相刺,但莫大先生一剑既占先机,后着绵绵而至,一柄薄剑犹如灵蛇,颤动不绝,在费彬的剑光中穿来插去,只逼得费彬连连倒退,半句喝骂也叫不出口。

曲洋、刘正风、令狐冲三人眼见莫大先生剑招变幻,犹如鬼魅,无不心惊神眩。刘正风和他同门学艺,做了数十年师兄弟,却也万万料不到师兄的剑术竟一精至斯。

一点点鲜血从两柄长剑间溅了出来,费彬腾挪闪跃,竭力招架,始终脱不出莫大先生的剑光笼罩,鲜血渐渐在二人身周溅成了一个红圈。猛听得费彬长声惨呼,高跃而起。莫大先生退后两步,将长剑插入胡琴,转身便走,一曲"潇湘夜雨"在松树后响起,渐渐远去。

费彬跃起后便即摔倒,胸口一道血箭如涌泉般向上喷出,适才派战,他运起了嵩山派内力,胸口中剑后内力未消,将鲜血逼得从伤口中急喷而出,既诡异,又可怖。

仪琳扶着令狐冲的手臂,只吓得心中突突乱跳,低声问道:"你没受伤罢?"

曲洋叹道:"刘贤弟,你曾说你师兄弟不和,没想到他在你临危之际,出手相救。"刘正风道:"我师哥行为古怪,教人好生难料。我和他不睦,决不是为了甚么贫富之见,只是说甚么也性子不投。"曲洋摇了摇头,说道:"他剑法如此之精,但听奏胡琴一味凄苦,引人下泪,未免太也俗气,脱不了市井的味儿。"刘正风道:"是啊,师哥奏琴往而不复,曲调又是尽量往哀伤的路上走。好诗好词讲究乐而不淫,哀而不伤,好曲子何尝不是如此?我一听到他的胡琴,就想避而远之。"

令狐冲心想:"这二人爱音乐入了魔,在这生死关头,还在研讨甚么哀而不伤,甚么风雅俗气。幸亏莫大师伯及时赶到,救了我们性命,只可惜曲家小姑娘却给费彬害死了。"

只听刘正风又道:"但说到剑法武功,我却万万不及了。平日我对他颇失恭敬,此时想来,实在好生惭愧。"曲洋点头道:"衡山掌门,果然名不虚传。"转头向令狐冲道:"小兄弟,我有一事相求,不知你能答允么?"

令狐冲道:"前辈但有所命,自当遵从。"

曲洋向刘正风望了眼,说道:"我和刘贤弟醉心音律,以数年之功,创制了一曲《笑傲江湖》,自信此曲之奇,千古所未有。今后纵然世上再有曲洋,不见得又有刘正风,有刘正风,不见得又有曲洋。就算又有曲洋、刘正风一般的人物,二人又未必生于同时,相遇结交,要两个既精音律,又精内功之人,志趣相投,修为相若,一同创制此曲,实是千难万难了。此曲绝响,我和刘贤弟在九泉之下,不免时发浩叹。"他说到这里,从怀中摸出一本册子来,说道:"这是《笑傲江湖曲》的琴谱箫谱,请小兄弟念着我二人一番心血,将这琴谱箫谱携至世上,觅得传人。"

刘正风道:"这《笑傲江湖曲》倘能流传于世,我和曲大哥死也瞑目了。"

令狐冲躬身从曲洋手中接过曲谱,放入怀中,说道:"二位放心,晚辈自当尽力。"他先前听说曲洋有事相求,只道是十分艰难危险之事,更担心去办理此事,只怕要违犯门规,得罪正派中的同道,但在当时情势之下却又不便不允,哪知只不过是要他找两个人来学琴学箫,登时大为宽慰,轻轻吁了口气。

刘正风道:"令狐贤侄,这曲子不但是我二人毕生心血之所寄,还关联到一位古人。这《笑傲江湖曲》中间的一大段琴曲,是曲大哥依据晋人嵇康的《广陵散》而改编的。"

曲洋对此事甚是得意,微笑道:"自来相传,嵇康死的,《广陵散》从此绝响,你可猜得到我却又何处得来?"

令狐冲寻思:"音律之道,我一窍不通,何况你二人行事大大的与众不同,我又怎猜得到。"便道:"尚请前辈赐告。"

曲洋笑道:"嵇康这个人,是很有点意思的,史书上说他'文辞壮丽,好言老庄而尚奇任侠',这性子很对我的脾胃。钟会当时做大官,慕名去拜访他,嵇康自顾自打铁,不予理会。钟会讨了个没趣,只得离去。嵇康问他:'何所闻而来,何所见而去?'钟会说:'闻所闻而来,见所见而去。'钟会这家伙,也算得是个聪明才智之士了,就可惜胸襟太小,为了这件事心中生气,向司马昭说嵇康的坏话,司马昭便把嵇康杀了。嵇康临刑时抚琴一曲,的确很有气度,但他说"广陵散"从此绝矣",这句话却未免把后世之人都看得小了。这曲子又不是他作的。他是西晋时人,此曲就算西晋之后失传,难道在西晋之前也没有了吗?"

令狐冲不解,问道:"西晋之前?"曲洋道:"是啊!我对他这句话挺不服气,便去发掘西汉、东汉两朝皇帝和大臣的坟墓,一连掘二十九座古墓,终于在蔡邕的墓中,觅到了《广陵散》的曲谱。"说罢呵呵大笑,甚是得意。

令狐冲心下骇异:"这位前辈为了一首琴曲,竟致去连掘二十九座古墓。"

只见曲洋笑容收敛,神色黯然,说道:"小兄弟,你是正教中的名门大弟子,我本来不该托你,只是事在危急,迫不得已的牵累于你,莫怪莫怪。"转头向刘正风道:"兄弟,咱们这就可以去了。"刘正风道:"是!"伸出手来,两人双手相握,齐声长笑,内力运处,迸断内息主脉,闭目而逝。

令狐冲吃了一惊,叫道:"前辈,刘师叔。"伸手去探二人鼻息,已无呼吸。

仪琳惊道:"他们……他们都死了?"令狐冲点点头,说道:"师妹,咱们赶快将四个人的尸首埋了,免得再有人寻来,另生枝节。费彬为莫大先生所杀之事,千万不可泄漏半点风声。"他说到这里,压低了声音,道:"此事倘若泄漏了出去,莫大先生自然知道是咱们两人说出去的,祸患那可不小。"仪琳道:"是。如果师父问起,我说不说?"令狐冲道:"跟谁都不能说。你一说,莫大先生来跟你师父斗剑,岂不糟糕?"仪琳想到适才所见莫大先生的剑法,忍不住打了个寒噤,忙道:"我不说。"

令狐冲慢慢俯身,拾起费彬的长剑,一剑又一剑的在费彬的尸体上戳了十七八个窟窿。仪琳心中不忍,说道:"令狐大哥,他人都死了,何必还这般恨他,糟蹋他的尸身?"令狐冲笑道:"莫大先生的剑刃又窄又薄,行家一看到费师叔的伤口,便知是谁下的手。我不是糟蹋他尸身,是将他身上每一个伤口都通得乱七八糟,教谁也看不出线索。"

仪琳叹了口气,心想:"江湖上偏有这许多心机,真……真是难得很了。"见令狐冲抛下长剑,拾起石块,往费彬的尸身上抛去,忙道:"你别动,坐下来休息,我来。"拾起石块,轻轻放在费彬尸身上,倒似死尸尚有知觉,生怕压痛了他一般。

她执拾石块,将刘正风等四具尸体都掩盖了,向着曲非烟的石坟道:"小妹子,你倘若不是为了我,也不人遭此危难。但盼你升天受福,来世转为男身,多积功德福报,终于能到西方极乐世界,南无阿弥陀佛,南无救苦救难观世音菩萨……"

令狐冲倚石而坐,想到曲非烟于自己有救命之恩,小小年纪,竟无辜丧命,心下也甚伤感。他素不信佛,但忍不住跟着仪琳念了几句"南无阿弥陀佛"。

歇了一会,令狐冲伤口疼痛稍减,从怀中取出《笑傲江湖》曲谱,翻了开来,只见全书满是古古怪怪的奇字,竟一字不识。他所识文字本就有限,不知七弦琴的琴谱本来都是奇形怪字,还道谱中文字古奥艰深,自己没有读过,随手将册子往怀中一揣,仰起头来,吁了一口长气,心想:"刘师叔结交朋友,将全副身家性命都为朋友而送了,虽然结交的是魔教中长老,但两人肝胆义烈,都不愧为铁铮铮的好汉子,委实令人钦佩。刘师叔今天金盆洗手,要退出武林,却不知如何,竟和嵩山派结下了冤仇,当真奇怪。"

正想到此处,忽见西北角上青光闪了几闪,剑路纵横,一眼看去甚是熟悉,似是本门高手和人斗剑,他心中一凛,道:"小师妹,你在这里等我片刻,我过去一会儿便回来。"仪琳兀自在堆砌石坟,没看到那青光,还道他是要解手,便点了点头。

令狐冲撑着树枝,走了十几步,拾起费彬的长剑插在腰间,向着青光这处走去。走了一会,已隐隐听到兵刃撞击之声,密如联珠,斗得甚是紧迫,寻思:"本门哪一位尊长在和人动手?居然斗得这么久,显然对方也是高手了。"

他伏低了身子,慢慢移近,耳听得兵刃相交声相跟不远,当即躲在一株大树之后,向外张望,月光下只见一个儒生手执长剑,端立当地,正是师父岳不群,一个矮小道人绕着他快速无伦的旋转,手中长剑疾刺,每绕一个圈子,便刺出十余剑,正是青城派掌门余沧海。

令狐冲陡然间见到师父和人动手,对手又是青城派掌门,不由得大是兴奋,但见师父气度闲雅,余沧海每一剑刺到,他总是随手一格,余沧海转到他身后,他并不跟着转身,只是挥剑护住后心。余沧海出剑越来越快,岳不群却只守不攻。令狐冲心下佩服:"师父在武林中人称'君子剑',果然蕴藉儒雅,与人动手过招也是毫无霸气。"又看了一会,再想:"师父所以不动火气,只因他不但风度甚高,更由于武功甚高之故。"

岳不群极少和人动手,令狐冲往常见到他出手,只是和师母过招,向门人弟子示范,那只是假打,此番真斗自是大不相同;又见余沧海每剑之出,都发出极响的嗤嗤之声,足见剑力强劲。令狐冲心下暗惊:"我一直瞧不起青城派,哪知这矮道士竟如此了得,就算我没受伤,也决不是他对手,下次撞到,倒须小心在意,还是尽早远而避之的为妙。"

又瞧了一阵,只见余沧海愈转愈快,似乎化作一圈青影,绕着岳不群转动,双剑相交声实在太快,已是上一声和下一声连成一片,再不是叮叮当当,而是化成了连绵的长声。令狐冲道:"倘若这几十剑都是向我身上招呼,只怕我一剑也挡不掉,全身要给他刺上几十个透明窟窿了。这矮道士比之田伯光,似乎又要高出半筹。"眼见师父仍然不转攻势,不由得暗暗担忧:"这矮道士的剑法当真了得,师父可别一个疏神,败在他的剑下。"猛听得铮的一声大响,余沧海如一枝箭般向后平飞丈余,随即站定,不知何时已将长剑入鞘。令狐冲吃了一惊,看师父时,只见他长剑也已入鞘，一声不响的稳站当地。这一下变故来得太快，令狐冲竟没瞧出到底谁胜谁败，不知有否哪一人受了内伤。

二人凝立半晌，余沧海冷哼一声，道："好，后会有期！"身形飘动，便向右侧奔去。岳不群大声道："余观主慢走！那林震南夫妇怎么样了？"说着身形一晃，追了下去，余音未了，两人身影皆已杳然。

令狐冲从两人语意之中，已知师父胜过了余沧海，心中暗喜，他重伤之余，这番劳顿，甚感吃力，心忖："师父追赶余沧海去了。他两人展开轻功，在这片刻之间，早已在数里之外！"他撑着树枝，想走回去和仪琳会合，突然间左首树林中传出一下长声惨呼，声音甚是凄厉。令狐冲吃了一惊，向树林走了几步，见树隙中隐隐现出一堵黄墙，似是一座庙宇。他担心是同门师弟妹和青城派弟子争斗受伤，快步向那黄墙处行去。

离庙尚有数丈，只听得庙中一个苍老而尖锐的声音说道："那辟邪剑谱此刻在哪里？你只须老老实实的跟我说了，我便替你诛灭青城派全派，为你夫妇报仇。"令狐冲在群玉院床上，隔窗曾听到过这人说话，知道是塞北明驼木高峰，寻思："师父正在找寻林震夫妻的下落，原来这两人却落入了木高峰的手中。"

只听一个男子声音说道："我不知有甚么辟邪剑谱。我林家的辟邪剑法世代相传，都是口授，并无剑谱。"令狐冲心道："说这话的，自必定林师弟的父亲，是福威镖局总镖师林震南。"又听他说道："前辈肯为在下报仇，自是感激不尽。青城派余沧海多行不义，日后必无好报，就算不为前辈所诛，也必死于另一位英雄好汉的刀剑之下。"

木高峰道："如此说来，你是不肯说的了。'塞北明驼'的名头，或许你也听见过。"林震南道："木前辈威震江湖，谁人不知，哪个不晓?"木高峰道:"很好,很好!威震江湖,倒也不见得,但姓木的下手狠辣,从来不发善心,想来你也听到过。"林震南道:"木前辈意欲对林某用强,此事早在预料之中。莫说我林家并无辟邪剑谱,就算真的有,不论别人如何威胁利诱,那也决计不会说出来。林某自遭青城派擒获,无日不受酷刑,林某武功虽低,几根硬骨头却还是有的。"木高峰道:"是了,是了,是了!"

令狐冲在庙外听着,寻思:"甚么'是了,是了'? 嗯,是了,原来如此。"

果然听得木高峰续道:"你自夸有硬骨头,熬得住酷刑,不论青城派的矮鬼牛鼻子如何逼迫于你,你总是坚不吐露。倘若你林家根本就无辟邪剑谱,那么你不吐露,只不过是无可吐露,谈不上硬骨头不硬骨头。是了,你辟邪剑谱是有的,就是说甚么也不肯交出来。"过了半晌,叹道:"我瞧你实在蠢得厉害。林总镖头,你为甚么死也不肯交剑谱出来?这剑谱于你半分好处也没有。依我看啊,这剑谱上所记的剑法,多半平庸之极,否则你为甚么连青城派的几名弟子也斗不过? 这等武功,不提也罢。"

林震南道:"是啊,木前辈说得不错,别说我没辟邪剑谱,就算真的有,这等稀松平常的三脚猫剑法,连自己身家性命也保不住,木前辈又怎会瞧在眼里?"

木高峰笑道:"我只是好奇,那矮鬼牛鼻子如此兴师动众,苦苦逼你,看来其中必有甚么古怪之处。说不定那剑谱中所记的剑法倒是高的,只因你资质鲁钝,无法领悟,这才辱没了你林家祖上的英名。你快拿出来,给我老人家看上一看,指出你林家辟邪剑法的好处来,教天下英雄尽皆知晓,岂不是于你林家的声名大有好处?"林震南道:"木前辈的好意,在下只有心领了。你不妨在我全身搜搜,且看是否有那辟邪剑谱。"木高峰道:"那倒不用。你遭青城派擒获,已有多日,只怕他们在你身上没搜过十遍,也搜过八遍。林总镖头,我觉得你愚蠢得紧,你明不明白?"林震南道:"在下确是愚蠢得紧,不劳前辈指点,在下早有自知之明。"木高峰道:"不对,你没明白。或许林夫人能够明白,也未可知。爱子安心,慈母往往胜过严父。"

林夫人尖声道:"你说甚么? 那跟我平儿又有甚么干系? 平儿怎么了? 他……他在哪里?"木高峰道:"林平之这小子聪明伶俐,老夫一见就很喜欢,这孩子倒也识趣,知道老夫功夫厉害,便拜在老夫门下了。"林震南道:"原来我孩子拜了木前辈为师,那真是他的造化。我夫妇遭受酷刑,身受重伤,性命已在顷刻之间,盼木前辈将我孩儿唤来,和我夫妇见上一面。"木高峰道:"你要孩子送终,那也是人之常情,此事不难。"林夫人道:"平儿在哪儿? 木前辈,求求你,快将我孩子叫来,大恩大德,永不敢忘。"木高峰道:"好,这我就去叫,只是木高峰素来不受人差遣,我去叫你儿子来,那是易如反掌,你们却须先将辟邪剑谱的所在,老老实实的跟我说。"

林震南叹道:"木前辈当真不信,那也无法。我夫妇命如悬丝,只盼和儿子再见一面,眼见已难以如愿。如果真有甚么辟邪剑谱,你就算不问,在下也会求前辈转告我孩儿。"

木高峰道:"是啊,我说你愚蠢,就是为此。你心脉已断,我不用在你身上加一根小指头儿,你也活不上一时三刻了。你死也不肯说剑谱的所在,那为了甚么?自然是为了要保全林家的祖传功夫。可是你死了之后,林家只剩下林平之一个孩儿,倘若连他也死了,世上徒有剑谱,却无林家的子孙去练剑,这剑谱留在世上,对你林家又有甚么好处?"

林夫人惊道:"我孩儿……我孩儿安好吧?"木高峰道:"此刻自然是安好无恙。你们将剑谱的所在说了出来,我取到之后,保证交给你的孩儿,他看不明白,我还可从旁指点,免得像林总镖头一样,钻研了一世辟邪剑法,临到老来,还是莫名其妙,一窍不通。那不是比之将你孩儿一掌劈死为高么?"跟着只听得喀喇喇一声响,显是他一掌将庙中一件大物劈得垮了下来。

林夫人惊声问道:"怎……怎么将我孩儿一掌劈死?"木高峰哈哈一笑,道:"林平之是我徒儿,我要他活,他便活着,要他死,他便死了。我喜欢甚么时候将他一掌劈死,便提掌劈将过去。"喀喇、喀喇几声响,他又以掌力击垮了甚么东西。

林震南道:"娘子,不用多说了。咱们孩儿不会是在他手中,否则的话,他怎地不将他带来,在咱们面前威迫?"

木高峰哈哈大笑,道:"我说你蠢,你果然蠢得厉害。'塞北明驼'要杀你的儿子,有甚么难?就说此刻他不在我手中,我当真决意去找他来杀,难道还办不到?姓木的朋友遍天下,耳目众多,要找你这个宝贝儿子,可说是不费吹灰之力。"

林夫人低声道:"相公,倘若他真要找我们儿子晦气……"木高峰接口道:"是啊,你们说了出来,即使你夫妇性命难保,留下了林之平这孩子一脉香烟,岂不是好?"

林震南哈哈一笑,说道:"夫人,倘若我们将辟邪剑谱的所在说了给他听,这驼子第一件事,便是去取剑谱;第二件事便是杀咱们的孩儿。倘若我们不说,这驼子要得剑谱,非保护平儿性命周全不可,平儿一日不说,这驼子便一日不敢伤他,此中关窍,不可不知。"

林夫人道:"不错,驼子,你快把我们夫妇杀了罢。"

令狐冲听到此处,心想木高峰已然大怒,再不设法将他引开,林震南夫妇性命难保,当即朗声道:"木前辈,华山派弟子令狐冲奉业师之命,恭请木前辈移驾,有事相商。"

木高峰狂怒之下,举起了手掌,正要往林震南头顶击落,突然听得令狐冲在庙外朗声说话,不禁吃了一惊。他生平极少让人，但对华山掌门岳不群却颇为忌惮，尤其在"群玉院"外亲身领略过岳不群"紫霞神功"的厉害。他向林震南夫妇威逼，这种事情自为名门正派所不齿，岳不群师徒多半已在庙外窃听多时，心道："岳不群叫我出去有甚么事情相商？还不是明着好言相劝，实则是冷嘲热讽，损我一番。好汉不吃眼前亏，及早溜开的为是。"当即说道："木某另有要事，不克奉陪。便请拜上尊师，何时有暇，请到塞北来玩玩，木某人扫榻恭候。"说着双足一登，从殿中窜到天井，左足在地下轻轻一点，已然上了屋顶，跟着落于庙后，唯恐给岳不群拦住质问，一溜烟般走了。

令狐冲听得他走远，心下大喜，寻思："这驼子原来对我师父如此怕得要死。他倘若真的不走，要向我动粗，倒是凶险得紧。"当下撑着树枝，走进土地庙中，殿中黑沉沉的并无灯烛，但见一男一女两个人影，半坐半卧的倚傍在一起，当即躬身说道："小侄是华山派门下令狐冲，现在与平之师弟已有同门之谊，拜上林伯父、林伯母。"

林震南喜道："少侠多礼，太不敢当。老朽夫妇身受重伤，难以还礼，还请恕罪。我那孩儿，确是拜在华山派岳大侠的门下了吗？"说到最后一句话时语音已然发颤。岳不群的名气在武林中比余沧海要响得多。林震南为了巴结余沧海，每年派人送礼，但岳不群等五岳剑派的掌门人，林震南自知不配结交，连礼也不敢送，眼见木高峰凶神恶煞一般，但一听到华山派的名头，立即逃之夭夭，自己儿子居然有幸拜入华山派门中，实是不胜之喜。

令狐冲道："正是。那驼子木高峰想强收令郎为徒，令郎执意不允，那驼子正欲加害，我师父恰好经过，出手救了。令郎苦苦相求，要投入我门，师父见他意诚，又是可造之材，便答允了。适才我师父和余沧海斗剑，将他打得服输逃跑，我师父追了下去，要查问伯父、伯母所在。想不到两位竟在这里。"

林震南道:"但愿……但愿平儿即刻到来才好,迟了……迟了可来不及啦。"

令狐冲见他说话出气多而入气少,显是命在顷刻,说道:"林伯父,你且莫说话。我师父和余沧海算了帐后,便会前来找你,他老人家必有医治你的法子。"

林震南苦笑了一下,闭上了双目,过了一会,低声道:"令狐贤弟,我……我……是不成的了。平儿得在华山派门下,我实是大喜过望,求……求你日后多……多加指点照料。"令狐冲道:"伯父放心,我们同门学艺,便如亲兄弟一般。小侄今日更受伯父嘱咐,自当对林师弟加意照顾。"林夫人插口道:"令狐少侠的大恩大德,我夫妇便死在九泉之下,也必时时刻刻记得。"令狐冲道:"请两位凝神静养,不可说话。"

林震南呼吸急促,断断续续的道:"请……请你告诉我孩子,福州向阳巷老宅地窖中的物事,是……我林家祖传之物,须得……须得好好保管,但……但他曾祖远图公留有遗训,凡我子孙,不得翻看,否则有无穷祸患,要……要他好好记住了。"令狐冲点头道:"好,这几句话我传到便是。"林震南道:"多……多……多……"一个"谢"字始终没说出口,已然气绝。他先前苦苦支撑,只盼能见到儿子,说出心中这句要紧言语,此刻得令狐冲应允传话,又知儿子得了极佳的归宿,大喜之下,更无牵挂,便即撒手而逝。

林夫人道:"令狐少侠,盼你叫我孩儿不可忘了父母的深仇。"侧头向庙中柱子的石阶上用力撞去。她本已受伤不轻,这么一撞,便亦毙命。

令狐冲叹了口气,心想:"余沧海和木高峰逼他吐露辟邪剑谱的所在,他宁死不说,到此刻自知大限已到,才不得不托我转言。但他终于怕我去取了他林家的剑谱,说甚么'不得翻看,否则有无穷祸患'。嘿嘿,你当令狐冲是甚么人了,会来觊觎你林家的剑谱?当真以小人之心……"此时疲累已极,当下靠柱坐地,闭目养神。

过了良久,只听庙外岳不群的声音说道:"咱们到庙里瞧瞧。"令狐冲叫道:"师父,师父!"岳不群喜道:"是冲儿吗?"令狐冲道:"是!"扶着柱子慢慢站起身来。

这时天将黎明,岳不群进庙见到林氏夫妇的尸身,皱眉道:"是林总镖头夫妇?"令狐冲道:"是!"当下将木高峰如何逼迫、自己如何以师父之名将他吓走、林氏夫妇如何不支逝世等情一一说了,将林震南最后的遗言也禀告了师父。

岳不群沉吟道:"嗯,余沧海一番徒劳,作下的罪孽也真不小。"令狐冲道:"师父,余矮子向你赔了罪么?"岳不群道:"余观主脚程快极,我追了好久,没能追上,反而越离越远。他青城派的轻功,确是胜我华山一筹。"令狐冲笑道:"他青城派屁股向后、逃之夭夭的功夫,原比别派为高。"岳不群脸一沉,责道:"冲儿,你就是口齿轻薄,说话没点正经,怎能作众师弟师妹的表率?"令狐冲转过了头,伸了伸舌头,应道:"是!"

岳不群道:"你答应便答应,怎地要伸一伸舌头,岂不是其意不诚?"令狐冲应道:"是!"他自幼由岳不群抚养长大,情若父子,虽对师父敬畏,却也并不如何拘谨,笑问:"师父你怎知我伸了伸舌头?"岳不群哼了一声,说道:"你耳下肌肉牵动,不是伸舌头是甚么?你无法无天,这一次可吃了大亏啦!伤势可好了些吗?"令狐冲道:"是,好得多了。"又道:"吃一次亏,学一次乖!"

岳不群哼了一声,道:"你早已乖成精了,还不够乖?"从怀中取出一个火箭炮来,走到天井之中,晃火折点燃了药引,向上掷出。

火箭炮冲天飞上，砰的一声响，爆上半天，幻成一把银白色的长剑，在半空中停留了好一会，这才缓缓落下，下降十余丈后，化为满天流星。这是华山掌门召集门人的信号火箭。

　　过不到一顿饭时分，便听得远处有脚步声响，向着土地庙奔来，不久高根明在庙外叫道："师父，你老人家在这里么？"岳不群道："我在庙里。"高根明奔进庙来，躬身叫道："师父！"见到令狐冲在旁，喜道："大师哥，你身子安好，听到你受了重伤，大伙儿可真担心得紧。"令狐冲微笑道："总算命大，这一次没死。"

　　说话之间，隐隐又听到了远处脚步之声，这次来的是劳德诺和陆大有。陆大有一见令狐冲，也不及先叫师父，冲上去就一把抱住，大叫大嚷，喜悦无限。跟着三弟子梁发和四弟子施戴子先后进庙。又过了一盏茶功夫，七弟子陶钧、八弟子英白罗、岳不群之女岳灵珊、以及方入门的林平之一同到来。

　　林平之见到父母的尸身，扑上前去，伏在尸身上放声大哭。众同门无不惨然。

　　岳灵珊见到令狐冲无恙，本是惊喜不胜，但见林平之如此伤痛，却也不便即向令狐冲说甚么喜欢的话，走近身去，在他右手上轻轻一握，低声道："你……你没事么？"令狐冲道："没事！"

　　这几日来，岳灵珊为大师哥担足了心事，此刻乍然相逢，数日来积蓄的激动再也难以抑制，突然拉住他衣袖，哇的一声哭了出来。

　　令狐冲轻轻拍她肩头，低声道："小师妹，怎么啦？有谁欺侮你了，我去给你出气！"岳灵珊不答，只是哭泣，哭了一会，心中舒畅，拉起令狐冲的衣袖来擦了擦眼泪，道："你没死，你没死！"令狐冲摇头道："我没死！"岳灵珊道："听说你又给青城派那余沧海打了一掌，这人的摧心掌杀人不见血，我亲眼见他杀过不少人，只吓得我……吓得我……"想起这几日中柔肠百结，心神煎熬之苦,忍不住眼泪簌簌的流下。

令狐冲微笑道:"幸亏他那一掌没打中我。刚才师佼打得余沧海没命价飞奔,那才教好看呢,就可惜你没瞧见。"

岳不群道:"这件事大家可别跟外人提起。"令狐冲等众弟子齐声答应。

岳灵珊泪眼模糊的瞧着令狐冲,只见他容颜憔悴,更无半点血色,心下甚为怜惜,说道:"大师哥,你这次……你这次受伤可真不轻,回山后可须得好好将养才是。"

岳不群见林平之兀自伏在父母尸身上哀哀痛哭,说道:"平儿,别哭了,料理你父母的后事要紧。"林平之站起身来,应道:"是!"眼见母亲头脸满是鲜血,忍不住眼泪又簌簌而下,哽咽道:"爹爹、妈妈去世,连最后一面也见不到我,也不知……也不知他们有甚么话要对我说。"

令狐冲道:"林师弟,令尊令堂去世之时,我是在这里。他二位老人家要我照料于你,那是应有之义,倒也不须多嘱。令尊另外有两句话,要我向你转告。"

林平之躬身道:"大师哥,大师哥……爹爹、妈妈去世这时,有你相伴,不致身旁连一个人也没有,小弟……小弟实在感激不尽。"

令狐冲道:"令尊令堂为青城派的恶徒狂加酷刑,逼问辟邪剑谱的所在,两位老人家绝不稍屈,以致被震断了心脉。后来那木高峰又逼迫他二位老人家,木高峰本是无行小人,那也罢了。余沧海枉为一派宗师,这等行为卑污,实为天下英雄所不齿。"

林平之咬牙切齿的道:"此仇不报,林平之禽兽不如!"挺拳重重击在柱子之上。他武功平庸,但因心中愤激,这一拳打得甚是有力,只震得梁上灰尘簌簌而落。

岳灵珊道:"林师弟,此事可说由我身上起祸,你将来报仇,做师姊的决不会袖手。"林平之躬身道:"多谢师姊。"

岳不群叹了口气,说道:"我华山派向来的宗旨是'人不犯我,我不犯人',除了跟魔教是死对头之外,与武林中各门各派均无嫌隙。但自今而后,青城派……青城派……唉,既是身涉江湖,要想事事都不得罪人,那是谈何容易?"

劳德诺道:"小师妹,林师弟,这桩祸事,倒不是由于林师弟打抱不平而杀了余沧海的孽子,完全因余沧海觊觎林师弟的家传辟邪剑谱而起。当年青城派掌门长青子败在林师弟曾祖远图公的辟邪剑法之下,那时就已种下祸胎了。"

岳不群道:"不错,武林中争强好胜,向来难免,一听到有甚么武林秘笈,也不理会是真是假,便都不择手段的去巧取豪夺。其实,以余观主、塞北明驼那样身分的高手,原不必更去贪图你林家的剑谱。"林平之道:"师父,弟子家里实在没甚么辟邪剑谱。这七十二路辟邪剑法,我爹爹手传口授,要弟子用心记忆,倘若真有甚么剑谱,我爹爹就算不向外人吐露,却决无向弟子守秘之理。"岳不群点头道:"我原不信另有甚么辟邪剑谱,否则的话,余沧海就不是你爹爹的对手,这件事再明白也没有的了。"

令狐冲道:"林师弟,令尊的遗言说道:福州向阳巷……"

岳不群摆手道:"这是平儿令尊的遗言,你单独告知平儿便了,旁人不必知晓。"令狐冲应道:"是。"岳不群道:"德诺、根明,你二人到衡山城中去买两具棺木来。"

收殓林震南夫妇后,雇了人夫将棺木抬到水边,一行人乘了一艘大船,向北进发。

到得豫西,改行陆道。令狐冲躺在大车之中养伤,伤势日渐痊愈。

不一日到了华山玉女峰下。林震南夫妇的棺木暂厝在峰侧的小庙之中，再行择日安葬。高明根和陆大有允行上峰报讯，华山派其余二十多史弟子都迎下峰来，拜见师父。林平之见这些弟子年纪大的已过三旬，年幼的不过十五六岁，其中有六名女弟子，一见到岳灵珊，便都咭咭咯咯的说个不休。劳德诺替林平之一一引见。华山派规矩以入门先后为序，因此就算是年纪最幼的舒奇，林平之也得称他一声师兄。只有岳灵珊是例外，她是岳不群的女儿，无法列入门徒之序，只好按年纪称呼，比她大的叫她师妹。她本来比林平之小着好几岁，但一定争着要做师姊，岳不群既不阻止，林平之便以"师姊"相称。

上得峰来，林平之跟在众师兄之后，但见山势险峻，树木清幽，鸟鸣嘤嘤，流水淙淙，四五座粉墙大屋依着山坡或高或低的构筑。

一个中年美妇缓步走近，岳灵珊飞奔着过去，扑入她的怀中，叫道："妈，我又多了个师弟。"一面笑，一面伸手指着林平之。

林平之早听师兄们说过，师娘岳夫人宁中则和师父本是同门师兄妹，剑术之精，不在师父之下，忙上前叩头，说道："弟子林平之叩见师娘。"

岳夫人笑吟吟的道："很好！起来，起来。"向岳不群笑道："你下山一次，若不搜罗几件宝贝回来，一定不过瘾。这一次衡山大会，我猜想我至少要收三四个弟子，怎么只收一个？"岳不群笑道："你常说兵贵精不贵多，你瞧这一个怎么样？"岳夫人笑道："就是生得太俊了，不像是练武的胚子。不如跟着你念四书五经，将来去考秀才、中状元罢。"林平之脸上一红，心想："师娘见我生得文弱，便有轻视之意。我非努力用功不可，决不能赶不上众位师兄，教人瞧不起。"岳不群笑道："那也好啊。华山派中要是出一个状元郎，那倒是千古佳话。"

岳夫人向令狐冲瞪了一眼，说道："又跟人打架受伤了，是不是？怎地脸色这样难看？伤得重不重?"令狐冲微笑道:"已经好得多了,这一次倘若不是命大,险些儿便见不着师娘。"岳夫人又瞪了他一眼,道:"好教你得知天外有天,人上有人,输得服气么?"令狐冲道:"田伯光那厮的快刀,冲儿抵挡不了,正要请师娘指点。"

岳夫人听说令狐冲是伤于田伯光之手,登时脸有喜色,点头道:"原来是跟田伯光这恶贼打架,那好得很啊,我还道你又去惹是生非的闯祸呢。他的快刀怎么样?咱们好好琢磨一下,下次再跟他打过。"一路上途中,令狐冲曾数次向师父请问破解田伯光快刀的法门,岳不群始终不说,要他回货山向师娘讨教,果然岳夫人一听之下,便即兴高采烈。

一行人走进岳不群所居的"有所不为轩"中,互道别来的种种遭遇。六个女弟子听岳灵珊述说在福州与衡山所见,大感艳羡。陆大有则向众师弟大吹大师哥如何力斗田伯光,如何手刃罗人杰,加油添酱,倒似田伯光被大师哥打败、而不是大师哥给他打得一败涂地一般。众人吃过点心,喝了茶,岳夫人便要令狐冲经划田伯光的刀法,又问他如何拆解。

令狐冲笑道:"田伯光这厮的刀法当真了得,当时弟子只瞧得眼花缭乱,拼命抵挡也不成,哪里还说得上拆解?"

岳夫人道:"你这小子既然抵挡不了,那必定是耍无赖、使诡计、混蒙了过去。"令狐冲自幼是她抚养长大,他的性格本领,岂有不知?

令狐冲脸上一红,微笑道:"那时在山洞外相斗,恒山派那位师妹已经走了,弟子心无牵挂,便跟田伯光这厮全力相拚。哪知斗不多久,他便使出快刀刀法来。弟子只挡了两招,心中便暗暗叫苦:'此番性命休矣!'当即哈哈大笑。田伯光收刀不发,问道:'有甚么好笑!你挡得了我这"飞沙走石"十三式刀法么?'"弟子笑道：'原来大名鼎鼎的田伯光，竟然是我华山派的弃徒，料想不到，当真料想不到！是了，定然你操守恶劣，给本派逐出了门墙。'田伯光道：'甚么华山派弃徒，胡说八道。田某武功另成一家，跟你华山派有个屁相干？'弟子笑道：'你这路刀法，共有一十三式，是不是？甚么"飞沙走石"，自己胡乱安上个好听名称。我便曾经见师父和师娘拆解过。那是我师娘在绣花时触机想出来的，我华山有座玉女峰，你听见过没有？'田伯光道：'华山有玉女峰，谁不知道，那又怎样？'我说：'我师娘创的剑法，叫做"玉女金针十三剑"，其中一招"穿针引线"，一招"天衣无缝"，一招"夜绣鸳鸯"。'弟子一面说，一面屈指计数，继续说道：'是了，你刚才那两招刀法，是从我师娘所创的第八招"织女穿梭"中化出来的。你这样雄赳赳的一个大汉，却学我师娘娇怯怯的模样，好似那如花如玉的天上织女，坐在布机旁织布，玉手纤纤，将梭子从这边掷过去，又从那边掷过来，千娇百媚，岂不令人好笑……'"他一番话没说完，岳灵珊和一份女弟子都已格格格的笑了起来。

岳不群莞尔而笑，斥道："胡闹，胡闹！"岳夫人"呸"了一声，道："你要乱嚼舌根，甚么不好说，却把你师娘给拉扯上了？当真该打。"

令狐冲笑道："师娘你不知道，那田伯光甚是自负，听得弟子将他比作女子，又把他这套神奇的刀法说成是师娘所创，他非辩个明白不可，决不会当时便将弟子杀了。果然他将那套刀法慢慢的一招招使了出来，使一招，问一句"'这是你师娘创的么？'弟子故作神秘，沉吟不语，心中暗记他的刀法，待他一十三式使完，才道：'你这套刀法，和我师娘所创的虽然小异，大致相同。你如何从华山派偷师学得，可真奇怪得很了。'田伯光怒道：'你挡不了我这套刀法，便花言巧语，拖时刻，想瞧明白我这套刀法的招式，我岂有不知？令狐冲，你说贵派也有这套刀法，便请施展出来，好

令田某开开眼界。'

"弟子说道：'敝派使剑不使刀，再说，我师娘这套"玉女金针剑"只传女弟子，不传男弟子。咱们堂堂男子汉大丈夫，却来使这等姐儿腔的剑法，岂不令武林中的朋友耻笑？'田伯光更加恼怒，说道：'耻笑也罢，不耻笑也罢，今日定要你承认，华山派其实并无这样一套武功。令狐兄，田某佩服你是个好汉，你不该如此信口开河，戏侮于我。'"

岳灵珊插口道："这等无耻恶贼，谁希罕他来佩服了？戏弄他一番，原是活该。"令狐冲道："但瞧他当时情景，我若不将这套杜撰的'玉女金针剑'试演一番，立时便有性命之忧，只得依着他的刀法，胡乱加上些扭扭捏捏的花招，演出出来。"岳灵珊笑道："你这些扭扭捏捏的花招，可使得像不像？"令狐冲笑道："平时瞧你使剑使得多了，又怎有不像之理？"岳灵珊道："啊，你笑人家使剑扭扭捏捏，我三天不睬你。"

岳夫人一直沉吟不语，这时才道："珊儿，你将佩剑给大师哥。"岳灵珊拔出长剑，倒转了剑把，交给令狐冲，笑道："妈要瞧你扭扭捏捏使剑的那副鬼模样。"岳夫人道："冲儿，别理珊儿胡闹，当时你是怎生使来？

令狐冲知道师娘要看的是田伯光的刀法，当下接过长剑，向师父、师娘躬身行礼，道："师父、师娘，弟子试演田伯光的刀招。"岳不群点了点头。

陆大有向林平之道："林师弟，咱们门中规矩，小辈在尊长面前使拳动剑，须得先行请示。"林平之道："是。多谢六师哥指点。"

只见令狐冲脸露微笑，懒洋洋的打个呵欠，双手软软的提起，似乎要伸个懒腰，突然间右腕陡振，接连劈出三剑，当真快似闪电，嗤嗤有声。众弟子都吃了一惊，几名女弟子不约而同的"啊"了一声。令狐冲长剑使了开来，恍似杂乱无章，但在岳不群与岳夫人眼中,数十招尽皆看得清清楚楚,只见每一劈刺、每一砍削,无不既狠且准。倏忽之间,令狐冲收剑而立,向师父、师娘躬身行礼。

岳灵珊微感失望,道:"这样快?"岳夫人点头道:"须得这样快才好。这一十三式快刀,每式有三四招变化,在这顷刻之间便使了四十余招,当真是世间少有的快刀。"令狐冲道:"田伯光那厮使出之时,比弟子还快得多了。"岳夫人和岳不群对望了一眼,心下均有惊叹之意。

岳灵珊道:"大师哥,怎地你一点也没扭扭捏捏?"令狐冲笑道:"这些日来,我时时想着这套快刀,使出时自是迅速了些。当日在荒山之中向田伯光试演,却没这般敏捷,而且既要故意与他的刀法似是而非,又得加上许多装模作样的女人姿态,那是更加慢了。"岳灵珊笑道:"你怎生搔首弄姿?快演给我瞧瞧!"

岳夫人侧过身来,从一名女弟子腰间拔出一柄长剑,向令狐冲道:"使快刀!"令狐冲道:"是!"嗤的一声,长剑绕过了岳夫人的身子,剑锋向她后腰勾了转来。岳灵珊惊呼:"妈,小心!"岳夫人弹身纵出,更不理会令狐冲从后削来的一剑,手中长剑径取令狐冲胸口,也是快捷无伦。岳灵珊又是惊呼:"大师哥,小心!"令狐冲也不挡架,反劈一剑,说道:"师娘,他还要快得多。"岳夫人刷刷刷连刺三剑,令狐冲同时还了三剑。两人以快打快,尽是进手招数,并无一招挡架防身。瞬息之间,师徒俩已拆了二十余招。

林平之只瞧得目瞪口呆,心道:"大师哥说话行事疯疯癫癫,武功却恁地了得,我以后须得片刻也不松懈的练功,才不致给人小看了。"

便在此时,岳夫人嗤的一剑,剑尖已指住了令狐冲咽喉。令狐冲无法闪避,说道:"他挡得住。"岳夫人道:"好!"手中长剑抖动,数招之后,又指住了令狐冲的心口。令狐冲仍道:"他挡得住。"意思说我虽挡不住，但田伯光的刀法快得多，这两招都能挡住。

二人越斗越快，令狐冲到得后来，已无暇再说"他挡得住"，每逢给岳夫人一剑制住，只是摇头示意，表明这一剑仍不能制得田伯光的死命。岳夫人长剑使得兴发，突然间一声清啸，剑锋闪烁不定，围着令狐冲身围疾刺，银光飞舞，众人看得眼都花了。猛地里她一剑挺出，直刺令狐冲心口，当真是捷如闪电，势若奔雷。令狐冲大吃一惊，叫道："师娘！"其时长剑剑尖已刺破他衣衫。岳夫人右手向前疾送，长剑护手已碰到令狐冲的胸膛，眼见这一剑是在他身上对穿而过，直没至柄。

岳灵珊惊呼："娘！"只听得叮叮当当之声不绝，一片片寸来长的断剑掉在令狐冲的脚边。岳夫人哈哈一笑，缩回手来，只见她手中的长剑已只剩下一个剑柄。

岳不群笑道："师妹，你内力精进如此，却连我也瞒过了。"他夫妇是同门结缡，年轻时叫惯了，成婚后仍是师兄妹相称。岳夫人笑道："大师兄过奖，雕虫小技，何足道哉！"

令狐冲瞧着地下一截截断剑，心下骇然，才知师娘这一剑刺出时使足了全力，否则内力不到，出剑难以如此迅捷，但剑尖一碰到肌肤，立即把这一股浑厚的内力缩了转来，将直劲化为横劲，剧震之下，登时将一柄长剑震得寸寸断折，这中间内劲的运用之巧，实已臻于化境，叹服这余，说道："田伯光刀法再快，也决计逃不过师娘这一剑。"

林平之见他一身衣衫前后左右都是窟窿，都是给岳夫人长剑刺破了的，心想："世间竟有如此高明的剑术，我只须学得几成，便能报得父母之仇。"又想："青城派和木高峰都贪图得到我家的辟邪剑谱，其实我家的辟邪剑法和师娘的剑法相比，相去天差地远！"

岳夫人甚是得意,道:"冲儿,你既说这一剑能制得田伯光的死命,你好好用功,我便传了你。"令狐冲道:"多谢师娘。"

岳灵珊道:"妈,我也要学。"岳夫人摇了摇头,道:"你内功还不到火候,这一剑是学不来的。"岳灵珊呶起了小嘴,心中老大不愿意,说道:"大师哥的内功比我也好不了多少,怎么他能学,我便不能学?"岳夫人微笑不语。岳灵珊拉住父亲衣袖,道:"爹,你传我一门破解这一剑的功夫,免得大师哥学会这一剑后尽来欺侮我"岳不群摇头笑道:"你妈这一剑叫做'无双无对,宁氏一剑',天下无敌,我怎有破解的法门?"

岳夫人笑道:"你胡诌甚么?给我顶高帽截不打紧,要是传了出去,可给武林同道笑掉了牙齿。"岳夫人这一剑乃是临时触机而创出,其中包含了华山派的内功、剑法的绝诣,又加上她自己的巧心慧思,确是厉害无比,但临时创制,自无甚么名目。岳不群本想给取个名字叫作"岳夫人无敌剑",但转念一想,夫人心高气傲,即是成婚之后,仍是喜欢武林同道叫她作"宁女侠",不喜欢叫她作"岳夫人",要知"宁女侠"三字是恭维她自身的本领作为,"岳夫人"三字却不免有依傍一个大名鼎鼎的丈夫之嫌。她口中嗔怪丈夫胡说,心里对"无双无对,宁氏一剑"这八个字却着实喜欢,暗赞丈夫毕竟是读书人,给自己这一剑取了这样个好听名称,当真是其词若有憾焉,其实乃深喜之。

岳灵珊道:"爹,你几时也来创几招'无比无敌,岳家十剑',传给女儿,好和大师哥比拚比拚。"岳不群摇头笑道:"不成,爹爹不及你妈聪明,创不出甚么新招!"岳灵珊将嘴凑到父亲耳边,低声道:"你不是创不出,你是怕老婆,不敢创。"岳不群哈哈大笑,伸手在她脸颊上轻轻一扭,笑道:"胡说八道。"

岳夫人道:"珊儿,另尽缠住爹胡闹了。德诺,你去安排香烛,让林师弟参拜本派列代祖师的灵位。"劳德诺应道:"是!"

片刻间安排已毕，岳不群引着众人来到后堂。林平这见梁间一块匾上写着"以气御剑"四个大字，堂上布置肃穆，两壁悬着一柄柄长剑，剑鞘黝黑，剑穗陈旧，料想是华山派前代各宗师的佩剑，寻思："华山派今日在武林中这么大的声誉，不知道曾有多少奸邪恶贼，丧生在这些前代宗师的长剑之下。"

　　岳不群在香案前跪下磕了四个头，祷祝道："弟子岳不群，今日收录福州林平之为徒，愿列人祖宗在天之灵庇佑，教林平之用功向学，洁身自有，恪守本派门规，不让堕了华山派的声誉。"林平之听师父这么说，忙恭恭敬敬跟着跪下。

　　岳不群站起身来，森然道："林平之，你今日入我华山派门下，须得恪守门规，若有违反，按情节轻重处罚，罪大恶极者立斩不赦。本派立足武林数百年，武功上虽然也能和别派互争雄长，但一时的强弱胜败，殊不足道。真正要紧的是，本派弟子人人爱惜师门令誉，这一节你须好好记住了。"林平之道："是，弟子谨记师父教训。"

　　岳不群道："令狐冲，背诵本派门规，好教林平之得知。"

　　令狐冲道："是，林师弟，你听好了。本派首戒欺师灭祖，不敬尊长。二戒恃强欺弱，擅伤无辜。三戒奸淫好色，调戏妇女。四戒同门嫉妒，自相残杀。五戒见利忘义，偷窃财物。六戒骄傲自大，得罪同道。七戒滥交匪类，勾结妖邪。这是华山七戒，本门弟子，一体遵行。"林平之道："是，小弟谨记大师哥所揭示的华山七戒，努力遵行，不敢违犯。"

　　岳不群微笑道："好了，就是这许多。本派不像别派那样，有许许多多清规戒律。你只须好好遵行这七戒，时时记得仁义为先，做个正人君子，师父师娘就欢喜得很了。"

　　林平之道："是！"又向师父师娘叩头，向众师兄师姊作揖行礼。

岳不群道："平儿，咱们先给你父母安葬了，让你尽了人子的心事，这才传授本门的基本功夫。"林平之热泪盈眶，拜倒在地，道："多谢师父、师娘。"岳不群伸手扶起，温言道："本门之中，大家亲如家人，不论哪一个有事，人人都是休戚相关，此后不须多礼。"

他转过头来，向令狐冲上上下下的打量，过了好一会才道："冲儿，你这次下山，犯了华山七戒的多少戒条？"

令狐冲心中一惊，知道师父平时对众弟子十分亲和慈爱，但若哪一个犯了门规，却是严责不贷，当即在香案前跪下，道："弟子知罪了，弟子不听师父、师娘的教诲，犯了第六戒骄傲自大，得罪同道的戒条，在衡山回雁楼上，杀了青城派的罗人杰。"岳不群哼了一声，脸色甚是严峻。

岳灵珊道："爹，那是罗人杰来欺侮大师哥的。当时大师哥和田伯光恶斗之后，身受重伤，罗人杰乘人之危，大师哥岂能束手待毙？"岳不群道："不要你多管闲事，这件事还是由当日冲儿足踢两名青城弟子而起。若无以前的嫌隙，那罗人杰好端端地，又怎会来乘冲儿之危？"岳灵珊道："大师哥足踢青城弟子，你已打了他三十棍，责罚过了，前帐已清，不能再算。大师哥身受重伤，不能再挨棍子了。"

岳不群向女儿瞪了一眼，厉声道："此刻是论究本门戒律，你是华山弟子，休得胡乱插嘴。"岳灵珊极少见父亲对自己如此疾言厉色，心中大受委曲，眼眶一红，便要哭了出来。若在平时，岳不群纵然不理，岳夫人也要温言慰抚，但此时岳不群是以掌门人身分，究理门户戒律，岳夫人也不便理睬女儿，只有当作没瞧见。

岳不群向令狐冲道："罗人杰乘你之危，大加折辱，你宁死不屈，原是男子汉大丈夫义所当为，那也罢了。可是你怎地出言对恒山派无礼，说甚么'一见尼姑，逢赌必输'？又说连我也怕见尼姑?"岳灵珊噗哧一声笑,叫道:"爹!"岳不群向她摇了摇手,却也不再峻色相对了。

令狐冲说道:"弟子当时只想要恒山派的那个师妹及早离去。弟子自知不是田伯光的对手,无法相救恒山派的那师妹,可是她顾念同道义气,不肯先退,弟子只得胡说八道一番,这种言语听在恒山派的师伯、师叔们耳中,确是极为无礼。岳不群道:"你要仪琳师侄离去,用意虽然不错,可是甚么话不好说,偏偏要口出伤人之言?总是平素太过轻浮。这一件事,五岳剑派中已然人人皆知,旁人背后定然说你不是正人君子,责我管教无方。"令狐冲道:"是,弟子知罪。"

岳不群又道:"你在群玉院中养伤,还可说迫于无奈,但你将仪琳师侄和魔教中那个小魔女藏在被窝里,对青城派余观主说道是衡山的烟花女子,此事冒着多大的危险?倘若事情败露,我华山派声名扫地,还在其次,累得恒山派数百年清誉毁于一旦,咱们又怎么对得住人家?"令狐冲背上出了一阵冷汗,颤声道:"这件事弟子事后想起,也是捏着偌大一把冷汗。原来师父早知道了。"岳不群道:"魔教的曲洋将你送至群玉院养伤,我是事后方知,但你命那两个小女孩钻入被窝之时,我已在窗外。"令狐冲道:"幸好师父知道弟子并非无行的浪子。"岳不群森然道:"倘若你真在妓院中宿娼,我早已取下你项上人头,焉能容你活到今日?"令狐冲道:"是!"

岳不群脸色愈来愈严峻,隔了半晌,才道:"你明知那姓曲的少女是魔教中人,何不一剑将她杀了?虽说他祖父于你有救命之恩,然而这明明是魔教中人沽恩市义、挑拨我五岳剑派的手段,你又不是傻子,怎会不知?人家救你性命。其实内里伏有一个极大阴谋。刘正风是何等精明能干之人,却也不免着了人家的道儿,到头来闹得身败名裂,家破人亡。魔教这等阴险毒辣的手段,是你亲眼所见。可是咱们从湖南来到华山，一路之上，我没听到你说过一句谴责魔教的言语。冲儿，我瞧人家救了你一命之后，你于正邪忠奸之分这一点上，已然十分胡涂了。此事关涉到你以后安身立命的大关节，这中间可半分含糊不得。"

令狐冲回想那日荒山之夜，倾听曲洋和刘正风琴箫合奏，若说曲洋是包藏祸心，故意陷害刘正风，那是万万不像。

岳不群见他脸色犹豫，显然对自己的话并未深信，又问："冲儿，此事关系到我华山一派的兴衰荣辱，也关系到你一生的安危成败，你不可对我有丝毫隐瞒。我只问你，今后见到魔教中人，是否嫉恶如仇，格杀无赦？"

令狐冲怔怔的瞧着师父，心中一个念头不住盘旋："日后我若见到魔教中人，是不是不问是非，拔剑便杀？"他自己实在不知道，师父这个问题当真无法回答。

岳不群注视他良久，见他始终不答，长叹一声，说道："这时就算勉强要你回答，也是无用。你此番下山，大损我派声誉，罚你面壁一年，将这件事从头至尾好好的想一想。"令狐冲躬身道："是，弟子恭领责罚。"

岳灵珊道："面壁一年？那么这一年之中，每天面壁几个时辰？"岳不群道："甚么几个时辰？每日自朝至晚，除了吃饭睡觉之外，便得面壁思过。"岳灵珊急道："那怎么成？岂不是将人闷也闷死了？难道连大小便也不许？"岳夫人喝道："女孩儿家，说话没半点斯文！"岳不群道："面壁一年，有甚么希罕？当年你师祖犯过，便曾在这玉女峰上面壁三年零六个月，不曾下峰一步。"

岳灵珊伸了伸舌头，道："那么面壁一年，还算是轻的了？其实大师哥说'一见尼姑，逢赌必输'，全是出于救人的好心，又不是故意骂人！"岳不群道："正因为出于好心，这才罚他面壁一年，要是出于歹意，我不打掉他满口牙齿、割了他的舌头才怪。"

岳夫人道："珊儿不要罗唆爹爹啦。大师哥在玉女峰上面壁思过，你可别去跟他聊天说话，否则爹爹成全他的一番美意，可全教你给毁了。"岳灵珊道："罚大师哥在玉女峰上坐牢，还说是成全哪！不许我去跟他聊天，那么大师哥寂寞之时，有谁给他说话解闷？这一年之中，谁陪我练剑？"岳夫人道："你跟他聊天，他还面甚么壁、思甚么过？这山上多少师兄师姊，谁都可和你切磋剑术。"岳灵珊侧头想了一会，又问："那么大师哥吃甚么呢？一年不下峰，岂不饿死了他？"岳夫人道："你不用担心，自会有人送饭菜给他。"

令狐冲情急之下,伸手便拉住她左手袖子。岳灵珊怒道:"放手!"用力一挣,嗤的一声,登时将那衣袖扯了下来,露出白白的半条手膀。

八　面壁

　　当日傍晚,令狐冲拜别了师父、师娘,与众师弟、师妹作别,携了一柄长剑,自行到玉女峰绝顶的一个危崖之上。

　　危崖上有个山洞,是华山派历代弟子犯规后囚禁受罚之所。崖上光秃秃的寸草不生,更无一株树木,除一个山洞外,一无所有。华山本来草木清华,景色极幽,这危崖却是例外,自来相传是玉女发钗上的一颗珍珠。当年华山派的祖师以此危崖为惩罚弟子之所,主要便因此处无草无木,无虫无鸟,受罚的弟子在面壁思过之时,不致为外物所扰,心有旁骛。

　　令狐冲进得山洞,见地下有块光溜溜的大石,心想:"数百年来,我华山派不知道有多少前辈曾在这里坐过,以致这块大石竟坐得这等滑溜。令狐冲是今日华山派第一捣蛋鬼,这块大石我不来坐,由谁来坐?师父直到今日才派我来坐石头,对我可算是宽待之极了。"伸手拍了拍大石,说道:"石头啊石头,你寂寞了多年,今日令狐冲又来和你相伴了。"

　　坐上大石,双眼离开石壁不过尺许,只见石壁左侧刻着"风清扬"三个大字,是以利器所刻,笔划苍劲,深有半寸,寻思:"这位风清扬是谁?多半是本派的一位前辈,曾被罚在这里面壁的。啊,是了,我祖师爷是'风'字辈,这位风前辈是我的太师伯或是太师叔。这三字刻得这么劲力非凡,他武功一定十分了得,师父、师娘怎么从来没提到过?想必这位前辈早已不在人世了。"闭目行了大半个时辰坐功,站起来松散半晌,又回入石洞,面壁寻思:"我日后见到魔教中人,是否不问是非,拔剑便将他们杀了?难道魔教之中当真便无一个好人?但若他是好人,为甚么又入魔教?就算一时误入歧途,也当立即抽身退出才是,即不退出,便是甘心和妖邪为伍、祸害世人了。"

霎时之间,脑海中涌现许多情景,都是平时听师父、师娘以及江湖上前辈所说魔教中人如何行凶害人的恶事:江西于老拳师一家二十三口被魔教擒住了,活活的钉在大树之上,连三岁孩儿也是不免,于老拳师的两个儿子呻吟了三日三夜才死;济南府龙凤刀掌门人赵登魁娶儿媳发,宾客满堂之际,魔教中人闯将进来,将新婚夫妇的首级双双割下,放在筵前,说是贺礼;汉阳郝老英雄做七十大寿,各路好汉齐来祝寿,不料寿堂下被魔教埋了炸药,点燃药引,突然爆炸,英雄好汉炸死炸伤不计其数,泰山派的纪师叔便在这一役中断送了一条膀子,这是纪师叔亲口所言,自然绝无虚假。想到这里,又想起两年前在郑州大路上遇到嵩山派的孙师叔,他双手双足齐被截断,两眼也给挖出,不住大叫:"魔教害我,定要报仇,魔教害我,定要报仇!"那时嵩山派已有人到来接应,但孙师叔伤得这么重,如何又能再治?令狐冲想到他脸上那两个眼孔,两个窟窿中不住淌出鲜血,不由得打了个寒噤,心想:"魔教中人如此作恶多端,曲洋祖孙出手救我,定然不安好心。师父问我,日后见到魔教中人是否格杀不论,那还有甚犹豫的?当然是拔剑便杀。"

想通了这一节,心情登时十分舒畅,一声长啸,倒纵出洞,在半空轻轻巧巧一个转身,向前纵出,落下地来,站定脚步,这才睁眼,只见双足刚好踏在危崖边上,与崖缘相距只不过两尺,适才纵起时倘若用力稍大,落下时超前两尺,那便堕入万丈深谷,化为肉泥了。他这一闭目转身,原是事先算好了的,既已打定了主意,见到魔教中人出手便杀,心中更无烦恼,便来行险玩上一玩。

他正想:"我胆子毕竟还不够大,至少该得再踏前一尺,那才好玩。"忽听得身后有人拍手笑道:"大师哥,好得很啊!"正是岳灵珊的声音。令狐冲大喜,转过身来,只见岳灵珊手中提着一只饭篮,笑吟吟的道:"大师哥,我给你送饭来啦。"放下饭篮,走进石洞,转身坐在大石上,说道:"你这下闭目转身,十分好玩,我也来试试。"

令狐冲心想玩为游戏可危险万分,自己来玩也是随时准拟赔上一条性命,岳灵珊武功远不及自己,力量稍一拿捏不准,那可糟了,但见她兴致甚高,也不便阻止,当即站在峰边。

岳灵珊一心要赛过大师哥,心中默念力道部位,双足一点,身子纵起,也在半空这么轻轻巧巧一个转身,跟着向前窜出。她只盼比令狐冲落得更近峰边,窜出时运力便大了些,身子落下之时,突然害怕起来,睁眼一看,只见眼前便是深不见底的深谷,吓得大叫起来。令狐冲一伸手,拉住她左臂。岳灵珊落下地来,只见双足距崖边约有一尺,确是比令狐冲更前了些,她惊魂略定,笑道:"大师哥,我比你落得更远。"

令狐冲见她已骇得脸上全无血色,在她背上轻轻拍了拍,笑道:"这个玩意下次可不能再玩了,师父、师娘知道了,非大骂不可,只怕得罚我面壁多加一年。"

岳灵珊定了定神,退后两步,笑道:"那我也得受罚,咱两个就在这儿一同面壁,岂不好玩?天天可以比赛谁跳得更远。"

令狐冲道:"咱们天天一同在这儿面壁?"向石洞瞧了一眼,不由得心头一荡:"我若得和小师妹在这里日夕不离的共居一年,岂不是连神仙也不如我快活?唉,哪有此事!"说道:"就只怕师父叫你在正气轩中面壁,一步也不许离开,那么咱们就一年不能见面了。"

岳灵珊道："那不公平，为甚么你可以在这里玩，却将我关在正气轩中？"但想父母决不会让自己日夜在这崖上陪伴大师哥，便转过话头道："大师哥，妈妈本来派六猴儿每天给你送饭，我对六猴儿说：'六师哥，每天在思过崖间爬上爬下，虽然你是猴儿，毕竟也很辛苦，不如让我来代劳罢，可是你谢我甚么？'六猴儿说：'师娘派给我做的功夫，我可不敢偷懒。再说，大师哥待我最好，给他送一年饭，每天见上他一次，我心中才喜欢呢，有甚么辛苦？'大师哥，你说六猴儿坏不坏？"

令狐冲笑道："他说的倒也是实话。"

岳灵珊道："六猴儿还说：'平时我想向大师哥多讨教几手功夫，你一来到，便过来将我赶开，不许我跟大师哥多说话。'大师哥，几时有这样的事啊？六猴儿当真胡说八道。他又说：'今后这一年之中，可只有我能上思过崖去见大师哥，你却见不到他了。'我发起脾气来，他却不理我，后来……后来……"

令狐冲道："后来你拔剑吓他？"岳灵珊摇头道："不是，后来我气得哭了，六猴儿才过来央求我，让我送饭来给你。"令狐冲瞧着她的小脸，只见她双目微微肿起，果然是哭过来的，不禁甚是感动，暗想："她待我如此，我便为她死上百次千次，也所甘愿。"

岳灵珊打开饭篮，取出两碟菜肴，又将两副碗筷取出，放在大石之上。令狐冲道："两副碗筷？"岳灵珊笑道："我陪你一块吃，你瞧，这是甚么？"从饭篮底下取出一个小小的酒葫芦来。令狐冲嗜酒如命，一见有酒，站起来向岳灵珊深深一揖，道："多谢你了！我正在发愁，只怕这一年之中没酒喝呢。"岳灵珊拔开葫芦塞子，将葫芦送到令狐冲手中，笑道："便是不能多喝，我每日只能偷这么一小葫芦给你，再多只怕给娘知觉了。"

令狐冲慢慢将一小葫芦酒喝干了，这才吃饭。华山派规矩，门人在思过崖上面壁之是戒茹素，因此厨房中给令狐冲所煮的只是一大碗青菜、一大碗豆腐。岳灵珊想到自己是和大师哥共经患难，却也吃得津津有味。两人吃过饭后，岳灵珊又和令狐冲有一搭、没一搭的说了半个时辰，眼见天色已黑，这才收拾碗筷下山。

自此每日黄昏，岳灵珊送饭上崖，两人共膳。次日中午令狐冲便吃昨日剩下的饭菜。

令狐冲虽在危崖独居，倒也不感寂寞，一早起来，便打坐练功，温习师授的气功剑法，更默思田伯光的快刀刀法，以及师娘所创的那招"无双无对，宁氏一剑"。这"宁氏一剑"虽只一剑，却蕴蓄了华山派气功和剑谱的绝诣。令狐冲自知修为未到这个境界，勉强学步，只有弄巧成拙，是以每日里加紧用功。这么一来，他虽被面壁思过，其实壁既未面，过亦不思，除了傍晚和岳灵珊聊天说话以外，每日心无旁骛，只是练功。

如此过了两个多月，华山顶上一日冷似一日。又过了些日子，岳夫人替令狐冲新缝一套棉衣，命陆大有送上峰来给他，这天一早北风怒号，到得午间，便下起雪来。

令狐冲见天上积云如铅，这场雪势必不小，心想："山道险峻，这雪下到傍晚，地下便十分滑溜，小师妹不该再送饭来了。"可是无法向下边传讯，甚是焦虑，只盼师父、师娘得知情由，出言阻止，寻思："小师妹每日代六师弟给我送饭，师你、师娘岂有不知，只是不加理会而已。今日若再上崖，一个失足，便有性命之忧，料想师娘定然不许她上崖。"眼巴巴等到黄昏，每过片刻便向崖下张望，眼见天色渐黑，岳灵珊果然不来了。令狐冲心下宽慰："到得天明，六师弟定会送饭来，只求小师妹不要冒险。"正要入洞安睡，忽听得上崖的山路上簌簌声响，岳灵珊在呼叫："大师哥，大师哥……"

令狐冲又惊又喜，抢到崖边，鹅毛般大雪飘扬之下，只见岳灵珊一步一滑的走上崖来。令狐冲以师命所限，不敢下崖一步，只伸长了手去接她，直到岳灵珊的左手碰到他右手，令狐冲抓住她手，将他凌空提上崖来。暮色朦胧中只见她全身是雪，连头发也都白了，左额上却撞破了老大一块，像个小鸡蛋般高高肿起，鲜血兀自在流。令狐冲道："你……你……"岳灵珊小嘴一扁，似欲哭泣，道："摔了一交，将你的饭篮掉到山谷里去啦，你……你今晚可要挨饿了。"

令狐冲又是感激，又是怜惜，提起衣袖在她伤口上轻轻按了数下，柔声道："小师妹，山道这样滑溜，你实在不该上来。"岳灵珊道："我挂念你没饭吃，再说……再说，我要见你。"令狐冲道："倘若你因此掉下了山谷，教我怎对得起师父、师娘？"岳灵珊微笑道："瞧你急成这副样子！我可不是好端端的么？就可惜我不中用，快到崖边时，却把饭篮和葫芦都摔掉了。"令狐冲道："只求你平安，我便十天不吃饭也不打紧。"岳灵珊道："上到一半时，地下滑得不得了，我提气纵跃了几下，居然跃上了五株松旁的那个陡坡，那时我真怕掉到了下面谷中。"

令狐冲道："小师妹，你答允我，以后你千万不可为我冒险，倘若你真掉下去，我是非陪着你跳下不可。"

岳灵珊双目中流露出喜悦无限的光芒，道："大师哥，其实你不用着急，我为你送饭而失足，是自己不小心，你又何必心中不安？"

令狐冲缓缓摇头，说道："不是为了心中不安。倘若送饭的是六师弟，他因此而掉入谷中送了性命，我会不会也跳下谷去陪他？"说着仍是缓缓摇头，说道："我当尽力奉养他父母，照料他家人，却不会因此而跳崖殉友。"岳灵珊低声道："但如是我死了，你便不想活了？"令狐冲道："正是。小师妹，那不是为了你替我送饭，如果你是替旁人送饭，因而遇到凶险，我也是决计不能活了。

岳灵珊紧紧握住他的双手,心中柔情无限,低低叫了声"大师哥"。令狐冲想张臂将她搂入怀中,却是不敢。两人四目交投,你望着我,我望着你,一动也不动,大雪继续飘下,逐渐,逐渐,似乎将两人堆成了两个雪人。

　　过了良久,令狐冲才道:"今晚你自己一个人可不能下去。师父、师娘知道你上来么?最好能派人来接你下去。"灵灵珊道:"爹爹今早突然收到嵩山派左盟主来信,说有要紧事商议,已和妈妈赶下山去啦。"令狐冲道:"那么有人知道你上崖来没有?"岳灵珊笑道:"没有,没有。二师哥、三师哥、四师哥和六猴儿四个人跟了爹爹妈妈去嵩山,没人知道我上崖来会你。否则的话,六猴儿定要跟我争着送饭,那可麻烦啦。啊!是了,林平之这小子见我上来的,但我吩咐了他,不许多嘴多舌,否则明儿我就揍他。"令狐冲笑道:"唉呀,师姊的威风好大。"岳灵珊笑道:"这个自然,好容易有一个人叫我师姊,不摆摆架子,岂不枉了?不像是你,个个都叫你大师哥,那就没甚么希罕。"

　　两人笑了一阵。令狐冲道:"那你今晚是不能回去的了,只好在石洞里躲一晚,明天一早下去。"当下携了她手,走入洞中。

　　石洞窄小,两人仅可容身,已无多大转动余地。两人相对而坐,东拉西扯的谈到深夜,岳灵珊说话越来越含糊,终于合眼睡去。

　　令狐冲怕她着凉,解下身上棉衣,盖在她身上。洞外雪光映射进来,朦朦胧胧的看到她的小脸,令狐冲心中默念:"小师妹待我如此情重,我便为她粉身碎骨,也是心甘情愿。"支颐沉思,自忖从小没了父母,全蒙师父师母抚养长大,对待自己犹如亲生爱子一般,自己是华山派的掌门大弟子,入门固然最早,武功亦非同辈师弟所能及,他日势必要承受师父衣钵,执掌华山一派,而小师妹更待我如此,师门厚恩,实所难报,只是自己天性跳荡不羁,时时惹得师父师母生气,有负他二位的期望,此后须得痛改前非才是,否则不但对不起师父师母,连小师妹也对不起了。

他望着岳灵珊微微飞动的秀发,正自出神,忽听得她轻轻叫了一声:"姓林的小子,你不听话!过来,我揍你!"令狐冲一怔,见她双目兀自紧闭了,侧个身,又即呼吸匀净,知道她则才是说梦话,不禁好笑,心想:"她一做师姊,神气得了不得,这些日子中,林师弟定是给她呼来喝去,受饱了气。她在梦中也不忘骂人。"

令狐冲守护在她身旁,直到天明,始终不曾入睡。岳灵珊前一晚劳累得很了,睡到辰牌时分,这才醒来,见令狐冲正微笑着注视自己,当下打了个呵欠,报以一笑,道:"你一早便醒了。"令狐冲没说一晚没睡,笑道:"你做了个甚么梦? 林师弟挨了你打么?"

岳灵珊侧头想了片刻,笑道:"你听到我说梦话了,是不是?林平之这小子倔得紧,便是不听我的话,嘻嘻,我白天骂他,睡着了也骂他。"令狐冲笑道:"他怎么得罪你了? 岳灵珊笑道:"我梦见叫他陪我去瀑布中练剑,他推三阻四的不肯去,我骗他走到瀑布旁,一把将他推了下去。"令狐冲笑道:"唉唷,那可使不得,这不是闹出人命来吗? 岳灵珊笑道:"这是做梦,又不是真的,你担心甚么?还怕我真的杀了这小子么?"令狐冲笑道:"日有所思,夜有所梦,你白天里定然真的想杀了林师弟,想啊想的,晚上便做起梦来。"

岳灵珊小嘴一扁,道:"这小子不中用得很,一套入门剑法练了三个月,还是没半点样了,偏生用功得紧,日练夜练,教人瞧得生气,我要杀他,用得着想吗?提起剑来,一下子就杀了。"说着右手横着一掠,作势使出一招华山剑法。令狐冲笑道:"'白云出岫',姓林的人头落地!"岳灵珊格格娇笑,说道:"我要是真的使这招'白云出岫',可真非教他人头落地不可。"

令狐冲笑道："你做师姊的，师弟剑法不行，你该点拨点拨他才是，怎么动不动挥剑便杀？以后师父再收弟子，都是你的师弟。师父收一百个弟子，给你几天之中杀了九十九个，那怎么办？"岳灵珊扶住石壁，笑得花枝招展，说道："你说得真对，我可只杀九十九个，非留下一个不可。要是都杀光了，谁来叫我师姊啊？"令狐冲笑道："你要是杀了九十九个师弟，第一百个也逃之夭夭了，你还是做不成师姊。"岳灵珊笑道："那时我就逼你叫我师姊。"令狐冲笑道："叫师姊不打紧，不过你杀我不杀？"岳灵珊笑道："听话就不杀，不听话就杀。"令狐冲笑道："小师姊，求你剑下留情。"

令狐冲见大雪已止，生怕师弟师妹们发觉不见了岳灵珊，若有风言蜚语，那可大大对不起小师妹了，说笑了一阵，便催她下崖。岳灵珊兀自恋恋不舍，道："我要在这里多玩一会儿，爹爹妈妈都不在家，闷也闷死了。"令狐冲道："乖师妹，这几日我又想出了几招冲灵剑法，等我下崖之后，陪你到瀑布中去练剑。"说了好一会，才哄得她下崖。

当日黄昏，高根明送饭上业，说道岳灵珊受了风寒，发烧不退，卧病在床，却挂记着大师哥，命他送饭之时，最要紧别忘了酒。令狐冲吃了一惊，极是担心，知她昨晚摔了那一交，受了惊吓，恨不得奔下崖去探望她病势。他虽然饿了两天一晚，但拿起碗来，竟是喉咙哽住了，难以下咽。高根明知道大师哥和小师妹两情爱悦，一听到她有病，便焦虑万分，劝道："大师哥却也不须太过担心，昨日天下大雪，小师妹定是贪着玩雪，以致受了些凉，咱们都是修习内功之人，一点小小风寒，碍得了甚么，服一两剂药，那便好了。"

岂知岳灵珊这场病却生了十几天，直到岳不群夫妇回山，以内功替她驱除风寒，这才渐渐痊愈，到得她又再上崖，却是二十余日之后了。

两人隔了这么久见面,均是悲喜交集。岳灵珊凝望他的脸,惊道:"大师哥,你也生了病吗?怎地瘦得这般厉害?"令狐冲摇摇头,道:"我没生病,我……我……"岳灵珊陡地醒悟,突然哭了出来,道:"你……你是记挂着我,以致瘦成这个样子。大师哥,我现下全好啦。"令狐冲握着她手,低声道:"这些日来,我日日夜夜望着这条路,就只盼着这一刻的时光,谢天谢地,你终于来了。"

岳灵珊道:"我却时时见到你的。"令狐冲奇道:"你时时见到我?"岳灵珊道:"是啊,我生病之时,一合眼,便见到你了。那一日发烧发得最厉害,妈说我老说呓语,尽是跟你说话。大师哥,妈知道了那天晚上我来陪你的事。"

令狐冲脸一红,心下有些惊惶,问道:"师娘有没生气?"岳灵珊道:"妈没生气,不过……不过……"说到这里,突然双颊飞红,不说下去了,令狐冲道:"不过怎样?"岳灵珊道:"我不说。"令狐冲见她神态忸怩,心中一荡,忙镇定心神,道:"小师妹,你大病刚好了点儿,不该这么早便上崖来。我知道你身子渐渐安好,五师弟、六师弟给我送饭的时候,每天都说给我听的。"岳灵珊道:"那你为甚么还这样瘦?"令狐冲笑了笑,道:"你病一好,我即刻便胖了。"

岳灵珊道:"你跟我说实话,这些日子中到底你每餐吃几碗饭?六猴儿说你只喝酒,不吃饭,劝你也不听,大师哥,你……为甚么不自己保重?"说到这里,眼眶儿又红了。

令狐冲道:"胡说,你莫只听他。不论说甚么事,六猴儿都爱加上三分虚头,我哪里只喝酒不吃饭了?"说到这里,一阵寒风吹来,岳灵珊机伶伶的打了个寒战。其实正当严寒,危崖四面受风,并无树木遮掩,华山之巅本已十分寒冷,这崖上更加冷得厉害。令狐冲忙道:"小师妹,你身子还没大好,这时候千万不能再着凉了，快快下崖去罢，等哪一日出大太阳，你又十分健壮了，再来瞧我。"岳灵珊道："我不冷。这几天不是刮风，便是下雪，要等大太阳，才不知等到几时呢。"令狐冲急道："你再生病，那怎么办？我……我"

岳灵珊见他形容憔悴，心想："我倘若真的再病，他也非病倒不可。在这危崖之上，没人服侍，那不是要了他的命吗？"只得道："好，那么我去了。你千万保重，少喝些酒，每餐吃三大碗饭。我去跟爹爹说，你身子不好，该得补一补才是，不能老是吃素。"

令狐冲微笑道："我可不敢犯戒吃荤。我见到你病好了，心里欢喜，过不了三天，马上便会胖起来。好妹子，你下崖去吧。"

岳灵珊目光中含情脉脉，双颊晕红，低声道："你叫我甚么？"令狐冲颇感不好意思，道："我冲口而出，小师妹，你别见怪。"岳灵珊道："我怎会见怪？我喜欢你这样叫。"令狐冲心口一热，只想张臂将她搂在怀里，但随即心想："她这等待我，我当敬她重她，岂可冒渎了她？"忙转过了头，柔声道："你下崖时一步步的慢慢走，累了便歇一会，可别像平时那样，一口气奔下崖去。"岳灵珊道："是!"慢慢转过身子，走到崖边。

令狐冲听到她脚步声渐远，回过头来，见岳灵珊站在崖下数丈之处，怔怔的瞧着她。两人这般四目交投，凝视良久。令狐冲道："你慢慢走，这该去了。"岳灵珊道："是!"这才真的转身下崖。

这一天中，令狐冲感到了生平从未经历过的欢喜，坐在石上，忍不住自己笑出声来，突然间纵声长啸，山谷鸣响，这啸声中似乎在叫喊："我好欢喜，我好欢喜!"

第二日天又下雪，岳灵珊果然没再来。令狐冲从陆大有口中得知她复原甚快，一天比一天壮健，不胜之喜。

过了二十余日，岳灵珊提了一篮粽子上崖，向令狐冲脸上凝视了一会，微笑道："你没骗我，果真胖得多了。"令狐冲见她脸颊上隐隐透出血色,也笑道:"你也大好啦,见到你这样,我真开心。"

岳灵珊道:"我天天吵着要来给你送饭,可是妈说甚么也不许,又说天气冷,又说湿气重,倒好似一上思过崖来,便会送了性命一般。我说大师哥日日夜夜都在崖上,又不见他生病。妈说大师哥内功高强,我怎能和他相比。妈背后赞你哂,你高兴不高兴?"令狐冲笑着点了点头,道:"我常想念师父、师娘,只盼能早点见到他两位一面。"

岳灵珊道:"昨儿我帮妈裹了一日粽子,心里想,我要拿几只粽子来给你吃就好啦。哪知道今日妈没等我开口,便说:'这篮粽子,你拿去给冲儿吃。'当真意想不到。"

令狐冲喉头一酸,心想:"师娘待我真好。"岳灵珊道:"粽子刚煮好,还是热的,我剥两只给你吃。"提着粽子走进石洞,解开粽绳,剥开了粽箬。

令狐冲闻到一阵清香,见岳灵珊将剥开了的粽子递过来,便接过咬了一口。粽子虽是素馅,但草菇、香菌、腐衣、莲子、豆瓣等物混在一起,滋味鲜美。岳灵珊道:"这草菇,小林子和我前日一起去采来的……"令狐冲问"小林子?"岳灵珊笑了笑,道:"啊,是林师弟,最近我一直叫他小林子。前天他来跟我说,东边山坡的松树下有草菇,陪我一起去采了半天,只采了小半篮儿。虽然不多,滋味却好,是不是?"令狐冲道:"当真鲜得紧,我险些连舌头也吞了下去。小师妹,你不再骂林师弟了吗?"

岳灵珊道:"为甚么不骂? 他不听话便骂。只是近来他乖了些,我便少骂他几句。他练剑用功,有进步时,我也夸奖他几句:'嗒,嗒,小林子,这一招使得还不错,比昨天好得多了,就是还不够快,再练,再练。'嘻嘻!"

令狐冲道:"你在教他练剑么?"岳录珊道:"嗯! 他说的福建

话,师兄师姊们都听不大懂,我去过福州,懂得他话,爹爹就叫我闲时指点他。大师哥,我不能上崖来瞧你,闷得紧,反正没事,便教他几招。小林子倒也不笨,学得很快。"令狐冲笑道:"原来师姊兼做了师父,他自然不敢不听你的话了。"岳灵珊道:"当真听话,却也不见得。昨天我叫他陪我去捉山鸡,他便不肯,说那两招'白虹贯日'和'天绅倒悬'还没学好,要加紧练习。"

令狐冲微感诧异,道:"他上华山来还只几个月,便练到'白虹贯日'和'天绅倒悬'了?小师妹,本派剑法须得按部就班,可不能躁进。"

岳灵珊道:"你别担心,我才不会乱教他呢。小林子要强好胜得很,日也练,夜也练,要跟他闲谈一会,他总是说不了三句,便问到剑法上来。旁人要练三个月的剑法,他只半个月便学会了。我拉他陪我玩儿,他总是不肯爽爽快快的陪我。"

令狐冲默然不语,突然之间,心中涌现了一股说不出的烦扰,一只粽子只吃了两口,手中拿着半截粽子,只感一片茫然。

岳灵珊拉了拉他的衣袖,笑道:"大师哥,你把舌头吞下肚去了吗?怎地不说话了?"令狐冲一怔,将半截粽子送到口中,本来十分清香鲜美的粽子,粘在嘴里,竟然无法下咽。岳灵珊指住了他,格格娇笑,道:"吃得这般性急,粘住了牙齿。"令狐冲脸现苦笑,努力把粽子吞下咽喉,心想:"我怎地傻!小师妹爱玩,我又不能下崖,她便拉林师弟作伴,那也寻常得很,我竟这等小气,为此介意!"言念及此,登时心平气和,笑道:"这只粽子定是你裹的,可裹得真粘,可将的牙齿和舌头都粘在一起啦。"岳灵珊哈哈大笑,隔了一会,说道:"可怜的大师哥,在这崖上坐牢,馋成了这副样子。"

这次她过了十余日才又上崖,酒饭之外又有一只小小竹篮,盛着半篮松子、栗子。

令狐冲早盼得头颈也长了，这十几日中，向送饭来的陆大有可起小师妹，陆大有神色总是有些古怪，说话不大自然。令狐冲心下起疑，却又问不出半点端倪，问得急了，陆大有便道："小师妹身子很好，每日里练剑用功得很，想是师父不许她上崖来，免得打扰了大师哥的功课。"他日等夜想，陡然见岳灵珊，如何不喜？只见她神采奕奕，比生病之前更显得娇艳婀娜，心中不禁涌起一个念头："她身子早已大好了，怎地隔了这许多日子才上崖来？难道是师父、师娘不许？"

岳灵珊见到令狐冲眼光中困惑的眼神，脸上突然一红，道："大师哥，这么多天没来看你，你怪我不怪？"令狐冲道："我怎会怪你？定是师父、师娘不许你上崖来，是不是？"岳灵珊道："是啊，妈教了我一套新剑法，说这路剑法变化繁复，我倘若上崖来跟你聊天，便分心了。"令狐冲道："甚么剑法？"岳灵道："你倒猜猜？"令狐冲道："'养吾剑'？"岳灵珊道："不是。"令狐冲道："'希夷剑'？"岳灵珊摇头道："再猜？"令狐冲道："难道是'淑女剑'？"岳灵珊伸了伸舌头，道："这是妈的拿手本领，我可没资格练'淑女剑'。跟你说了罢，是'玉女剑十九式'！"言下甚是得意。

令狐冲微感吃惊，喜道："你起始练'玉女剑十九式'了？嗯，那的确是十分繁复的剑法。"言下登时释然，这套"玉女剑"虽只一十九式，但每一式都是变化繁复，倘若记不清楚，连一式也不易使全。他曾听师父说："这玉女剑十九式主旨在于变幻奇妙，跟本派着重以气驭剑的法门颇有不同。女弟子膂力较弱，遇上劲敌之时，可凭此剑法以巧胜拙，但男弟子便不必学了。"因此令狐冲也没学过。凭岳灵珊此时的功力，似乎还不该练此剑法。当日令狐冲和岳灵珊以及其他几个师兄妹同看师父、师娘拆解这套剑法，师父连使各家各派的不同剑法进攻，师娘始终以这"玉女剑十九式"招架，一十九式玉女剑，居然和十余门剑法的数百招高明剑招斗了个旗鼓相当。当时众弟子瞧得神驰目眩，大为惊叹，岳灵珊便央着母亲要学。岳夫人道："你年纪还小，一来功力不够，二来这套剑法太过伤脑劳神，总得到了二十岁再学。再说，这剑法专为克制别派剑招之用，如果单是由本门师兄妹跟你拆招，练来练去，变成专门克制华山剑法了。冲儿的杂学很多，记得许多家剑法，等他将来跟你拆招习练罢。"这件事过去已近两年，此后一直没提起，不料师娘竟教了她。

令狐冲道："难得师父有这般好兴致，每日跟你拆招。"这套剑法重在随机应变，决不可拘泥于招式，一上手练便得拆招。华山派中，只有岳不群和令狐冲博识别家剑法，岳灵珊要练"玉女剑十九式"，势须由岳不群亲自出马，每天跟她喂招。

岳灵珊脸上又是微微一红，忸怩道："爹爹才没功夫呢，是小林子每天跟我喂招。"令狐冲奇道："林师弟？他懂得许多别家剑法？"岳灵珊笑道："他只懂得一门他家传的辟邪剑法。爹爹说。这辟邪剑法威力虽然不强，但变招神奇，大有可以借鉴之处，我练'玉女剑十九式，不妨由对抗辟邪剑法起始。"令狐冲点头道："原来如此。"

岳灵珊道："大师哥，你不高兴吗？"令狐冲道："没有！我怎会不高兴？你修习本门的一套上乘剑法，我为你高兴还来不及呢，怎会不高兴了？"岳灵珊道："可是我见你脸上神气，明明很不高兴。"令狐冲强颜一笑，道："你练到第几式了？"

岳灵珊不答。过了好一会，说道："是了，本来娘说过叫你帮我喂招的，现今要小林子喂招，因此你不愿意了，是不是？可是，大师哥，你在崖上一时不能下来，我又心急着想早些练剑，因此不能等你了。"令狐冲哈哈大笑，道："你又来说孩子话了。同门师兄妹，谁给你喂招都是一样。"他顿了一顿，笑道："我知道你宁可

要林师弟给你喂招,不愿要我陪你。"岳灵珊脸上又是一红,道:
"胡说八道!小林子的本领和你相比,那是相差十万八千里了,要
他喂招有甚么好?"

令狐冲心想:"林师弟入门才几个月,就算他当真有绝顶的
聪明,能有多大气候?"说道:"要他喂招自然大有好处。你每一招
都杀得他无法还手,岂不是快活得很?"

岳灵珊格格娇笑,说道:"凭他的三脚猫辟邪剑法,还想还手
吗?"

令狐冲素知小师妹十分要强好胜,料想她跟林平之拆招,这
套新练的剑法自然使来得心应手,招招都占上风,此人武功低
微,确是最好的对手,当下郁闷之情立去,笑道:"那么让我来给
你过几招,瞧瞧你的'玉女剑十九式'练得怎样了。"岳灵珊大喜,
笑道:"好极了,我今天……今天上崖来就是想……"含羞一笑,
拔出了长剑。令狐冲道:"你今天上崖来,便是要将新学的剑法度
给我看,好,出手罢!"岳灵珊笑道:"大师哥,你剑法一直强过我,
可是等我练成了这路'玉女剑十九式',就不会受你欺侮了。"令
狐冲道:"我几时欺侮过你了?当真冤枉好人。"岳灵珊长剑一立,
道:"你还不拔剑?"

令狐冲笑道:"且不忙!"左手摆个剑诀,右掌迭地窜出,说
道:"这是青成派的松风剑法,这一招叫做'松涛如雷'!"以掌作
剑,向岳灵珊肩头刺了过去。

岳灵珊斜身退步,挥剑往他手掌上格去,叫道:"小心了!"令
狐冲笑道:"不用客气,我挡不住时自会拔剑。"岳灵珊嗔道:"你
竟敢用空手斗我的'玉女剑十九式'?"令狐冲笑道:"现下你还没
练成。练成之后,我空手便不能了。"

岳灵珊这些日子中苦练"玉女剑十九式",自觉剑术大进,纵
与江湖上一流高手相比,也已不输于人,是以十几日不上崖,用

意便是要不泄露了风声,好得一鸣惊人,让令狐冲大为佩服,不料他竟十分轻视,只以一双肉掌来接自己的"玉女剑十九式",当下脸孔一板,说道:"我剑下要是伤了你,你可莫怪,也不能跟爹爹妈妈说。"

令狐冲笑道:"这个自然,你尽力施展,倘若剑底留情,便显不出真实本领。"说着左掌突然呼的一声劈了出去,喝道:"小心了!"

岳灵珊吃了一惊,叫道:"怎……怎么? 你左手也是剑?"

令狐冲刚才这一掌倘若劈得实了,岳灵珊肩头已然受伤,他回力不发,笑道:"青城派有些人使双剑。"

岳灵珊道:"对! 我曾见到有些青城弟子佩带双剑,这可忘了。看招!"回了一剑。

令狐冲见她这一剑来势飘忽,似是"玉女剑"的上乘招数,赞道:"这一剑很好,就是还不够快。"岳灵珊道:"还不够快? 再快,可割下你的膀子啦。"令狐冲笑道:"你倒割割看。"右手成剑,削向她左臂。

岳灵珊心下着恼,运剑如风,将这数日来所练的"玉女剑十九式"一式式使出来。这一十九式剑法,她记到的还只九式,而这九式之中真正能用的不过六式,但单是这六式剑法,已然颇具威力,剑锋所指之处,真使令狐冲不能过分逼近。令狐冲绕着她身子游斗,每逢向前抢攻,总是给她以凌厉的剑招逼了出来,有一次向后急跃,背心竟在一块凸出的山石上重重撞了一下。岳灵珊甚是得意,笑道:"还不拔剑?"

令狐冲笑道:"再等一会儿。"引着她将"玉女剑"一招招的使将出来,又斗片刻,眼见她翻来覆去,所能使的只是六式,心下已是了然,突然间一个踏步上前,右掌劈出,喝道:"松风剑的煞手,小心了。"掌势甚是沉重。岳灵珊见他手掌向自己头顶劈到,急忙举剑上撩。这一招正在令狐冲的意中,左手疾伸而前,中指弹出,当的一声,弹在长剑的剑刃之上。岳灵珊虎口剧痛,把捏不定,长剑脱手飞出,滴溜溜的向山谷中直堕下去。

岳灵珊脸色苍白,呆呆的瞪着令狐冲,一言不发,上颚牙齿紧紧的咬住下唇。

令狐冲叫声"啊哟!"急忙冲到崖边,那剑早已落入了下面千丈深谷,无影无踪。突然之间,只见山崖边青影一闪,似乎是一片衣角,令狐冲定神看时,再也看不见甚么,心下怦怦而跳,暗道:"我怎么了?我怎么了?跟小师妹比剑过招,不知已有过几千百次,我总是让她,从没一次如今日的出手不留情。我做事可越来越荒唐了。"

岳灵珊转头向山谷瞧了一眼,叫道:"这把剑,这把剑!"令狐冲又是一惊,知道小师妹的长剑是一口断金削铁的利器,叫做"碧水剑",三年前师父在浙江龙泉得来,小师妹一见之下爱不释手,向师父连求数次,师父始终不给,直至今年她十八岁生日,师父才给了她当生日礼物,这一下堕入了深谷,再也难以取回,今次当真是铸成大错了。

岳灵珊左足在地下蹬了两下,泪水在眼眶中滚来滚去,转身便走。令狐冲叫道:"小师妹!"岳灵珊更不理睬,奔下崖去。令狐冲追到崖边,伸手等要拉她手臂,手指刚碰到她衣袖,又自缩回,眼见头也不回的去了。

令狐冲闷闷不乐,寻思:"我往时对她甚么事都尽量容让,怎么今日一指便弹去了她的宝剑?难道师娘传了她'玉女剑十九式',我便起了妒忌的念头么?不,不会,决无此事。'玉女剑十九式'本是华山派女弟子的功夫,何况小师妹学的本领越多,我越是高兴。唉,总是独个儿在崖上过得久了,脾气暴躁,只盼她明日又再上崖来，我好好地给她赔不是。"

这一晚说甚么也睡不着，盘膝坐在大石上练了一会气功，只觉心神难以宁定，便不敢勉强练功。月光斜照进洞，射在石壁之上。令狐冲见到壁上"风清扬"三个大字，伸出手指，顺着石壁上凹入的字迹，一笔一划的写了起来。

突然之间，眼前微暗，一个影子遮住了石壁，令狐冲一惊之下，顺手抢起身畔长剑，不及拔剑出鞘，反手便即向身后刺出，剑到中途，斗地喜叫："小师妹！"硬生生凝力不发，转过身来，却见洞口丈许之外站着一个男子，身形瘦长，穿一袭青袍。

这人身背月光，脸上蒙了一块青布，只露出一双眼睛，瞧这身形显是从来没见过的。令狐冲喝道："阁下是谁？"随即纵出石洞，拔出了长剑。

那人不答，伸出右手，向右前方连劈两下，竟然便是岳灵珊日间所使"玉女剑十九式"中的两招。令狐冲大奇，敌意登时消了大半，问道："阁下是本派前辈吗？"

突然之间，一股疾风直扑而至，径袭脸面，令狐冲不及思索，挥剑削出，便在此时，左肩头微微一痛，已被那人手掌击中，只是那人似乎未运内劲。令狐冲骇异之极，急忙向左滑开几步。那人却不追击，以掌作剑，顷刻之间，将"玉女十九剑"中那六式的数十招一气呵成的使了出来，这数十招便如一招，手法之快，直是匪夷所思。每一招都是岳灵珊日间曾跟令狐冲拆过的，令狐冲这时在月光下瞧得清清楚楚，可是怎么能将数十招剑法使得犹如一招相似？一时开了大口，全身犹如僵了一般。

那人长袖一拂，转身走入崖后。

令狐冲隔了半晌，大叫："前辈！前辈！"追向崖后，但见遍地清光，哪里有人？

令狐冲倒抽了一口凉气，寻思："他是谁？似他这般使'玉女十九剑'，别说我万万弹不了他手中长剑，他每一招都能把我手掌削了下来。不，岂仅削我手掌而已，要刺我哪里便刺哪里，要斩我哪里便哪里。在这六式"玉女十九剑"之下，令狐冲惟有听由宰割的份儿。原来这套剑法竟有偌大威力。"转念又想："那显然不是在于剑招的威力，而是他使剑的法子。这等使剑，不论如何平庸的招式，我都对付不了。这人是谁？怎么会在华山之上？"

思索良久，不得丝毫端倪，但想师父、师娘必会知道这人来历，明日小师妹上崖来，要她去转问师父、师娘便是。

可是第二日岳灵珊并没上崖，第三日、第四日仍没上来。直过了十八日，她才和陆大有一同上崖。令狐冲盼望了十八天、十八晚才见到她，有满腔言语要说，偏偏陆大有在旁，无法出口。

吃过饭后，陆大有知道令狐冲的心意，说道："大师哥、小师妹，你们多日不见了，在这里多谈一会，我把饭篮子先提下去。"岳灵珊笑道："六猴儿，你想逃么？一块儿来一块儿去。"说着站了起来。令狐冲道："小师妹，我有话跟你说。"岳灵珊道："好罢，大师哥有话说，六猴儿你也站着，听大师哥教训。"令狐冲摇头道："我不是教训。你那口'碧水剑'……"岳灵珊抢着道："我跟妈说过了，说是练'玉女剑十九式'时，一个不小心，脱手将剑掉入了山谷，再也找不到了。我哭了一场，妈非但没骂我，反而安慰我，说下次再设法找一口好剑给我。这件事早过去了，又提他作甚？"说着双手一伸，笑了一笑。

她愈是不当一回事，令狐冲愈是不安，说道："我受罚期满，下崖之后，定到江湖上去寻一口好剑来还你。"岳灵珊微笑道："自己师兄妹，老是记着一口剑干么？何况那剑确是我自己失手掉下山谷的，那只怨我学艺不精，又怪得谁来？大家'蛋几宁施，个必踢米''支了！"说着格格格的笑了起来。令狐冲一怔，问道：

"你说甚么?"岳灵珊笑道:"啊,你不知道,这是小林子常说的'但尽人事,各凭天命',他口齿不正,我便这般学着取笑他,哈哈,'蛋几宁施,个必踢米'!"

令狐冲微微苦笑,突然想:"那日小师妹使'玉女剑十九式',我为甚么要用青城派的松风剑法跟她对拆。莫非我心中存了对付林师弟的辟邪剑法之心?他林家福威镖局家破人亡,全是伤在青城派手中,我是故意的讥刺于他?我何以这等刻薄小气?"转念又想:"那日在衡山群玉院中,我险些便命丧在余沧海的掌力之下,全凭林师弟不顾自身安危,喝一声'以大欺小,好不要脸',余沧海这才留掌不发。说起来林师弟实可说于我有救命之恩。"言念及此,不由得好生惭愧,吁了一口气,说道:"林师弟资质聪明,又肯用功,这几个月来得小师妹指点剑法,想必进境十分迅速。可惜这一年中我不能下崖,否则他有恩于我,我该当好好助他练剑才是。"

岳灵珊秀眉一轩,道:"小林子怎地有恩于你了?我可从来不曾听他说起过。"

令狐冲道:"他自己自然不会说。"于是将当日情景详细说了。

岳灵珊出了会神,道:"怪不得爹爹赞他为人有侠气,因此在'塞北明驼'的手底下救了他出来。我瞧他傻乎乎的,原来他对你也曾挺身而出,这么大喝一声。"说到这里,禁不住嗤的一声笑,道:"凭他这一点儿本领,居然救过华山派的大师兄,曾为华山掌门的女儿出头而杀了青城掌门的爱子,单就这两件事,已足以在武林中轰传一时了。只是谁也料想不到,这样一位爱打抱不平的大侠,嘿嘿,林平之林大侠,武功却是如此稀松。"

令狐冲道:"武功是可以练的,侠义之气却是与生俱来,人品高下,由此而分。"岳灵珊微笑道:"我听爹爹和妈妈谈到小林子时,也这么说。大师哥,除了侠气,还有一样气,你和小林子也不相上下。"令狐冲道:"甚么还有一样气? 脾气么?"岳灵珊笑道:"是傲气,你两个都骄傲得紧。"

陆大有突然插口道:"大师哥是一众师兄妹的首领,有点傲气是应该的。那姓林的是甚么东西,凭他也配在华山耍他那一份骄傲?"语气中竟对林平之充满了敌意。令狐冲一愕,问道:"六猴儿,林师弟甚么时候得罪你了?"陆大有气愤愤的道:"他可没得罪我,只是师兄弟们大伙儿瞧不惯他那副德性。"

岳灵珊道:"六师哥怎么啦? 你老是跟小林子过不去。人家是师弟,你做师哥的该当包涵点儿才是。"陆大有哼了一声,道:"他安份守己,那就罢了,否则我姓陆的第一个便容他不得。"岳灵珊道:"他到底怎么不安份守己了?"陆大有道:"他……他……他……"说了三个"他"字便不说下去了。岳灵珊道:"到底甚么事啊?这么吞吞吐吐。"陆大有道:"但愿六猴儿走了眼,看错了事。"岳灵珊脸上微微一红,就不再问。陆大有嚷着要走,岳灵珊便和他一同下崖。

令狐冲站在崖边,怔怔的瞧着他二人背影,直至二人转过山坳。突然之间,山坳后面飘上来岳灵珊清亮的歌声,曲调甚是轻快流畅。令狐冲和她自幼一块儿长大,曾无数次听她唱歌,这首曲子可从来没听见过。后灵珊过去所唱都是陕西小曲,尾音吐的长的,在山谷间悠然摇曳,这一曲却犹似珠转水溅,字字清圆。令狐冲倾听歌词,依稀只听到:"姊妹,上山采茶去"几个字,但她发音古怪,十分之八九只闻其音,不辨其义,心想:"小师妹几时学了这首新歌,好听得很啊,下次上崖来请她从头唱一遍。"

突然之间,胸口忽如受了铁锤的重重一击,猛地省悟:"这是福建山歌,是林师弟教她的!"

这一晚心思如潮,令狐冲再也无法入睡,耳边便是响着岳灵珊那轻快活泼、语音难辨的山歌声。几番自怨自责:'令狐冲啊令狐冲,你往日何等潇洒自在,今日只为了一首曲子,心中却如此的摆脱不开,枉自为男子汉大丈夫了。"

尽管自知不该,岳灵珊那福建山歌的音调却总是在耳边缭绕不去。他心头痛楚,提起长剑,向着石壁乱砍乱削,但觉丹田中一股内力涌将上来,挺剑刺出,运力姿式,宛然便是岳夫人那一招"无双无对,宁氏一剑",擦的一声,长剑竟尔插入石壁之中,直没至柄。

令狐冲吃了一惊,自忖就算这几个月中功力再进步得快,也决无可能一剑刺入石壁,直没至柄,那要何等精纯浑厚的内力贯注于剑刃之上,才能使剑刃入石,如刺配木,纵然是师父、师娘,也未必有此能耐。他呆了一呆,向外一拉,将剑刃拔了出来,手上登时感到,那石壁其实只薄薄的一层,隔得两三寸便是空处,石壁彼端竟是空洞。

他好奇心起,提剑又是一刺,拍的一声,一口长剑断为两截,原来这一次内劲不足,连两三寸的石板也无法穿透。他骂了句,到石洞外拾起一块斗大石头,运力向石壁上砸去,石头相击,石壁后隐隐有回声传来,显然其后有很大的空旷之处。他运力再砸,突然间砰的一声响,石头穿过石壁,落在彼端地下,但听得砰砰之声不绝,石头不住滚落。

他发现石壁后别有洞天,霎时间便将满腔烦恼抛在九霄云外,又去拾了石头再砸,砸不到几下,石壁上破了一个洞孔,脑袋已可从洞中伸入。他将石壁上的洞孔再砸得大些,点了,钻将进去,只见里面是一条窄窄的孔道,低头看时,突然间全身出了一阵冷汗,只见便在自己足旁,伏着一具骷髅。

这情景实在太过出于意料之外,他定了定神,寻思:"难道这是前人的坟墓？但这具骸骨怎地不仰天躺卧，却如此俯伏？瞧这模样，这窄窄的孔道也不是墓道。"俯身看那骸髅，见身上的衣着也已腐朽成为尘土，身旁放着两柄大斧，在火把照耀下兀自灿然生光。

他提起一柄斧头，入手沉重，无虑四十来斤，举斧往身旁石壁砍去，嚓的一声，登时落下一大块石头。他又是一怔："这斧头如此锋利，大非寻常，定是一位武林前辈的兵器。"又见石壁上斧头砍过处十分光滑，犹如刀切豆腐一般，旁边也都是利斧砍过的一片片切痕，微一凝思，不由得呆了，举火把一路向下走去，满洞都是斧削的痕迹，心下惊骇无已"原来这条孔道竟是这人用利斧砍出来的。是了，他被人囚禁在山腹之中，于是用利斧砍山，意图破山而出，可是功亏一篑，离出洞只不过数寸，已然力尽而死。唉，这人命运不济，一至于此。"走了十余丈，孔道仍然未到尽头，又想："这人开凿了如此的山道，毅力之坚，武功之强，实是千古罕有。"不由得对他好生钦佩。

又走几步，只见地下又有两具骸髅，一具倚壁而坐，一具蜷成一团，令狐冲寻思："原来被囚在山腹中的，不止一人。"又想："此处是我华派根本重地，外人不易到来，难道这些骸髅，都是我华山派犯了门规的前辈，被囚死在此地的么？"

再行数丈，顺着甬道转而向左，眼前出现了个极大的石洞，足可容得千人之众，洞中又有七具骸骨，或坐或卧，身旁均有兵忍。一对铁牌，一对判官笔，一根铁棍，一根铜棒，一具似是雷震挡，另一件则是生满狼牙的三尖两刃刀，更有一件兵刃似刀非刀、似剑非剑，从来没有见过。令狐冲寻思："使这些外门兵刃和那利斧之人，决不是本门弟子。"不远处地下抛着十来柄长剑，他走过去俯身拾起一柄，见那剑较常剑为短，剑刃却阔了一倍，入手沉重，心道："这是泰山派的用剑。"其余长剑，有的轻而柔软，是恒山派的兵刃；有的剑身弯曲，是衡山派所用三种长剑之一；有的剑刃不开锋，只剑尖极是尖利，知是嵩山派中某些前辈喜用的兵刃；另有三柄剑，长短轻重正是本门的常规用剑。他越来越奇："这里抛满了五现剑派的兵刃，那是甚么缘故？"

举起火把往山洞四壁察看，只见右首山壁离地数丈处突出一块大石，似是个平台，大石之下石壁上刻着十六个大字："五岳剑派，无耻下流，比武不胜，暗算害人。"每四个字一排，一共四排，每个字都有尺许见方，深入山石，是用极锋利的兵刃刻入，深达数寸。十六个字棱角四射，大有剑拔弩张之态。又见十六个大字之旁更刻了无数小字，都是些"卑鄙无赖"、"可耻已极"、"低能"、"懦怯"等等诅咒字眼，满壁尽是骂人的语句。令狐冲看得甚是气恼，心想："原来这些人是被我五岳剑派擒住了囚禁在此，满腔气愤，无可发泄，便在石壁上刻些骂人的话，这等行径才是卑鄙无耻。"又想："却不知这些是甚么人？既与五岳剑派为敌，自不是甚么好人了。"

举起火把更往石壁上照看时，只见一行字刻着道："范松赵鹤破恒山剑法于此。"这一行之旁是无数人形，每两个人形一组，一个使剑而另一个使斧，粗略一计，少说也有五六百个人形，显然是使斧的人形在破解使剑人形的剑法。

在这些人形之旁，赫然出现一行字迹："张乘云张乘风尽破华山剑法。"令狐冲勃然大怒，心道："无耻鼠辈，大胆狂妄已极。华山剑法精微奥妙，天下能挡得住的已屈指可数，有谁胆敢说得上一个'破'字？更有谁胆敢说是'尽破'？"回手拾起泰山派的那柄重剑，运力往这行字上砍去，当的一声，火花四溅，那个"尽"字被他砍去了一角，但便从这一砍之中，察觉石质甚是坚硬，要在这石壁上缓图写字，虽有利器，却也十分不易。

一凝神间，看到那行字旁一个图形，使剑人形虽只草草数笔,线条甚为简陋,但从姿形之中可以明白看出,那正是本门基本剑法的一招"有凤来仪",剑势飞舞而出,轻盈灵动。与之对拆人形手中持着一条直线形的兵刃,不知算是棒棍还是枪矛,但见这件兵刃之端直指对方剑尖,姿式异常笨拙。令狐冲嘿嘿一声冷笑,寻思:"本门这招'有凤来仪',内藏五个后着,岂是这一招笨招所能破解?"

但再看那图中那人的身形,笨拙之中却含着有余不尽、绵绵无绝之意。"有凤来仪"这一招尽管有五个后着,可是那人这一条棒棍之中,隐隐似乎含有六七种后着,大可对付得了"有凤来仪"的诸种后着。

令狐冲凝视着这个廖廖数笔的人形,不胜骇异,寻思:"本门这一招'有凤来仪'招数本极寻常,但后着却威力极大,故手知机的便挡格闪避,倘若犯难破拆,非吃大亏不可,可是对方这一棍,委实便能破了我们这招'有凤来仪',这……这……这……"渐渐的自惊奇转为钦佩,内心深处,更不禁大有惶恐之情。

他呆呆凝视这两个人形,也不知过了多少时候,突然之间,右手上觉得一阵剧烈疼痛,却是火把燃到尽头,烧到了手上。他一甩手抛开火把,心想:"火把一烧完,洞中便黑漆一团。"急忙奔到前洞,拿了十几根用以烧火取暖的松柴,奔回后洞,在即将烧尽的火把上点着了,仍是瞧着这两个人形,心想:"这使棍的如果功力和本门剑手相若,那么本门剑手便有受伤之虞;要是对方功力稍高,则两招相逢,本门剑手立时便得送命。我们这一招'有凤来仪'……确确实实是给人家破了,不管用了!"

他侧头再看第二组图形时,见使剑的所使是本门一招'苍松迎客,登时精神一振,这一招他当年足足花了一个月时光才练得纯熟,已成为他临敌时的绝招之一。他兴奋之中微感惶恐,只怕这一招又为人所破,看那使棍的人形时,却见他手中共有五条棍子,分击使剑人形下盘五个部位。他登时一怔:"怎地有五条棍子?"但一看使棍人形的姿式,便即明白:"这不是五条棍子,是他在一刹那间连续击出五棍,分取对方下盘五处。可见他快我也快,他未必来得及连出五棍。这招'苍松迎客'毕竟破解不了。"正自得意,忽然一呆,终于想到:"他不是连出五棍,而是在这五棍的方位中任击一棍,我却如何躲避?"

他拾起一柄本门的长剑,使出"苍松迎客"那一招来,再细看石壁上图形,想象对方一棍击来,倘若知道他定从何处攻出,自有对付之方,但他那一棍可以从五下个方位中任何一个方位击至,那时自己长剑已刺在外门,势必不及收回,除非这一剑先行将他刺死,否则自己下盘必被击中,但对手既是高手,岂能期望一剑定能制彼死命?眼见敌人沉肩滑步的姿式,定能在间不容发的情势下避过自己这一剑,这一剑既给避过,反击之来,自己可就避不过了。这么一来,华山派的绝招"苍松迎客"岂不是又给人破了?

令狐冲回想过去三次曾以这一招"苍松迎客"取胜,倘若对方见过这石壁上的图形,知道以此反击,则对方不论使棍使枪、使棒使矛,如此还手,自己非死即伤,只怕今日世上早已没有令狐冲这个人了。他越想越是心惊,额头冷汗涔涔而下,自言自语:"不会的,不会的!要是'苍松迎客'真有此法可以破解,师父怎会不知? 怎能不向我警告?"但他对这一招的精要诀窍实是所知极稔,眼见使棍人形这五棍之来,凌厉已极,虽只石壁上短短的五条线,每一线却都似重重打在他腿骨、胫骨上一般。

再看下去,石壁上所刻剑招尽是本门绝招,而对方均是以巧妙无伦、狠辣之极的招数破去,令狐冲越看越心惊,待看到一招"无边落木"时,见对方棍棒的还招软弱无力,纯系守势,不由得吁了口长气,心道:"这一招你毕竟破不了啦。"

记得去年腊月，师父见大雪飞舞，兴致甚高，聚集了一众弟子讲论剑法，最后施展了这招"无边落木"出来，但见他一剑快似一剑，每一剑都闪中了半空中飘下来的一朵雪花，连师娘都鼓掌喝彩，说道："师哥，这一招我可服你了，华山派确该由你做掌门人。"师父笑道："执掌华山一派门户，凭德不凭力，未必一招剑法使得纯熟些，便能做掌门人了。"师娘笑道："羞不羞？你哪一门德行比我高了？"师父笑了笑，便不再说。师娘极少服人，常爱和师父争胜，连她都服，则这招"无边落木"的厉害可想而知。后来师父讲解，这一招的名字取自一句唐诗，就叫做"无边落木"甚么的，师父当时念过，可不记得了，好像是说千百棵树木上的叶子纷纷飘落，这招剑法也要如此四面八方的都照顾到。

再看那使棍人形，但见他缩成一团，姿式极不雅观，一副招架无方的挨打神态，令狐冲正觉好笑，突然之间，脸上笑容僵硬了起来，背上一阵冰凉，寒毛直竖。他目不转瞬的凝视那人手中所持棍棒，越看越觉得这棍棒所处方位实是巧妙到了极处。"无边落木"这一招中刺来的九剑、十剑、十一剑、十二剑……每一剑势必都刺在这棍棒之上，这棍棒骤看之下似是极拙，却乃极巧，形似奇弱，实则至强，当真到了"以静制动，以拙御巧"的极诣。

霎时之间，他对本派武功信心全失，只觉纵然学到了如师父一般炉火纯青的剑术，遇到这使棍棒之人，那也是缚手缚脚，绝无抗御的余地，那么这门剑术学下去更有何用？难道华山派剑术当真如此不堪一击？眼见洞中这些骸骨腐朽已久，少说也有三四十年，何以五岳剑派至今仍然称雄江湖，没听说那一派剑法真的能为人所破？但若说壁上这些图形不过纸上谈兵，却又不然，嵩山等派剑法是否为人所破，他虽不知，但他娴熟华山剑法，深知倘若陡然间遇上对方这等高明之极的招数，决计非一败涂地不可。

他便如给人点中了们道，呆呆站着不动，脑海之中，一个个念头却层出不穷的闪过，也不知过子多少时候，只听得有人在大叫："大师哥，大师哥，你在哪里？"

令狐冲一惊，急从石洞中转身而出，急速穿过窄道，钻过洞口，回入自己的山洞，只听得陆大有正向着崖外呼叫。令狐冲从洞中纵了出来，转到后崖的一块大石之后，盘膝坐好，叫道："我在这里打坐。六师弟，有甚么事？"

陆大有循声过来，喜道："大师哥在这里啊！我给你送饭来啦。令狐冲从黎明起始凝视石壁上的招数，心有专注，不知时刻之过，此时竟然已是午后。他居住的山洞是静居思过之处，陆大有不敢擅入，那山洞甚浅，一瞧不见令狐冲在内，便到崖边寻找。

令狐冲见他右颊上敷了一大片草药，血水从青绿的草药糊中渗将出来，显是受了不轻的创伤。忙问："咦！你脸上怎么了？"陆大有道："今早练剑不小心，回剑时划了一下，真蠢！"令狐冲见他神色间气愤多于惭愧，料想必有别情，便道："六师弟，到底是怎生受的伤？难道你连我也瞒么？"

陆大有气愤愤的道："大师哥，不是我敢瞒你，只是怕你生气，因此不说。"令狐冲问："是给谁刺伤的？"心下奇怪，本门师兄弟素来和睦，从无打架相斗之事，难道是山上来了外敌？陆大有道："今早我和林师弟练剑，他刚学会了那招'有凤来仪'，我一个不小心，给他划伤了脸。"令狐冲道："师兄弟们过招，偶有失手，平常得很，那也不用生气。林师弟初学乍练，收发不能自如，须怪不得他。只是你未免太大意了。这招'有凤来仪'威力不小，该当小心应付才是。"陆大有道："是啊，可是我怎料到这……这姓林的入门没几个月，便练成了'有凤来仪'？我是拜师后第五年上，师父才要你传我这一招的。"

令狐冲微微一怔，心想林师弟入门数月，便学成这招"有凤来仪"，进境确是太过迅速，若非天纵聪明而有过人之能，那便根基不稳，这等以求速成，于他日后总功反而大有妨碍，不知师父何以这般快的传他。

陆大有又道："当时我乍见之下，吃了一惊，便给他划伤了。小师妹还在旁拍手叫好，说道：'六猴儿，你连我的徒弟也打不过，以后还敢在我面前逞英雄么？'那姓林的小子自知不合，过来给我包扎伤口，却给我踢了个筋斗。小师妹怒道：'六猴儿，人家好心给你包扎，你怎地打不过人家，便老羞成怒了？'大师哥，原来是小师妹偷偷传给他的。"

刹那之间，令狐冲心头感到一阵强烈的酸苦，这招"有凤来仪"甚是难练，五个后着变化繁复，又有种种诀窍，小师妹教会林师弟这招剑法，定是花了无数心机，不少功夫，这些日子中她不上崖来，原来整日便和林师弟在一起。岳灵珊生性好动，极不耐烦做细磨功夫，为了要强好胜，自己学剑尚有耐心，要她教人，却极难望其能悉心指点，现下居然将这招变化繁复的"有凤来仪"教会了林平之，则对这师弟的关心爱护，可想而知。他过了好一阵，心头较为平静，才淡淡的道："你怎地去和林师弟练剑了？"

陆大有道："昨日我和你说了那几句话，小师妹听了很不乐意，下峰时一路跟我唠叨，今日一早便拉我去跟林师弟拆招。我毫无戒心，拆招便拆招。哪知小师妹暗中教了姓林的小子好几手绝招。我出其不意，中了他暗算。"

令狐冲越听越明白，定是这些日子中岳灵珊和林平之甚是亲热，陆大有和自己交好，看不过眼，不住的冷言讥刺，甚至向林平之辱骂生事，也不出奇，便道："你骂过林师弟好几次了，是不是？"

陆大有气愤愤的道："这卑鄙无耻的小白脸，我不骂他骂谁？

他见到我怕得很,我骂了他,从来不敢回嘴,一见到我,转头便即避开,没想到……没想到这小子竟这般阴毒。哼!凭他能有多大气候,若不是师妹背后撑腰,这小子能伤得了我?"

令狐冲心头涌上一股难以形容的苦涩滋味,随即想起后洞石壁上那招专破"有凤来仪"的绝招,从地下拾起根树枝,随手摆了个姿式,便想将这一招传给陆大有,但转念一想:"六师弟对那姓林的小子恼恨已极,此招既出,定然令他重伤,师父师娘追究起来,我们二人定受重责,这事万万不可。"便道:"吃一次亏,学一次乖,以后别再上当,也就是了。自己师兄弟,过招时的小小胜败,那也不必在乎。"

陆大有道:"是。可是大师哥,我能不在乎,你……你也能不在乎吗?"

令狐冲知他说的是岳灵珊之事,心头感到一阵剧烈痛楚,脸上肌肉也扭曲了起来。

陆大有一言既出,便知这句话大伤师哥之心,忙道:"我……我说错了。"令狐冲握住他手,缓缓的道:"你没说错。我怎能不在乎?不过……不过……"隔了半晌,道:"六师弟,这件事咱们此后再也别提。"陆大有道:"是!大师哥,那招'有凤来仪',你教过我的。我一时不留神,才着了那小子的道儿。我一定好好去练,用心去练,要教这小子知道,到底大师哥教的强,还是小师妹教的强。"

令狐冲惨然一笑,说道:"那招'有凤来仪',嘿嘿,其实也算不了甚么。"

陆大有见他神情落寞,只道小师妹冷淡了他,以致他心灰意懒,当下也不敢再说甚么,陪着他吃过了酒饭,收拾了自去。

令狐冲闭目养了会神,点了个松明火把,又到后洞去看石壁上的剑招。初时总是想着岳灵珊如何传授林平之剑术，说甚么也不能凝神细看石壁上的图形，壁上廖廖数笔勾勒成的人形，似乎一个个都幻化为岳灵珊和林平之，一个在教，一个在学，神态亲密。他眼前晃来晃去，都是林平之那俊美的相貌，不由得叹了口长气，心想："林师弟相貌比我俊美十倍，年纪又比我小得多，比小师妹只大一两岁，两人自是容易说得来。"

突然之间，瞥见石壁上图形中使剑之人刺出一剑，运劲姿式，剑招去路，宛然便是岳夫人那一招"无双无对，宁氏一剑"，令狐冲大吃一惊，心道："师娘这招明明是她自创的，怎地石壁上早就刻下了？这可奇怪之极了。"

仔细再看图形，才发觉石壁上这一剑和岳夫人所创的剑招之间，实有颇大不同，石壁上的剑招更加浑厚有力，更为朴实无华，显然出于男子之手，一剑之出，真正便只一剑，不似岳夫人那一剑暗藏无数后着，只因更为单纯，也便更为凌厉。令狐冲暗暗点头："师娘所创这一剑，原来是暗合前人的剑意。其实那民并不奇怪，两者都是从华山剑法的基本道理中变化出来，两人的功力和悟性都差不多，自然会有大同小异的创制。"又想："如此说来，这石壁上的种种剑招，有许多是连师父和师娘都不知道了。难道师父于本门的高深剑法，竟没学全么？"但见对手那一棍也是径自直点，以棍端对准剑尖，一剑一棍，联成了一条直线。

令狐冲看到这一条直线，情不自禁的大叫一声："不好了！"手中火把落地，洞中登时全黑。他心中出现了极强的惧意，只说："那怎么办？那怎么办？"

他清清楚楚的看到了，一棍一剑既针锋相对，棍硬剑柔，双方均以全力点出，则长剑非从中折断不可。这一招双方的后劲都是绵绵不绝，棍棒不但会乘势直点过去，而且剑上后劲会反击自身，委实无法可解。

跟着脑海中又闪过了一个念头:"当真无法可解?却也不见得。兵刃既断,对方棍棒疾点过来,其势只有抛去断剑,双膝跪倒,要不然身子向前一扑,才能消解棍上之势。可是像师父、师娘这等大有身分的剑术名家,能使这等姿式么?那自然是宁死不辱的了。唉,一败涂地!一败涂地!"

悄立良久,取火刀火石打着了火,点起火把,向石壁再看下去,只见剑招愈出愈奇,越来越精,最后数十招直是变幻难测,奥秘无方,但不论剑招如何厉害,对方的棍棒必有更加厉害的克制之法。华山派剑法图形尽处,刻着使剑者抛弃长剑,俯首屈膝,跪在使棍者的面前。令狐冲胸中愤怒早已尽消,只余一片沮丧之情,虽觉使棍者此图形未免骄傲刻薄,但华山派剑法被其尽破,再也无法与之争雄,却也是千真万确,绝无可疑。

这一晚间,他在后洞来来回回的不知绕了几千百个圈子,他一生之中,从未受过这般巨大的打击。心中只想:"华山派名列五岳剑派,是武林中享誉已久的名门大派,岂知本派武功竟如此不堪一击。石壁上的剑招,至少有百余招是连师父、师娘也不知道的,但即使练成了本门的最高剑法,连师父也是远远不及,却又有何用?只要对方知道了破解之法,本门的最强高手还是要弃剑投降。倘若不肯服输,只有自杀了。"

徘徊来去,焦虑苦恼,这时火把早已熄了,也不知过子多少时候,又点燃火把,看着那跪地投降的人形,愈想愈是气恼,提起剑来,便要往石壁上削去,剑尖将要及壁,突然动念:"大丈夫光明磊落,输便是输,赢便是赢,我华山派技不如人,有甚么话可说?"抛下长剑,长叹了一声。

再去看石壁上的其余图形时,只见嵩山、衡山、泰山、恒山四派的剑,也全被对手破尽破绝,其势无可挽救,最后也是跪地投降。令狐冲在师门日久,见闻广博,于嵩山等派的剑招虽然不能明其精深之处，但大致要义，却都听人说过，眼见石壁上所刻四派剑招，没一招不是十分高明凌厉之作，但每一招终是为对方所破。

他惊骇之余，心中充满了疑窦："范松、赵鹤、张乘风、张乘云这些人，到底是甚么来头？怎地花下如许心思，在石壁上刻下破我五岳剑派的剑招之法，他们自己在武林中却是默默无闻？而我五岳剑派，居然又得享大名至今？"

心底隐隐觉得，五岳剑法今日在江湖上扬威立万，实不免有点欺世盗名，至少也是侥幸之极"。五家剑派中数千名师长弟子，所以得能立足于武林，全仗这石壁上的图形未得泄漏于外，心中忽又生念："我何不提起大斧，将石壁上的图形砍得干干净净，不在世上留下丝毫痕迹？那么五岳剑派的令名便可得保了。只当我从未发见过这个后洞，那便是了。"

他转身去提起大斧，回到石壁之前，但看到壁上种种奇妙招数，这一斧始终砍不下去，沉吟良久，终于大声说道："这等卑鄙无耻的行径，岂是令狐冲所为？"

突然之间，又想起那位青袍蒙面客来："这人剑术如此高明，多半和这洞里的图形大有关连。这人是谁？这人是谁？"

回到前洞想了半日，又到后洞去察看壁上图形，这等忽前忽后，也不知走了多少次，眼见天色向晚，忽听得脚步声响，岳灵珊提了饭篮上来。令狐冲大喜，急忙迎到崖边，叫道："小师妹！"声音也发颤了。

岳灵珊不应，上得崖来，将饭篮往大石上重重一放，一眼也不向他瞧，转身便行。令狐冲大急，叫道："小师妹，小师妹，你怎么了？"岳灵珊哼了一声，右足一点，纵身便即下崖，任由令狐冲一再叫唤，她始终不应一声，也始终不回头瞧他一眼。令狐冲心情激荡，一时不知如何是好，打开饭篮，但见一篮白饭，两碗素菜，却没了那一小葫芦酒。他痴痴的瞧着，不由得呆了。

他几次三番想要吃饭，但只吃得一口，便觉口中干涩，食不下咽，终于停箸不食，寻思："小师妹若是恼了我，何以亲自送饭来给我？若是不恼我，何以一句话不说，眼角也不向我瞧一眼？难道是六师弟病了，以致要她送饭来？可是六师弟不送，五师弟、七师弟、八师弟他们都能送饭，为甚么小师妹却要自己上来？"思潮起伏，推测岳灵珊的心情，却把后洞石壁的武功置之脑后了。

次日傍晚，岳灵珊又送饭来，仍是一眼也不向他瞧，一句话也不向他说，下崖之时，却大声唱起福建山歌来。令狐冲更是心如刀割，寻思："原来她是故意气我来着。"

第三日傍晚，岳灵珊又这般将饭篮在石上重重一放，转身便走，令狐冲再也忍耐不住，叫道："小师妹，留步，我有话跟你说。"岳灵珊转过身来，道："有话请说。"令狐冲见她脸上犹如罩了一层严霜，竟没半点笑意，喃喃的道："你……你……你……"岳灵珊道："我怎样？"令狐冲道："我……我……"他平时潇洒倜傥，口齿伶俐，但这时竟然说不出话来。岳灵珊道："你没话说，我可要走了。"转身便行。

令狐冲大急，心想她这一去，要到明晚再来，今日不将话问明白了，这一晚心情煎熬，如何能挨得过去？何况瞧她这等神情，说不定明晚便不再来，甚至一个月不来也不出奇，情急之下，伸手便拉住她左手袖子。岳灵珊怒道："放手！"用力一挣，嗤的一声，登时将那衣袖扯了下来，露出白白的半条手膀。

岳灵珊又羞又急，只觉一条裸露的手膀无处安放，她虽是学武之人，于小节不如寻常闺女般拘谨，但突然间裸露了这一大段臂膀，却也狼狈不堪，叫道："你……大胆！"令狐冲忙道："小师妹，对……对不起，我……我不是故意的。"岳灵珊将右手袖子翻起,罩在左膀之上,厉声道:"你到底要说甚么?"

令狐冲道:"我便是不明白,为甚么你对我这样?当真是我得罪了你,小师妹,你……你……拔剑在我身上刺十七八个窟窿,我……我也是死而无怨。"

岳灵珊冷笑道:"你是大师兄,我们怎敢得罪你啊?还说甚么刺十七八个窟窿呢,我们是你师弟妹,你不加打骂,大伙儿已谢天谢地啦。"令狐冲道:"我苦苦思索,当真想不明白,不知哪里得罪了师妹。"岳灵珊气虎虎的道:"你不明白!你叫六猴儿在爹爹、妈妈面前告状,你就明白得很了。"令狐冲大奇,道:"我叫六师弟向师父、师娘告状了?告……告么?"岳灵珊道:"你明知爹爹妈妈疼我,告我也没用,偏生这么鬼聪明,去告了……告了……哼哼,还装腔作势,你难道真的不知道?"

令狐冲心念一动,登时雪亮,却是愈增酸苦,道:"六师弟和林师弟比剑受伤,师父师娘知道了,因而责罚了林师弟,是不是?"心想:"只因师父师娘责罚了林师弟,你便如此生我的气。"

岳灵珊道:"师兄弟比剑,一个失手,又不是故意伤人,爹爹却偏袒六猴儿,狠狠骂了小林子一顿,又说小林子功力未到,不该学'有凤来仪'这等招数,不许我再教他练剑。好了,是你赢啦!可是……可是……我……我再也不来理你,永远永远不睬你!"这"永远永远不睬你"七字,原是平时她和令狐冲闹着玩时常说的言语,但以前说时,眼波流转,口角含笑,哪有半分"不睬你"之意?这一次却神色严峻,语气中也充满了当真割绝的决心。

令狐冲踏上一步,道:"小师妹,我……"他本想说:"我确是没叫六师弟去向师父师娘告状。"但转念又想:"我问心无愧,并未做过此事,何必为此向你哀恳乞怜?"说了一个"我"字,便没接口说下去。

岳灵珊道:"你怎样?"

令狐冲摇头道："我不怎么样！我只是想，就算师父师娘不许你教林师弟练剑，也不是甚么大不了的事，又何必恼我到这等田地？"

岳灵珊脸上一红，道："我便是恼你，我便是恼你！你心中尽打坏主意，以为我不教林师弟练剑，便能每天来陪你了。哼，我永远永远不睬你。"右足重重一蹬，下崖去了。

这一次令狐冲不敢再伸手拉扯，满腹气苦，耳听得崖下又响起了她清脆的福建山歌。走到崖边，向下望去，只见她苗条的背影正在山坳边转过，依稀见到她左膀拢在右袖之中，不禁担心："我扯破了她的衣袖，她如去告知师父师娘，他二位老人家还道我对小师妹轻薄无礼，那……那……那便如何是好？这件事传了出去，连一众师弟师妹也都瞧我不起了。"随即心想："我又不真的对她轻薄。人家爱怎么想，我管得着么？"

但想到她只是为了不得到林平之教剑，居然如此恼恨自己，实不禁心中大为酸楚，初时还能自己宽慰譬解："小师妹年轻好动，我既在崖上思过，无人陪她说话解闷，她便找上了年纪和她相若的林师弟作个伴儿，其实又岂有他意？"但随即又想："我和她一同长大，情谊何等深重？林师弟到华山来还不过几个月，亲疏厚薄之际，竟然这般不同。"言念及此，却又气苦。

这一晚，他从洞中走到崖边，又从崖边走到洞中，来来去去，不知走了几千百次，次日又是如此，心中只是想着岳灵珊，对后洞石壁上的图形，以及那晚突然出现的青袍人，尽皆置之脑后了。

到得傍晚，却是陆大有送饭上崖。他将饭菜放在石上，盛好了饭，说道："大师哥，用饭。"令狐冲嗯了一声，拿起碗筷扒了两口，实是食不下咽，向崖下望了一眼，缓缓放下了饭碗。陆大有道："大师哥，你脸色不好，身子不舒服么？"令狐冲摇头道："没甚么。"陆大有道："这冬菇是我昨天去给你采的，你试试味道看。"令狐冲不忍拂他之意，挟了两只冬菇来吃了，道："很好。"其实冬菇滋味虽鲜，他何尝感到了半分甜美之味？

陆大有笑嘻嘻的道："大师哥，我跟你说一个好消息，师父师娘打从昨儿起，不许小林子跟小师妹学剑啦。"令狐冲冷冷的道："你斗剑斗不过林师弟，便向师父师娘哭诉去了，是不是？"陆大有跳了起来，道："谁说我斗他不过了？我……我是为……"说到这里，立时住口。

令狐冲早已明白，虽然林平之凭着一招"有凤来仪"出其不意的伤了陆大有，但毕竟陆大有入门日久，林平之无论如何不是他对手。他所以向师父师娘告状，实则是为了自己。令狐冲突然心想："原来一众师弟师妹，心中都在可怜我，都知道小师妹从此不跟我好了。只因六师弟和我交厚，这才设法帮我挽回。哼哼，大丈夫岂受人怜？"

突然之间，他怒发如狂，拿起饭碗菜碗，一只只的都投入了深谷之中，叫道："谁要你多事？谁要你多事？"

陆大有吃一惊，他对大师哥素来敬重佩服，不料竟激得他如此恼怒，心下甚是慌乱，不住慌乱，不住倒退，只道："大师哥，大……师哥。"令狐冲将饭菜尽数抛落深谷，余怒未息，随手拾起一块块石头，不住投入深谷之中。陆大有道："大师哥，是我不好，你……打我好了。"

令狐冲手中正举起一块石头，听他这般说，转过身来，厉声道："你有甚么不好？"陆大有吓得又退了一步，嗫嚅道："我……我……我不知道！"令狐冲一声长叹，将手中石头远远投了出去，拉住陆大有双手，温言道："六师弟，对不起，是我自己心中发闷，可跟你毫不相干。"

陆大有松了口气，道："我下去再给你送饭来。"令狐冲摇头道：“不，不用了，我不想吃。陆大有见大石上昨日饭篮中的饭菜兀自完整不动，不由得脸有忧色，说道：“大师哥，你昨天也没吃饭？”令狐冲强笑一声，道：“你不用管，这几天我胃口不好。”

陆大有不敢多说，次日还不到未牌时分，便即提饭上崖，心想：“今日弄到了一大壶好酒，又煮了两味好菜，无论如何要劝大师哥多吃几碗饭。”上得崖来，却见令狐冲睡在洞中石上，神色甚是憔悴。他心中微惊，说道：“大师哥，你瞧这是甚么？”提起酒葫芦晃了几晃，拔开葫芦上的塞子，登时满洞都是酒香。

令狐冲当即接过，一口气喝了半壶，赞道：“这酒可不坏啊。”陆大有甚是高兴，道：“我给你装饭。”令狐冲道：“不，这几天不想吃饭。”陆大有道：“只吃一碗罢。”说着给他满满装了一碗。令狐冲见他一番好心，只得道：“好，我喝完了酒再吃饭。”

可是这一碗饭，令狐冲毕竟没有吃。次日陆大有再送饭上来时，见这碗饭仍满满的放在石上，令狐冲却躺在地下睡着了。陆大有见他双颊潮红，伸手摸他额头，触手火烫，竟是在发高烧，不禁担心。低声道：“大师哥，你病了么？”令狐冲道：“酒，酒，给我酒！”陆大有虽带了酒来，却不敢给他，倒了一碗清水送到他口边。令狐冲坐起身来，将一大碗水喝干了，叫道：“好酒，好酒！”仰天重重睡倒，兀自喃喃的叫道：“好酒，好酒！”

陆大有见他病势不轻，甚是忧急，偏生师父师娘这日一早又有事下山去了，当即飞奔下崖，去告知了劳德诺等众师兄。岳不群虽有严训，除了每日一次送饭外，不许门人上崖和令狐冲相见，眼下他既有病，上去探病谅亦不算犯规。但众门人仍是不敢一同上崖，商量了大伙儿分日上崖探病，先由劳德诺和梁发两人上去。

陆大有又去告知岳灵珊，她余愤兀自未息，冷冷的道：“大师哥内功精湛，怎会有病？我才不上这个当呢。”

令狐冲这场病来势着实凶猛，接连四日四晚昏睡不醒。陆大有向岳灵珊苦苦哀求，请她上崖探视，差点便要跪在她面前。岳灵珊才知不假，也着急起来，和陆大有同上崖去，只见令狐冲双颊深陷，蓬蓬的胡子生得满脸，浑不似平时潇洒倜傥的模样。岳灵珊心下歉仄，走到他身边，柔声道："大师哥，我来探望你啦，你别再生气了，好不好？"

令狐冲神色漠然，睁大了眼睛向她瞧着，眼光中流露出迷茫之色，似乎并不相识。岳灵珊道："大师哥，是我啊。你怎么不睬我？"令狐冲仍是呆呆的瞪视，过了良久，闭眼睡着了，直至陆大有和岳灵珊离去，他始终没再醒来。

这场病直生了一个多月，这才渐渐痊可。这一个多月中，岳灵珊曾来探视了三次。第二次上令狐冲神智已复，见到她时十分欣喜。第三次她再来探病时，令狐冲已可坐起身来，吃了几块她带来的点心。

但自这次探病之后，她却又绝足不来，令狐冲自能起身行走之后，每日之中，倒有大半天是在崖边等待这小师妹的倩影，可是每次见到的，若非空山寂寂，便是陆大有佝偻着身子快步上崖的形相。

令狐冲随手摸到腰间剑鞘，便将剑鞘对准岳夫人长剑，联成一线，却听得嚓的一声响，岳夫人的长剑直插入剑鞘之中。

九 邀客

这日傍晚，令狐冲又在崖上凝目眺望，却见两个人形迅速异常的走上崖来，前面一个衣裙飘飘，是个女子。他见这二人轻身功夫好高，在危崖峭壁之间行走如履平地，凝目看时，竟是师父和师娘。他大喜之下，纵声高呼："师父、师娘"片刻之间，岳不群和岳夫人双双纵上崖来，岳夫人手中提着饭监。依照华山派历来相传门规，弟子受罚在思过崖上面壁思过，同门师兄弟除了送饭，不得上崖与之交谈，即是受罚者的徒弟，也不得上崖叩见师父。哪知岳不群夫妇居然亲自上崖，令狐冲不胜之喜，抢上拜倒，抱住了岳不群的双腿，叫道："师父、师娘，可想煞我了。"

岳不群眉头微皱，他素知这个大弟子率性任情，不善律己，那正是修习华山派上乘气功的大忌。夫妇俩上崖之前早已问过病因，众弟子虽未明言，但从各人言语之中，已推测到此病是因岳灵珊而起，待得叫女儿来细问，听她言词吞吐闪烁，知道得更清楚了。这时眼见他真情流露，显然在思过崖上住了半年，丝毫没有长进，心下颇为不怿，哼了一声。

岳夫人伸手将令狐冲扶起，见他容色憔悴，大非往时神采飞扬的情状，不禁心生怜惜，柔声道："冲儿，你师父和我刚从关外回来，听到你生了一场大病，现下可大好了罢？"

令狐冲胸口一热，眼泪险些夺眶而出，说道："已全好了。师父、师娘两位老人家一路辛苦，你们今日刚回，却便上来……上来看我。"说到这里，心情激动，说话哽咽，转过头去擦了擦眼泪。

岳夫人从饭篮中取出一碗参汤，道："这是关外野山人参熬的参汤，才炖了人……，快喝了罢。"令狐冲想起师父、师娘万里迢迢的从关外觅来的人参第一个便给自己服食，心下感激，端起碗时右手微颤，竟将参汤泼了少许出来。岳夫人伸手过去，要将参汤接过来喂他。令狐冲忙大口将参汤喝完了，道："多谢师父、师娘。"

岳不群伸指过去，搭住他的脉搏，只觉弦滑振速，以内功修为而论，比之以前反而大大退步了，更是不快，淡淡的道："病是好了！"过了片刻，又道："冲儿，你在思过崖上这几个月，到底在干甚么？怎地内功非但没长进，反而后退了？"令狐冲俯首道："是，师父师娘恕罪。"岳夫人微笑道："冲儿生了一场大病，现下还没全好，内力自然不如人前。难道你盼他越生病，功夫越强么？"

岳群摇了摇头，说道："我查考他的不是身子强弱，而是内力修为，这跟生不生病无关。本门气功与别派不同，只须勤加修习，纵在睡梦中也能不断进步。何况冲儿修练本门气功已逾十年，若非身受外伤，便不该生病，总之……总之是七情六欲不善控制之故。"

岳夫人知道丈夫所说不错，向令狐冲道："冲儿，你师父向来谆谆告诫，要你用功练气练剑，罚你在思过崖上独修，其实也并非真的责罚，只盼你不受外事所扰，在这一年之内，不论气功和剑术都有突飞猛进，不料……不料……唉……"

令狐冲大是惶恐，低头道："弟子知错了，今日起便当好好用功。"

岳不群道："武林之中，变故日多。我和你师娘近年来四处奔波，眼见所伏祸胎难以消解，来日必有大难，心下实是不安。"他顿了一顿,又道:"你是本门大弟子,我和你师娘对你期望甚殷,盼你他日能为我们分任艰巨,光大华山一派。但你牵缠于儿女私情,不求上进,荒废武功,可令我们失望得很了。"

令狐冲见师父脸上忧色甚深,更是愧惧交集,当即拜伏于地,说道:"弟子……弟子该死,辜负了师父、师娘的期望。"

岳不群伸手扶他起来,微笑道:"你既已知错,那便是了。半月之后,再来考校你的剑法。"说着转身便行。令狐冲叫道:"师父,有一件事……"想要禀告后洞石壁上图形和那青袍人之事。岳不群挥一挥手,下崖去了。

岳夫人低声道:"这半月中务须用功,熟习剑法。此事与你将来一生大有关连,千万不可轻忽。"令狐冲道:"是,师娘……"又待再说石崖剑招和青袍人之事,岳夫人笑着向岳不群背影指了指,摇一摇手,转身下崖,快步追上了丈夫。

令狐冲自忖:"为甚么师娘说练剑一事与我将来一生大有关连,千万不可轻忽?又为甚么师娘要等师父先走,这才暗中叮嘱我?莫非……莫非……"登时想到了一件事,一颗心怦怦乱跳,双颊发烧,再也不敢细想下去,内心深处,浮上了一个指望:"莫非师父师娘知道我是为小师妹生病,竟然肯将小师妹许配给我?只是我必须好好用功,不论气功、剑术,都须能承受师父的衣钵。师父不便明言,师娘当我是亲儿子一般,却暗中叮嘱我,否则的话,还有甚么事能与我将来一生大有关连?"

想到此处,登时精神大振,提起剑来,将师父所授剑法中最艰深的几套练了一遍,可是后洞石壁上的图形已深印脑海,不论使到哪一招,心中自然而然的浮起了种种破解之法,使到中途,凝剑不发,寻思:"后洞石壁上这些图形,这次没来得及跟师父师娘说,半个月后他二位再上崖来,细观之后,必能解破我的种种疑窦。"

岳夫人这番话虽令他精神大振,可是这半个月中修习气功、剑术,却无多大进步,整日里胡思乱想:"师父师娘如将小师妹许配于我,不知她自己是否愿意? 要是我真能和她结为夫妇,不知她对林师弟是否能够忘情? 其实,林师弟不过初入师门,向她讨教剑法,平时陪她说话解闷而已,两人又不是真有情意,怎及得我和小师妹一同长在,十余年来朝夕共处的情谊? 那日我险些被余沧海一掌击毙,全蒙林师弟出言解救,这件事我可终身不能忘记,日后自当善待于他。他若遇危难,我纵然舍却性命,也当挺身相救。"

半个月晃眼即过,这日午后,岳不群夫妇又连袂上崖,同来的不家施戴子、陆大有与岳灵珊三人。公狐冲见到小师妹也一起上来,在口称"师父、师娘"之时,声音也发颤了。

岳夫人见他精神健旺,气色比之半个月前大不相同,含笑点了点头,道:"珊儿,你替大师哥装饭,让他先务吃得饱饱的,再来练剑。岳灵珊应道:"是。"将饭篮提进石洞,放在大石上,取出碗筷,满满装了一碗白米饭,笑道:"大师哥,请用饭罢!"

令狐冲道:"多……多谢。"岳灵珊笑道:"怎么? 你还在发冷发热? 怎地说起话来声音打颤?"令狐冲道:"没……没甚么。"心道:"倘若此后朝朝暮暮,我吃饭时你能常在身畔,这一生令狐冲更无他求。"这时哪里有心情吃饭,三扒二护,便将一碗饭吃完。岳灵珊道:"我再给你添饭。"令狐冲道:"多谢,不用了。师父、师娘在外边等着。"

走出洞来,只见岳不群夫妇并肩坐在石上。令狐冲走上前去,躬身行礼,想要说甚么,却觉得甚么话都说来不妥。陆大有向他眨了眨眼睛,脸上大有喜色。令狐冲心想:"六师弟定是得到了讯息,在代我欢喜呢。"

岳不群的目光在他脸上转来转去，过了好一刻才道："根明昨天从长安来，说着田伯光在长安做了好几件大案。"令狐冲一怔，道："田伯光到了长安？干的多半不是好事了。"岳不群道："那还用说？他在长安城一夜之间连盗七家大户，这也罢了，却在每家墙上写上九个大字：'万里独行田伯光借用'。"

令狐冲"啊"的一声，怒道："长安城便在华山近旁，他留下这九个大字，明明是要咱们华山派的好看。师父，咱们……"岳不群道："怎么？"令狐冲道："只是师父、师娘身分尊贵，不值得叫这恶贼来污了宝剑。弟子功夫却还不够，不是这恶贼的对手，何况弟子是有罪之身，不能下崖去找这恶贼，却让他在华山脚下如此横行，当真可恼可恨。"

岳不群道："倘若你真有把握诛了这恶贼，我自可准你下崖，将功赎罪。你师娘将所授那一招'无双无对，宁氏一剑'演来瞧瞧。这半年之中，想来也已领略到了七八成，请师娘再加指点，未始便真的斗不过那姓田的恶贼。"

令狐冲一怔，心想："师娘这一剑可没传我啊。"但一转念间，已然明白："那日师娘试演此剑，虽然没正式传我，但凭着我对本门功夫的造诣修为，自该明白剑招中的要旨。师父估计我在这半年之中，琢磨修习，该当学得差不多了。"

他心中翻来覆去的说着："无双无对，宁氏一剑！无双无对，宁氏一剑！"额头上自禁渗出汗珠。他初上崖时，确是时时想着这一剑的精妙之处，也曾一再试演，但自从见到后洞石壁上的图形，发觉华山派的任何剑招都能为人所破，那一招"宁氏一剑"更败得惨不可言，自不免对这招剑法失了信心，一句话几次到了口边，却又缩回："这一招并不管用，会给人家破去的。"但当着施戴子和陆大有之面，可不便指摘师娘这招十分自负的剑法。

岳不群见他神色有异，说道："这一招你没练成么？那也不打紧,这招剑法是我华山派武功的极诣,你气功火候未足,原也练不到家,假以时日,自可慢慢补足。"

岳夫人笑道:"冲儿,还不叩谢师父?你师父答允传你'紫霞功'的心法了。"

令狐冲心中一凛,道:"是!多谢师父。"便要跪倒。

岳不群伸手阻住,笑道:"紫霞功是本门最高的气功心法,我所以不加轻传,倒不是有所吝惜,只因一练此功之后,必须心无杂念,勇猛精进,中途不可有丝毫耽搁,否则于练武功者实有大害,往往会走火入魔。冲儿,我要先瞧瞧你近半年来功夫的进境如何,再决定是否传你这紫霞功的口诀。"

施戴子、陆大有、岳灵珊三人听得大师哥将得"紫霞功"的传授,脸上都露出了艳羡之色。他三人均知"紫霞功"威力极大,自来有"华山九功,第一紫霞"的说法,他们虽知本门中武功之强,无人及得上令狐冲的项背,日后必是他承受师门衣钵,接掌华山派门户,但料不到师父这么快便将本门的第一神功传他。陆大有道:"大师哥用功得很,我每日送饭上来,见到他不是在打坐练气,便是勤练剑法。"岳灵珊横了他一眼,偷偷扮个鬼脸,心道:"你这六猴儿当面撒谎,只是想帮大师哥。"

岳夫人笑道:'冲儿,出剑罢!咱师徒三人去斗田伯光。临时抱佛脚,上阵磨枪,比不磨总要好些。"令狐冲奇道:"师娘,你说咱们三人去斗田伯光?"岳夫人笑道:"你明着向他挑战,我和你师父暗中帮你。不论是谁杀了他,都说是你杀的,免得武林同道说我和你师父失了身分。"岳灵珊拍手笑道:"那好极了。即有爹爹妈妈暗中相帮,女儿也敢向他挑战,杀了后,说是女儿杀的,岂不是好?"

岳夫人笑道:"你眼红了,想来捡这现成便宜,是不是?你大师哥出生入死,曾和田伯光这厮前后相斗数百招,深知对方的虚实,凭你这点功夫,哪里能够?再说,你好好一个女孩儿家,连嘴里也别提这恶贼的名字,更不要说跟他见面动手了。"突然间嗤的一声响,一剑刺到了令狐冲胸口。

她正对着女儿笑吟吟的说话,岂知刹那之间,已从腰间拔出长剑,直刺令狐冲的要害。令狐冲应变也是奇速,立即拔剑挡开,当的一声响,双剑相交,令狐冲左足向后退了一步。岳夫人刷刷刷刷刷刷,连刺六剑,当当当当当当,响了六声,令狐冲一一架开。岳夫人喝道:"还招!"剑法陡变,举剑直砍,快劈快削,却不是华山派的剑法。令狐冲当即明白,师娘是在施展田伯光的快刀,以便自己从中领悟到破解之法,诛杀强敌。

眼见岳夫人出招越来越快,上一招与下一招之间已无连接的踪迹可寻,岳灵珊向父亲道:"爹,妈这些招数,快是快得很了,只不过还是剑法,不是刀法。只怕田伯光的快刀不会是这样子的。"

岳不群微微一笑,道:"田伯光武功了得,要用他的刀法出招,谈何容易?你娘也不是真的模仿他刀法,只是将这个'快'字,发挥得淋漓尽致。要除田伯光,要点不在如何破他刀法,而在设法克制他刀招的迅速。你瞧,好!'有凤来仪'!"他见令狐冲左肩微沉,左手剑诀斜引,右肘一缩,跟着便是一招"有凤来仪",这一招用在此刻,实是恰到好处,心头一喜,便大声叫了出来。

不料这"仪"字刚出口,令狐冲这一剑却刺得歪斜无力,不能穿破岳夫人的剑网而前。岳不群轻轻叹了口气,心道:"这一招可使糟了。"岳夫人手下毫不留情,嗤嗤嗤三剑,只逼得令狐冲手忙脚乱。

岳不群见令狐冲出招慌张,不成章法,随手抵御之际,十招之中倒有两三招不是本门剑术,不由得脸色越来越难看,只是令狐冲的剑法虽然杂乱无章,却还是把岳夫人凌厉的攻势挡住了。他退到山壁之前,已无退路,渐渐展开反击,忽然间得个机会,使出一招"苍松迎客",剑花点点,向岳夫人眉间鬓边滚动闪击。

岳夫人当的一剑格开,急挽剑花护知,她知这招"苍松迎客"含有好几个厉害后着,令狐冲对这招习练有素,虽然不会真的刺伤了自己,但也着实不易抵挡,是以转攻为守,凝神以待,不料令狐冲长剑斜击,来势既缓,劲道又弱,竟绝无威胁之力。岳夫人叱道:"用心出招,你在胡思乱想甚么?"呼呼呼连劈三剑,眼见令狐冲跳跃避开,叫道:"这招'苍松迎客'成甚么样子?一场大病,生得将剑法全都还给了师父?"令狐冲道:"是。"脸现愧色,还了两剑。

施戴子和陆大有见师父的神色越来越是不愉,心下均有惴惴之意,忽听得风声猎猎,岳夫人满场游走,一身青衫化成了一片青影,剑光闪烁,再也分不出剑招。令狐冲脑中却是混乱一片,种种念头此去彼来:"我若使'野马奔驰',对方有以棍横挡的精妙招法可破,我若使那招斜击,却非身受重伤不可。"他每想到本门的一招剑法,不自禁的便立即想到石壁上破解这一招的法门,先前他使"有凤来仪"和"苍松迎客"都半途而废,没使得到家,便因想到了这两招的破法之故,心生惧意,自然而然的缩剑回守。

岳夫人使出快剑,原是想引他用那"无双无对,宁氏一剑"来破敌建功,可是令狐冲随手拆解,非但心神不属,简直是一副胆战心惊、魂不附体的模样。她素知这徒儿胆气极壮,自小便生就一副天不怕、地不怕的性格,目下这等拆招,却是从所未见,不由得大是恼怒,叫道:"还不使那一剑?"

令狐冲道:"是!"提剑直刺,运劲之法,出剑招式,宛然正便是岳夫人所创那招"无双无对,宁氏一剑。"岳夫人叫道:"好!"知道这一招凌厉绝伦,不敢正撄其锋,斜身闪开,回剑疾挑。令狐冲心中却是在想："这一招不成的，没有用，一败涂地。"突然间手腕剧震，长剑脱手飞起。令狐冲大吃一惊，"啊"的一声，叫了出来。

岳夫人随即挺剑直出，剑势如虹，嗤嗤之声大作，正是她那一招"无双无对，宁氏一剑"。此招之出，比之那日初创时威力又大了许多，她自创成此招后，心下甚是得意，每日里潜心思索，如何发招更快，如何内劲更强，务求一击必中，敌人难以抵挡。她见令狐冲使这一招自己的得意之作，初发时形貌甚似，剑至中途，实质竟然大异，当真是"画虎不成反类犬"，将一招威力奇强的绝招，使得猥猥崽崽，拖泥带水，十足脓包模样。她一怒之下，便将这一招使了出来。她虽绝无伤害徒儿之意，但这一招威力实在太强，剑刃未到，剑力已将令狐冲全身笼罩住了。

岳不群眼见令狐冲已然无法闪避，无可挡架，更加难以反击，当日岳夫人长剑甫触令狐冲之身，便以内力震断己剑，此刻这一剑的劲力却尽数集于剑尖，实是使得性发，收手不住。暗叫一声："不好！"忙从女儿身边抽出长剑，踏上一步，岳夫人的长剑只要再向前递得半尺，他便要抢上出剑挡格。他师兄妹功夫相差不远，岳不群虽然稍胜，但岳夫人既占机先，是否真能挡开，也是殊无把握，只盼令狐冲所受创伤较轻而已。

便在这电光石火的一瞬之间，令狐冲顺手摸到腰间剑鞘，身子一矮，沉腰斜坐，将剑鞘对准了岳夫人的来剑。这一招式，正是后洞石壁图形中所绘，使棍者将棍棒对准对方来剑，棍剑联成一线，双方内力相对，长剑非断不可。令狐冲长剑被震脱手，跟着便见师娘势若雷霆的攻将过来，他心中本已混乱之极，脑海中来来去去的尽是石壁上的种种招数，岳夫人这一剑他无可抗御，为了救命，自然而然的便使出石壁上那一招来。来剑既快，他拆解亦速，这中间实无片刻思索余地，又哪有余暇去找棍棒？随手摸到腰间剑鞘，便将剑鞘对准岳夫人长剑，联成一线。别说他随手摸到的是剑鞘，即令是一块泥巴，一根稻草，他也会使出这个姿式来，将之对准长剑，联成一线。

此招一出，臂上内劲自然形成，却听得嚓的一声响，岳夫人的长剑直插入剑鞘之中。原来令狐冲惊慌之际，来不及倒转剑鞘，一握住剑鞘，便和来剑相对，不料对准来剑的乃是剑鞘之口，没能震断岳夫人的长剑，那剑却插入了鞘中。

岳夫人大吃一惊，虎口剧痛，长剑脱手，竟被令狐冲用剑鞘夺去。令狐冲这一招中含了好几个后着，其时已然管不住自己，自然而然的剑鞘挺出，点向岳夫人咽喉，而指向她喉头要害的，正是岳夫人所使长剑的剑柄。

岳不群又惊又怒，长剑挥出，击在令狐冲的剑鞘之上。这一下他使上了"紫霞功"，令狐冲只觉全身一热，腾腾腾连退三步，一交坐。那剑鞘连着鞘中长剑，都断成了三四截，掉在地下，便在此时，白光一闪，空中那柄长剑落将下来，插在土中，直没至柄。施戴子、陆大有、岳灵珊三人只瞧得目为之眩，尽皆呆了。岳不群抢到令狐冲面前，伸出右掌，拍拍连声，接连打了他两个耳光，怒声喝道："小畜生，干甚么来着？"

令狐冲头晕脑胀，身子晃了晃，跪倒在地，道："师父、师娘，弟子该死。"岳不群恼怒已极，喝道："这半年之中，你在思过崖上思甚么过？练甚么功？"令狐冲道："弟……弟子没……没练甚么功？"岳不群厉声又问："你对付师娘这一招，却是如何胡思乱想而来的？"令狐冲嗫嚅道："弟子……弟子想也没想，眼见危急，随手……随手便使了出来。"岳不群叹道："我料到你是想也没想，随手使出，正因如此，我才这等恼怒。你可知自己已经走上了邪路，眼见便会难以自拔么？"令狐冲俯首道："请师父指点。"

岳夫人过了良久，这才心神宁定，只见令狐冲给丈夫击打之后，双颊高高肿起，全成青紫之色，怜惜之情，油然而生，说道：

"你起来罢！这中间的关键所在，你本来不知。"转头向丈夫道："师哥，冲儿资质太过聪明，这半年中不见到咱二人，自行练功，以致走上了邪路。如今迷途未远，及时纠正，也尚未晚。"岳不群点点头，向令狐冲道："起来。"

令狐冲站起身来，瞧着地下断成了三截的长剑和剑鞘，心头迷茫一片，不知何以师父和师娘都说自己练功走上了邪路。

岳不群向施戴子等人招了招手，道："你们都过来。"施戴子、陆大有、岳灵珊三人齐声应道："是。"走到他身前。

岳不群在石上坐下，缓缓的道："二十五年之前，本门功夫本来分为正邪两途。"令狐冲等都是大为奇怪，均想："华山派武功便是华山派武功了，怎地又有正邪之分？怎么以前从来不曾听师父说起过。"岳灵珊道："爹爹，咱们所练的，当都都是正宗功夫了。"岳不群道："这个自然，难道明知是旁门左道功夫，还会去练？只不过左道的一支，却自认是正宗，说咱们一支才是左道。但日子一久，正邪自辨，旁门左道的一支终于烟消支散，二十五年来，不复存在于这世上了。"岳灵珊道："怪不得我从来没听见过。爹爹，这旁门左道的一支既已消灭，那敢不用理会了。"

岳不群道："你知道甚么？所谓旁门左道，也并非真的邪魔外道，那还是本门功夫，只是练功的着重点不同。我传授你们功夫，最先教甚么？"说着眼光盯在令狐冲脸上。

令狐冲道："最先传授运气的口诀，从练气功开始。"岳不群道："是啊。华山一派功夫，要点是在一个'气'字，气功一成，不论使拳脚也好，动刀剑也好，便都无往而不利，这是本门练功正途。可是本门前辈之中另有一派人物，却认为本门武功要点在'剑'，剑术一成，纵然内功平平，也能克敌致胜。正邪之间的分歧，主要便在于此。"

岳灵珊道:"爹爹,女儿有句话说,你可不能着恼。"岳不群道:"甚么话?"岳灵珊道:"我想本门武功,气功固然要紧,剑术可也不能轻视,单是气功厉害,倘若剑术练不到家,也显不出本门功夫的威风。"岳不群哼了一声,道:"谁说剑术不要紧了?要点在于主从不同。到底是气功为主。"岳灵珊道:"最好是气功剑术,两者都是主。"岳不群怒道:"单是这句话,便已近魔道。两者都为主,那便是说两者都不是主。所谓'纲举目张',甚么是纲,甚么是目,务须分得清清楚楚。当年本门正邪之辨,曾闹得天翻地覆。你这句话如在三十年前说了出来,只怕过不了半天,便已身首异处了。"

岳灵珊伸了伸舌头,道:"说错一句话,便要叫人身首异处,哪有这么强凶霸道的?"岳不群道:"我在少年之时,本门气剑两宗之争胜败未决。你这句话如果在当时公然说了出来,气宗固然要杀你,剑宗也要杀你。你说气功与剑术两者并重,不分轩轻,气宗自然认为你抬高了剑宗的身分,剑宗则说你混淆纲目,一般的大逆不道。"岳灵珊道:"谁对谁错,那有甚么好争的? 一加比试,岂不就是非立判!"

岳不群叹了口气,缓缓的道:"三十多年前,咱们气宗是少数,剑宗中的师伯、师叔占了大多数。再者,剑宗功夫易于速成,见效极快。大家都练十年,定是剑宗占上风;各练二十年,那是各擅胜场,难分上下;要到二十年之后,练气宗功夫的才渐渐的越来越强;到得三十年时,练剑宗功夫的便再也不能望气宗之项背了。然而要到二十余年之后,才真正分出高下,这二十年年中双方争斗之烈,可想而知。"

岳灵珊道:"到得后来,剑宗一支认错服输,是不是?"

岳不群摇头不语,过了半晌,才道:"他们死硬到底,始终不肯服输,虽然在玉女峰上大比剑时一败涂地,却大多数……大多数横剑自尽，剩下不死的则悄然归隐，再也不在武林中露面了。"

令狐冲、岳灵珊等都"啊"的一声，轻轻惊呼。岳灵珊道："大家是同门师兄弟，比剑胜败，打甚么紧！又何必如此看不开？"

岳不群道："武学要旨的根本，那也不是师兄弟比剑的小事。当年五岳剑派争夺盟主之位，说到人材之盛，武功之高，原以本派居首，只以本派内争激烈，玉女峰上大比剑，死了二十几位前辈高手，剑宗固然大败，气宗的高手却也损折不少，这才将盟主之席给嵩山派夺了去。推寻祸首，实是由于气剑大争而起。"令狐冲等都连连点头。

岳不群道："本派不当五岳剑派的盟主，那也罢了；华山派威名受损，那也罢了；最关重大的，是派中师兄弟内哄，自相残杀。同门师兄弟本来亲如骨肉，结果你杀我，我杀你，惨酷不堪。今日回思当年华山上人人自危的情景，兀自心有余悸。"说着眼光转向岳夫人。

岳夫人脸上肌肉微微一动，想是回忆起本派高手相互屠戮的往事，不自禁的害怕。

岳不群缓缓解开衣衫，袒裸胸膛。岳灵珊惊呼一声："啊哟，爹爹，你……你……"只见他胸口横过一条两尺来长的伤疤。自左肩斜伸右胸，伤疤虽然愈合已久，仍作淡红之色，想见当年受伤极重，只怕差一点便送了性命。令狐冲和岳灵珊都是自幼伴着岳不群长大，但直到今日，才知他身上有这样一条伤疤。岳不群掩上衣襟，扣上扭扣，说道："当日玉女峰大比剑，我给本门师叔斩上了一剑，昏晕在地。他只道我已经死了，没再加理会。倘若他随手补上一剑，嘿嘿！"

岳灵珊笑道："爹爹固然没有了，今日我岳灵珊更加不知道在哪里。"

岳不群笑了笑，脸色随即十分郑重，说道："这是本门的大机密，谁也不许泄漏出去。别派人士，虽然都知华山派在一日之间伤折了二十余位高手，但谁也不知真正的原因。我们只说是猝遇瘟疫侵袭，决不能将这件贻羞门户的大事让旁人知晓。其中的前因后果，今日所以不得不告知你们，实因此事关涉太大。冲儿倘若沿着目前的道路走下去，不同三年，那便是"剑重于气'的局面，实是危险万分，不但毁了你自己，毁了当年无数前辈用性命换来的本门正宗武学，连华山派也给你毁了。"

令狐冲只听得全身冷汗，俯首道："弟子犯了大错，请师父、师娘重重责罚。"岳不群喟然道："本来嘛，你原是无心之过，不知者不罪。但想当年剑宗的诸位师伯、师叔们，也都是存着一番好心，要以绝顶武学，光大本门，只不过一经误入歧途，陷溺既深，到后来便难以自拔了。今日我若不给你当头棒喝，以你的资质性子，极易走上剑宗那条抄近路、求速成的邪途。"令狐冲应道："是!"

岳夫人道："冲儿，你适才用剑鞘夺我长剑这一招，是怎生想出来的?"令狐冲惭愧无地，道："弟子只求挡过师娘这凌厉之极的一击，没想到……没想到……"

岳夫人道："这就是了。气宗与剑宗的高下，此刻你已必然明白。你这一招固然巧妙，但一碰到你师父的上乘气功，再巧的招数也是无能为力。当年玉女峰上大比剑，剑宗的高手剑气千幻，剑招万变，但你师祖凭着练得了紫霞功，以拙胜巧，以静制动，尽败剑宗的十余位高手，奠定本门正宗武学千载不拔的根基。今日师父的教诲，大家须得深思体会。本门功夫以气为体，以剑为用；气是主，剑是从；气是纲，剑是目。练气倘若不成，剑术再强，总归无用。"令狐冲、施戴子、陆大有、岳灵珊一齐躬身受教。

岳不群道："冲儿，我本想今日传你紫霞功的入门口诀，然后带你下山，去杀了田伯光那恶贼，这件事眼下可得搁一搁了。这两个月中，你好好修习我以前传你的练气功夫，将那些旁门左道、古灵精怪的剑法尽数忘记，待我再行考核，瞧你是否真有进益。"说到这里，突然声色俱厉的道："倘若你执迷不悟，继续走剑宗的邪路，嘿嘿，重则取你性命，轻则废去你全身武功，逐出门墙，那时再来苦苦哀求，却是晚了。可莫怪我事先没跟你说明白！"

令狐冲额头冷汗涔涔而下，说道："是，弟子决计不敢。"

岳不群转向女儿道："珊儿，你和大有二人，也都是性急鬼，我教训你大师哥这番话，你二人也当记住了。"陆大有道："是。"岳灵珊道："我和六师哥虽然性急，却没大师哥这般聪明，自己创不出剑招，爹爹尽可放心。"岳不群哼了一声，道："自己创不出剑招？你和冲儿不是创了一套冲灵剑法么？"

令狐冲和岳灵珊都是满脸通红。令狐冲道："弟子胡闹。"岳灵珊笑道："这是很久以前的事了，那时我还小，甚么也不懂，和大师哥闹着玩的。爹爹怎么也知道了呢？"岳不群道："我门下弟子要自创剑法，自立门户，做掌门人的倘若蒙然不知，岂不糊涂。"岳灵珊拉着父亲袖子，笑道："爹爹，你还在取笑人家！"令狐冲见师父的语气神色之中绝无丝毫说笑之意，不禁心中又是一凛。

岳不群站起身来，说道："本门功夫练到深处，飞花摘叶，俱能伤人。旁人只道华山派以剑术见长，那未免小觑咱们了。"说着左手衣袖一卷，劲力到处，陆大有腰间的长剑从鞘中跃出。岳不群右手袖子跟着拂出，掠上剑身，喀喇一声向，长剑断为两截。令狐冲等无不骇然。岳夫人瞧着丈夫的眼光之中，尽是倾慕敬佩之意。

岳不群道："走罢！"与夫人首先下崖，岳灵珊、施戴子跟随其后。

令狐冲瞧着地下的两柄断剑,心中又惊又喜,寻思:"原来本门武学如此厉害,任何一招剑法在师父手底下施展出来,又有谁能破解得了?"又想:"后洞石壁上刻了种种图形,注明五岳剑法的绝招尽数可破。但五岳剑派却得享大名至今,始终巍然存于武林,原来各剑派都有上乘气功为根基,剑招上倘若附以浑厚内力,可就不是那以容易破去了。这道理本也寻常,只是我想得钻入了牛角尖,竟尔忽略了,其实同是一招'有凤来仪',在林师弟剑下使出来,又或是在师父剑下使出来,岂能一概而论?石壁上使棍之人能破林师弟的'有凤来仪',却破不了师父的'有凤来仪'。"

想通了这一节,数月来的烦恼一扫而空,虽然今日师父未以"紫霞功"相授,更没有出言将岳灵珊许配,他却绝无沮丧之意,反因对本门武功回复信心而大为欣慰,只是想到这半月来痴心妄想,以为师父、师娘要将女儿许配于己,不由得面红耳赤,暗自惭愧。

次日傍晚,陆大有送饭上崖,说道:"大师哥,师父、师娘今日一早上陕北去啦。"令狐冲微感诧异,道:"上陕北?怎地不去长安?"陆大有道:"田伯光那厮在延安府又做了几件案子,原来这恶贼不在长安啦。"

令狐冲"哦"了一声,心想师父、师娘出马,田伯光定然伏诛;内心深处,却不禁微有惋惜之感,觉得田伯光好淫贪色,为祸世间,自是死有余辜,但此人武功可也真高,与自己两度交手,磊落豪迈,也不失男儿汉的本色,只可惜专做坏事,成为武林中的公敌。

此后两日之中,令狐冲练习气功,别说不再去看石壁上的图形,连心中每一忆及,也立即将那念头逐走,避之唯恐不速,常想:"幸好师父及时喝阻,我才不致误入歧途,成为本门的罪人,当真危险之极。"

这日傍晚,吃过饭后,打坐了一个多更次,忽听得远远有人走上崖来,脚步迅捷,来人武功着实不低,他心中一凛:"这人不是本门中人,他上崖来干甚么?莫非是那蒙面青袍人吗?"忙奔入后洞,拾起一柄本门的长剑,悬在腰间,再回到前洞。

片刻之间,那人已然上崖,大声道:"令狐兄,故人来访。"声音甚是熟悉,竟然便是"万里独行"田伯光,令狐冲一惊,心想:"师父、师娘正下山追杀你,你却如此大胆,上华山来干甚么?"当即走到洞口,笑道:"田兄远道过访,当真意想不到。"

只见田伯光肩头挑着副担子,放下担子,从两只竹箩中各取出一只大坛子,笑道:"听说令狐兄在华山顶上坐牢,嘴里一定淡出鸟来,小弟在长安谪仙酒楼的地窖之中,取得两坛一百三十年的陈酒,来和令狐兄喝个痛快。"

令狐冲走近几步,月光下只见两只极大的酒坛之上,果然贴着"谪仙酒楼"的金字红纸招牌,招纸和坛上箬箬均已十分陈旧,确非近物,忍不住一喜,笑道:"将这一百斤酒挑上华山绝顶,这份人情可大得很啦!来来来,咱们便来喝酒。"从洞中取出两只大碗。田伯光将坛上的泥封开了,一阵酒香直透出来,醇美绝伦。酒未沾唇,令狐冲已有醺醺之意。

田伯光提起酒坛倒了一碗,道:"你尝尝,怎么样?"令狐冲举碗来喝了一大口,大声赞道:"真好酒也!"将一碗酒喝干,大拇指一翘,道:"天下名酒,世所罕有!"

田伯光笑道:"我曾听人言道,天下名酒,北为汾酒,南为绍酒。最好的汾酒不在山西而在长安,而长安醇酒,又以当年李太白时时去喝得大醉的'谪仙楼'为第一。当今之世,除了这两大坛酒之外,再也没有第三坛了。"令狐冲奇道:"难道'谪仙楼'的地窖之中,便只剩下这两坛了?"田伯光笑道:"我取了这两坛酒后,见地窖中尚有两百余坛,心想长安城中的达官贵人、凡夫俗子,只须腰中有钱,便能上'谪仙楼'去喝到这样的美酒,又如何能显得华山派令狐大侠的矫矫不群,与众不同?因此上乒乒乓乓,希里花拉,地窖中酒香四溢,酒涨及腰。"令狐冲又是吃惊,又是好笑,道:"田兄竟把二百余坛美酒都打了个稀巴烂?"田伯光哈哈大笑,道:"天下只此两坛,这份礼才有点贵重啊,哈哈,哈哈!"

令狐冲道:"多谢,多谢!"又喝了一碗,说道:"其实田兄将这两大坛酒从长安城挑上华山,何等辛苦麻烦,别说是天下名酿,纵是两坛清水,令狐冲也见你的情。"

田伯光竖起右手拇指,大声道:"大丈夫,好汉子!"令狐冲问道:"田兄如何称赞小弟?"田伯光道:"田某是个无恶不作的淫贼,曾将你砍得重伤,又在华山脚边犯案累累,华山派上下无不想杀之而后快。今日担得酒来,令狐兄却坦然而饮,竟不怕酒中下了毒,也只有如此胸襟的大丈夫,才配喝这天下名酒。"

令狐冲道:"取笑了。小弟与田兄交手两次,深知田兄品行十分不端,但暗中害人之事却不屑为。再说,你武功比我高出甚多,要取我性命,拔刀相砍便是,有何难处?"

田伯光哈哈大笑,说道:"令狐兄说得甚是。但你可知道这两大坛酒,却不是径从长安挑上华山的。我挑了这一百斤美酒,到陕北去做了两件案子,又到陕东去做两件案子,这才上华山来。"令狐冲一惊,心道:"却是为何?"略一凝思,便已明白,道:"原来田兄不断犯案,故意引开我师父、师娘,以便来见小弟,使的是个调虎离开之计。田兄如此不嫌烦劳,不知有何见教。"田伯光笑道:"令狐兄且请猜上一猜。"

令狐冲道:"不猜!"斟了一大碗酒,说道:"田兄,你来华山是客,荒山无物奉敬,借花献佛,你喝一碗天下第一美酒。"田伯光道:"多谢。"将一碗酒喝干了。令狐冲陪了一碗。两人举着空碗一照，哈哈一笑，一齐放下碗来。令狐冲突然右腿飞出，砰砰两声，将两大坛酒都踢入了深谷，隔了良久，谷底才传上来两下闷响。

田伯光惊道:"令狐兄踢去酒坛，却为甚么?"令狐冲道:"你我道不同不相为谋，田伯光，你作恶多端，滥伤无辜，武林之中，人人切齿。令狐冲敬你落落大方，不算是卑鄙猥琐之徒，才跟你喝了三大碗酒。见面之谊，至此而尽。别说两大坛美酒，便是将普天下的珍宝都堆在我面前，难道便能买得令狐冲做你朋友吗?"刷的一声，拔出长剑，叫道:"田伯光，在下今日再领教你快刀高招。"

田伯光却不拔刀，摇头微笑，说道:"令狐兄，贵派剑术是极高的，只是你年纪还轻，火候未到，此刻要动刀动剑，毕竟还不是田某的对手。"

令狐冲略一沉吟，点了点头，道:"此言不错，令狐冲十年之内，无法杀得了田兄。"当下拍的一声，将长剑还入了剑鞘。

田伯光哈哈大笑，道:"识时务者为俊杰!"令狐冲道:"令狐冲不过是江湖上的无名小卒，田兄不辞辛劳的来到华山，想来不是为了取我颈上人头。你我是敌非友，田兄有何所命，在下一概不允。"田伯光笑道:"你还没听到我的说话，便先拒却了。"

令狐冲道:"正是。不论你叫我做甚么事，我都决不照办。可是我又打不过你，在下脚底抹油，这可逃了。"说着身形一晃，便转到了崖后。他知这人号称"万里独行"，脚下奇快，他刀法固然了得，武林中胜过他的毕竟也为数不少，但他十数年来作恶多端，侠义道几次纠集人手，大举围捕，始终没能伤到他一根寒毛，便因他为人机警、轻功绝佳之故。是以令狐冲这一发足奔跑，立时使出全力。

不料他转得快,田伯光比他更快,令狐冲只奔出数丈,便见田伯光已拦在面前。令狐冲立即转身,想要从前崖跃落,只奔了十余步,田伯光又已追上,在他面前伸手一拦,哈哈大笑。令狐冲退了三步,叫道:"逃不了,只好打。我可要叫帮手了,田兄莫怪。"

田伯光笑道:"尊师岳先生倘若到来,只好轮到田某脚底抹油。可是岳先生与岳夫人此刻尚在陕东五百里外,来不及赶回相救。令狐兄的师弟、师妹人数虽多,叫上崖来,却仍不是田某敌手,男的枉自送了性命,女的……嘿嘿,嘿嘿。"这几下"嘿嘿"之声,笑得大是不怀好意。

令狐冲心中一惊,暗道:"思过崖离华山总堂甚远,我就算纵声大呼,师弟师妹们也无法听见。这人是出名的采花淫贼,倘若小师妹给他见到……啊哟,好险!刚才我幸亏没能逃走,不则田伯光必到华山总堂去找我,小师妹定然会给他撞见。小师妹这等花容月貌,落入了这万恶淫贼眼中,我……我可万死莫赎了。"眼珠一转,已打定了主意:"眼下只有跟他敷衍,拖延时光,既难力敌,便当智取,只须拖到师父、师娘回山,那便平安无事了。"便道:"好罢,令狐冲打是打你不过,逃又逃不掉,叫不到帮手……"双手摊,作个无可奈何之状,意思是说你要如何便如何,我只有听天由命了。

田伯光笑道:"令狐兄,你千万别会错了意,只道田某要跟你为难,其实此事于你有大大的好处,将来你定会重重谢我。"

令冲狐摇手道:"你恶事多为,声名狼藉,不论这件事对我有多大好处,令狐冲洁身自爱,决不跟你同流合污。"

田伯光笑道:"田某是声名狼藉的采花大盗,令狐兄却是武林中第一正人君子岳先生的得意弟子,自不能和我同流合污。只是既有今日,何必当初?"令狐冲道:"甚么叫做既有今日,何必当初?"田伯光笑道:"在衡阳回雁楼头,令狐兄和田某曾有同桌共饮之谊。"令狐冲道："令狐冲向来好酒如命,一起喝几杯酒,何足道哉?"田伯光道:"在衡山群玉院中,令狐兄和田某曾有同院共嫖之雅。"令狐冲呸的一声,道:"其时令狐冲身受重伤,为人所救,暂在群玉院中养伤,怎说得上一个'嫖'字?"田伯光笑道:"可是便在那群玉院中,令狐兄却和两位如花似玉的少女,曾有同被工眠之乐。"

令狐冲心中一震,大声道:"田伯光,你口中放干净些!令狐冲声名清白,那两位姑娘更是冰清玉洁。你这般口出污言秽语,我要不客气了。"

田后光笑道:"你今日对我不客气有甚么用?你要维护华山的清白令名,当时对那两位姑娘就该客气尊重些,却为甚么当着青城派、衡山派、恒山派众英雄之前,和这两个小姑娘大被同眠,上下其手,无所不为? 哈哈,哈哈!"

令狐冲大怒,呼的一声,一拳向他猛击过去。

田伯光笑着避过,说道:"这伯事你要赖也赖不掉啦,当日你若不是在床上被中,对这两个小姑娘大肆轻薄,为甚么她们今日会对你苦害相思?"

令狐冲心想:"这人是个无耻之徒,甚么话也说得出口,跟他这般莫名其妙的缠下去,不知他将有多少难听的话说出来,那日在衡阳回雁楼头,他中了我的诡计,这是他生平的奇耻大辱,唯有以此塞他之口。"当下不怒反笑,说道:"我道田兄千里迢迢的到华山干甚么来着,却原来是奉了你师父仪琳小尼姑之命,送两坛美酒给我,以报答我代她收了这样一个乖徒弟,哈哈,哈哈!"

田伯光脸上一红,随即宁定,正色道:"这两坛酒,是田某自己的一番心意,只是田某来到华山,倒确与仪琳小师父有关。"

令狐冲笑道:"师父便是师父,怎还有甚么大师父、大师父之分? 大丈夫一言既出,驷马难追,难道你想不认帐么? 仪琳师妹是恒山派的名门高弟,你拜上了这样一位师父,真是你的造化,哈哈!"

田伯光大怒,手按刀柄,便欲拔刀,但随即忍住,冷冷的道:"令狐兄,你手上的功夫不行,嘴头的功夫倒很厉害。"令狐冲笑道:"刀剑拳脚既不是田兄对手,只好在嘴头上找些便宜。"田伯光道:"嘴头上轻薄,田伯光甘拜下风。令狐兄,这便跟我走罢。"

令狐冲道:"不去! 杀了我也不去!"

田伯光道:"你可知我要你到哪里去?"

令狐冲道:"不知道!上天也好,入地也好,田伯光到哪里,令狐冲总之是不去。"

田伯光缓缓摇头,道:"我是来请令狐兄去见一见仪琳小师父。"

令狐冲大吃一惊,道:"仪琳师妹又落入你这恶贼之手么?你忤逆犯上,胆敢对自己师父无礼!"田伯光怒道:"田某师尊另有其人,已于多年之前归天,此后休得再将仪琳小师父牵扯在一起。"他神色渐和,又道:"仪琳小师父日思夜想,便是牵挂着令狐兄,在下当你是朋友,从此不敢对她再有半分失敬,这一节你倒可放心。咱们走罢!"

令狐冲道:"不去! 一千个不去,一万个不去!"

田伯光微微一笑,却不作声。令狐冲道:"你笑甚么?你武功胜过我,便想开硬弓,将我擒下山去吗?"田伯光道:"田某对令狐兄并无敌意,原不想得罪你,只是既乘兴而来,便不想败兴而归。令狐冲道:"田伯光,你刀法甚高,要杀我伤我,确是不难,可是令狐冲可杀不可辱,最多性命送在你手,要想擒我下山,却是万万不能。"

田伯光侧头向他斜睨,说道:"我受人之托,请你去和仪琳小师父一见,实无他意,你又何必拚命?"令狐冲道:"我不愿做的事,别说是你,便是师父、师娘、五岳盟主、皇帝老子,谁也无法勉强。总之是不去,一万个不去,十万个不去。"田伯光道:"你既如此固执,田某中好得罪了。"刷的一声,拔刀在手。

令狐冲怒道:"你存着擒我之心,早已得罪我了。这华山思过崖,便是今日令狐冲毕命之所。"说着一声清啸,拔剑在手。

田伯光退了一步,眉头微皱,说道:"令狐兄,你我无怨无仇,何必性命相搏? 咱们不妨再打一个赌。"令狐冲心中一喜:"要打赌,那是再好也没有了,我倘若输了,还可强词夺理的抵赖。"口中却道:"打甚么赌? 我赢了固然不去,输了也是不去。"田伯光微笑道:"华山派的掌门大弟子,对田伯光的快刀刀法怕得这等厉害,连三十招也不敢接。"令狐冲怒道:"怕你甚么? 大不了给你一刀杀了。"

田伯光道:"令狐兄,非是我小觑了你,只怕我这快刀,你三十招也接不下。只须你挡得住我快刀三十招,田某拍拍屁股,立即走路,再也不敢向你罗唆。但若田某侥幸在三十招内胜了你,你只好跟我下去,去和仪琳小师父会上一会。"

令狐冲心念电转,将田伯光的刀法想了一遍,暗忖:"自从和他两番相斗之后,将他刀法的种种的凌厉杀着,早已想过无数遍,又曾请教过师父、师娘。我只求自保,难道连三十招也挡不住?"喝道:"好,便接你三十招!"刷的一剑,向他攻去。这一出手便是本门剑法的杀着"有凤来仪",剑刃颤动,嗡嗡有声,登时将田全光的上盘尽数笼罩在剑光之下。

田伯光赞道:"好剑法!"挥刀格开,退了一步。令狐冲叫道:"一招了!"跟着一招"苍松迎客",又攻了过去。田伯光又赞道:"好剑法!"知道这一招之中,暗藏的后着甚多,不敢挥刀相格,斜身滑步,闪了开去。这一下避让其实并非一招,但令狐冲喝道:"两招!"手下毫不停留,又攻了一招。

他连攻五招，田伯光或格或避，始终没有反击，令狐冲却已数到了"五"字。待得他第六招长剑自下而上的反挑，田伯光大喝一声，举刀硬劈，刀剑相撞，令狐冲手中长剑登时沉了下去。田伯光喝道："第六招、第七招、第八招、第九招、第十招！"口中数一招，手上砍一刀，连数五招，钢刀砍了五下，招数竟然并无变化，每一招都是当头硬劈。

这几刀一刀重似一刀，到了第六刀再下来时，令狐冲只觉全身都为对方刀上劲力所胁，连气也喘不过来，奋力举剑硬架，铮的一声巨响，刀剑相交，手臂麻酸，长剑落下地来。田伯光又是一刀砍落，令狐冲双眼一闭，不再理会。

田伯光哈哈一笑，问道："第几招？"令狐冲睁开眼来，说道："你刀法固然比我高，膂力内劲，也都远胜于我，令狐冲不是你对手。"田伯光笑道："这就走罢！"令狐冲摇头道："不去！"

田伯光脸色一沉，道："令狐兄，田某敬你是男子汉大丈夫，言而有信，三十招内令狐兄既然输了，怎么又来反悔？"令狐冲道："我本来不信你能在三十招内胜我，现下是我输了，可是我并没说输招之后便跟你去。我说过没有？"田伯光心想这句话原是自己说的，令狐冲倒确没说过，当下将刀一摆，冷笑道："你姓名中有个'狐'，果然名副其实，你没说过便怎样？"令狐冲道："适才在下输招，是输在力不如你，心中不服，待我休息片刻，咱们再比过。"

田伯光道："好罢，要你输得口服心服。"坐在石上，双手插腰，笑嘻嘻的瞧着他。

令狐冲寻思："这恶贼定要我随他下山，不知有何奸计，说甚么去见仪琳师妹，定非实情。他又不是仪琳师妹的真徒弟，何况仪琳师妹一见他便吓得魂不附体，又怎会和他去打甚么交道？只是我眼下给他缠上了，却如何脱身才是？"想到适才他向自己连

砍这六刀,

突然间心念一动:"那日荒山之夜,莫大先生力杀大嵩阳手费彬,衡山剑法灵动难测,以此对敌田伯光,定然不输于他。后洞石壁之上,刻得有衡山剑法的种种绝招,我去学得三四十招,便可和田伯光拚上一拚了。"又想:"衡山剑法精妙无比,顷刻间岂能学会,终究是我的胡思乱想。"

田伯光见他脸色瞬息间忽愁忽喜,忽又闷闷不乐,笑道:"令狐兄,破解我这刀法的诡计,可想出来了么?"

令狐冲听他将"诡计"二字说得特别响亮,不由得气往上冲,大声道:"要破你刀法,又何必使用诡计? 你在这里罗哩罗唆,吵闹不堪,令我心乱意烦,难以凝神思索,我要到山洞里好好想上一想,你可别来滋扰。"田伯光笑道:"你去苦苦思索便是,我不来吵你。"令狐冲听他将"苦苦"二字又说得特别响亮,低低骂了一声,走进山洞。

令狐冲点燃蜡烛,钻入后洞,径到刻着衡山派剑法的石壁前去观看,但见一路路剑法变幻无方,若非亲眼所见,真不信世间有如此奇变横生的剑招,心想:"片刻之间要真的学会甚么剑法,决无可能,我只拣几种最为希奇古怪的变化,记在心中,出去跟他乱打乱斗,说不定可以攻他一个措手不及。"当下边看边记,虽见每一招衡山派剑法均为敌方所破,但想田伯光决不知此种破法,此点不必顾虑。

他一面记忆,一面手中比划,学得二十余招变化后,已花了大半个时辰,只听得田伯光的声音在洞外传来:"令狐兄,你再不出来,我可要冲进来了。"令狐冲提剑跃出,叫道:"好,我再接你三十招!"

田伯光笑道:"这一次令狐兄若再败了,那便如何?"令狐冲道:"那也不是第一次败了。多败一次,又待怎样?"说这句话时,手中长剑已如狂风骤雨般连攻七招。这七招都是他从后洞石壁上新学来的，果是极尽变幻之能事。

田伯光没料到他华山派剑法中有这样的变化，倒经他闹了个手足无措，连连倒退，到得第十招上，心下暗暗惊奇，呼啸一声，挥刀反击。他刀上势道雄浑，令狐冲剑法中的变化便不易施展，到得第十九招上，两人刀剑一交，令狐冲长剑又被震飞。

令狐冲跃开两步，叫道："田兄只是力大，并非在刀法上胜我。这一次仍然输得不服，待我去再想三十招剑法出来，跟你重新较量。"田伯光笑道："令师此刻尚在五百里外，正在到处找寻田某的踪迹，十天半月之内未必能回华山。令狐兄施这推搪之计，只怕无用。"令狐冲道："要靠我师父来收拾你，那又算甚么英雄好汉？我大病初愈，力气不足，给你占了便宜，单比招数，难道连你三十招也挡不住？"田伯光笑道："我可不上你这个当。是刀法胜你也好，是膂力胜你也好，输便是输，赢便是赢，口舌上争胜，又有何用？"令狐冲道："好！你等着我，是男儿汉大丈夫，可别越想越怕，就此逃走下山，令狐冲却不会来追赶于你！"田伯光哈哈大笑，退了两步，坐在石上。

令狐冲回入后洞，寻思："田伯光伤过泰山派的天松道长、斗过恒山派的仪琳师妹，适才我又以衡山派剑法和他相斗，但嵩山派的武功他未必知晓。"寻到嵩山派剑法的图形，学了十余招，心道："衡山派的绝招刚才还有十来招没使，我给他夹在嵩山派剑法之中，再突然使几招本门剑招，说不定便能搞得他头晕眼花。"不等田伯光相呼，便出洞相斗。

他剑招忽而嵩山，忽而衡山，中间又将华山派的几下绝招使了出来。田伯光连叫："古怪，古怪！"但拆到二十二招时，终究还是将刀架在令狐冲颈中，逼得他弃剑认输。

令狐冲道："第一次我只能接我五招，动脑筋想了一会，便接得你十八招,再想一会,已接得你二十一招。田兄,你怕不怕?"田伯光笑道:"我怕甚么?"令狐冲:"我不断潜心思索,再想几次,便能接得你三十招了。又多想几次,便能反败为胜了,那时我就算不杀你,你岂不是糟糕之极?"田伯光道:"田某浪荡江湖,生平所遇对手之中,以令狐兄最为聪明多智,只可惜武功和田某还差着一大截,就算你进步神速,要想在几个时辰之中便能胜过田某,天下决计没这个道理。"

令狐冲道:"令狐冲浪荡江湖,生平所遇对手之中,以田兄最为胆大妄为,眼见得令狐冲越战越强,居然并不逃走,难得啊难得。田兄,少陪了,我再进去想想。"

田伯光笑道:"请便。"

令狐冲慢慢走入洞中,他嘴上跟田伯光胡说八道,似乎满不在乎,心中其实越来越担忧:"这恶徒来到华山,决计不存心好。他明知师父、师娘正在追杀他,又怎有闲情来跟我拆招比武?将我制住之后,纵然不想杀我,也该点了我的穴道,令我动弹不得,却何以一次又一次的放我?到底是何用意?"

料想田伯光来到华山,实有个恐怖之极的阴谋,但到底是甚么阴谋,却全无端倪可寻,寻思:"倘若是要绊住了我,好让旁人收拾我一众师弟,师妹,又何不直截了当的杀我?那岂不干脆容易得多?"思索半晌,一跃而起,心想:"今日之事,看来我华山派是遇上了极大的危难。师父、师娘不在山上,令狐冲是本门之长,这副重担是我一个人挑了。不管田伯光有何图谋,我须当竭尽心智,和他缠斗到底,只要有机可乘,便即一剑将他杀了。"心念已决,又去观看石壁上的图形,这一次却只拣最狠辣的杀着用心记忆。

待得步出山洞,天色已明,令狐冲已存了杀人之念,脸上却笑嘻嘻地,说道:"田兄,你驾临华山,小弟没尽地主之谊,实是万分过意不去。这场比武之后,不论谁输谁赢,小弟当请田兄尝一尝本山的土酿名产。"田伯光笑道:"多谢了!"令狐冲道:"他日又在山下相逢,你我却是决生死的拚斗,不能再如今日这般,客客气气的数招赌赛了。"田伯光道:"像令狐兄这般朋友,杀了实在可惜。只是我若不杀你,你武功进展神速,他日剑法比我为强之时,你去不肯饶我这采花大盗了。令狐冲道:"正是,如今日这般切磋琥功,实是机会难得。田兄,小弟进招了,请你多多指教。"田伯光笑道:"不敢,令狐兄请!"

令狐冲笑道:"小弟越想越觉不是田兄的对手。"一言未毕,挺剑刺了过去,剑尖将到田伯光身前三尺之处,蓦地里斜向左侧,猛然回刺。田伯光举刀挡格。令狐冲不等剑锋碰到刀刃,忽地从他下阴挑了上去。这一招阴狠毒辣,凌厉之极。田伯光吃了一惊,纵身急跃。令狐冲乘势直进,刷刷刷三剑,每一剑都是竭尽平生之力,攻向田伯光的要害。田伯光失了先机,登处劣势,挥刀东挡西格,只听得嗤的一声响,令狐冲长剑从他右腿之侧刺过,将他裤管刺穿一孔,剑势奇急,与他腿肉相去不及一寸。

田伯光右手砰的一拳,将令狐冲打了个筋斗,怒道:"你招招要取我性命,这是切磋武功的打法么?"令狐冲跃起身来,笑道:"反正不论我如何尽力施为,终究伤不了田兄的一根寒毛,你左手掌的劲道可真不小啊。"田伯光笑道:"得罪了。"令狐冲笑嘻嘻的走上前去,说道:"似乎已打断了我两根肋骨。"越走越近,突然间剑交左手,反手刺出。

这一剑当真是匪夷所思,却是恒山派的一招杀着。田伯光大惊之下,剑尖离他小腹已不到数寸,百忙中一个打滚避过。令狐冲居高临下,连刺四剑,只攻得田伯光狼狈不堪,眼见再攻数招,便可将他一剑钉在地下,不料田伯光突然飞起左足,踢在他手腕之上,跟着鸳鸯连环,右足又已踢出,正中他小腹。令狐冲长剑脱手,向后仰跌出去。

田伯光挺身跃起,扑上前去,将刀刃架在他咽喉之中,冷笑道:"好狠辣的剑法!田某险引些将性命送在你手中,这一次服了吗?"令狐冲笑道:"当然不服。咱们说好比剑,你却连使拳脚。又出拳,又出腿,这招数如何算法?"

田伯光放开了刀,冷笑道:便是将拳脚合并计算,也没足三十之数。"令狐冲站起身来,怒道:"你在三十招内打败了我,算你武功高强,那又怎样?你要杀便杀,何以耻笑于我?你要笑便笑,却何以要冷笑?"田伯光退了一步,说道:"令狐兄责备得对,是田某错了。"一抱拳,说道:"田某这里诚意谢过,请令狐兄恕罪。"

令狐冲一怔,万没想到他大胜之余,反肯赔罪,当下抱拳还礼,道:"不敢!"寻思:"礼下于人,必有所图。他对我如此敬重,不知有何用意?"苦思不得,索性便开门见山的相询,说道:"田兄,令狐冲心中有一事不明,不知田兄是否肯直言相告?"田伯光道:"田伯光事无不可对人言。寻奸掳掠、杀人放火之事,旁人要隐瞒抵赖,田伯光做便做了,何赖之有?"令狐冲道:"如此说来,田兄倒是个光明磊落的好汉子。"田伯光道:"'好汉子'三字,那是不敢当,总算得还是个言行如一的真小人。"

令狐冲道:"嘿嘿,江湖之上,如田兄这等人物,倒也罕有。请问田兄,你深谋远虑,将我师父远远引开,然后来到华山,一意要我随你同去,到底要我到哪里去?有何图谋?"田伯光道:"田某早对令狐兄说过,是请你去和仪琳小师父见上一见,以慰她相思之苦。"令狐冲摇头道:"此事太过怪庭离奇,令狐冲又非三岁小儿,岂能相信?"

田伯光怒道:"田某敬你是英雄好汉,你却当我是下三滥的无耻之徒。我说的话,你如何不信?难道我口中说的不是人话,却是大放狗屁么?田某若有虚言,连猪狗也不如。"

令狐冲见他说得十分真诚，实不由得不信，不禁大奇，问道："田兄拜那小师父为师之事，只是一句戏言，原当不得真，却何以为了她，千里迢迢的来邀我下山？"田伯光神色颇为尴尬，道："其中当然另有别情。凭她这点微末本事，怎能做得我的师父？"令狐冲心念一动，暗忖："莫非田伯光对仪琳师妹动了真情，一番欲念，竟尔化成了爱意么？"说道："田兄是否对仪琳小师太一见倾心，心甘情愿的听她指使？"田伯光摇头道："你不要胡思乱想，哪有此事？"令狐冲道："到底其中有何别情，还盼田兄见告。"

田伯光道："这是田伯光倒霉之极的事，你何必苦苦追问？总而言之，田伯光要是请不动你下山，一个月之后，便会死得惨不堪言。"

令狐冲一惊，脸上却不动声色，道："天下哪有此事？"

田伯光持起衣衫，袒裸胸膛，指关双乳之下的两枚钱大红点，说道："田伯光给人在这里点了死穴，又下了剧毒，被迫来邀你去见那小师父。倘若请你不到，这两块红点在一个月后便腐烂化脓，逐渐蔓延，从此无药可治，终于全身都化为烂肉，要到三年六个月后，这才烂死。"他神色严峻，说道："令狐兄，田某跟你实说，不是盼你垂怜，乃是要你知道，不管你如何坚决拒却，我是非请你去不可的。你当真不去，田伯光甚么事都做得出来。我平日已然无恶不作，在这生死关头，更有甚么顾忌？"

令狐冲寻思："看来此事非假，我只须设法能不随他下山，一个月后他身上毒发，这个为祸世间的恶贼便除去了，倒不须我亲手杀他。"当下笑吟吟道："不知是哪一位高手如此恶作剧，给田兄出了这样一个难题？田兄身上所中的却又不知是何种毒药？不管是如何厉害的毒药，也总有解救的法门。"田伯光气愤愤的道："点穴下毒之人，那也不必提了。要解此死穴奇毒，除了下手之人，天下只怕惟有'杀人名医'平一指一人，可是他又怎肯给我解救？"令狐冲微笑道："田兄善言相求，或是以刀相迫，他未必不肯解救。"田伯光道："你别尽说风凉话，总而言之，我真要是请你不动，田某固然活不成，你也难以平安大吉。"令狐冲道："这个自然，但田兄只须打得我口服心服，令狐冲念你如此武功，得来不易，随你下山走一趟，也未始不可。田兄稍待，我可又要进洞去想想了。"

他走进山洞，心想："那日我曾和他数度交手，未必每一次都拆不上三十招，怎地这一次反而退步了，说甚么也接不到他三十招。"沉吟片刻，已得其理："是了，那日我为了救仪琳师妹，跟他性命相扑，管他拆的是三十招，还是四十招。眼下我口中不断数着一招、两招、三招，心中想着的只是如何接满三十招，这般分心，剑法上自不免大大打了个折扣。令狐冲啊令狐冲，你怎如此胡涂？"想明白了这一节，精神一振，又去钻研石壁上的武功。

这一次看的却是泰山派剑法。泰山剑招以厚重沉稳见长，一时三刻，无论如何学不到其精髓所在，而其规矩谨严的剑路也非他性之所喜。看了一会，正要走开，一瞥眼间见到图形中以短枪破解泰山剑法的招数，却十分轻逸灵动。他越看越着迷，不由得沉浸其中，忘了时刻已过，直到田伯光等得实在不耐烦，呼他出去，两人这才又动手相斗。

这一次令狐冲学得乖了。再也不去数招，一上手便剑光霍霍，向田伯光急攻。田伯光见他剑招层出不穷，每进洞去思索一会，出来时便大有新意，却也不敢怠慢。两人以快打快，瞬息之间，已拆了不知若干招。突然间田全光踏进一步，伸手快如闪电，已扣住了令狐冲的手腕，扭转他手臂，将剑尖指向他咽喉，只须再使力一送，长剑便在他喉头一穿而过，喝道："你输了！"

令狐冲手腕奇痛，口中却道："是你输了！"田伯光道："怎地是我输了？"令狐冲道："这是第三十二招。"田伯光道："三十二招?"令狐冲道:"正是第三十二招!"田伯光道:"你口中又没数。"令狐冲道:"我口中不数,心中却数着,清清楚楚,明明白白,这是第三十二招。"其实他心中又何尝数了?三十二招云云,只是信口胡吹。

田伯光放开他手腕,说道:"不对!你第一剑这么攻来,我便如此反击,你如此招架,我又这样砍出,那是第二招。"他一刀一式,将适才相斗的招式从头至尾的复演一遍,数到伸手抓到令狐冲的手腕时,却只二十八招。令狐冲见他记心如此了得,两人拆招这么快捷,他却每一招拇一式都记得清清楚楚,次序丝毫不乱,实是武林中罕见的奇才,不由得好生佩服,大拇指一翘,说道:"田兄记心惊人,原来是小弟数错了,我再去想过。"

田伯光道:"且慢!这山洞中到底有甚么古怪,我要进去看看。洞里是不不藏得有甚么武学秘笈?为甚么你进洞一次,出来后便多了许多古怪招式?"说着便走向山洞。

令狐冲吃了一惊,心想:"倘偌给他见到石壁上的图形,那可大大不妥。"脸上却露出喜色,随即又将喜色隐去,假装出一副十分担忧的神情,双手伸出拦住,说道:"这洞中所藏,是敝派武学秘本,田兄非我华山弟子,可不能入内观看。"

田伯光见他脸上喜色一现即隐,其后的忧色显得甚是夸张,多半是假装出来的,心念一动:"他听到我要进山洞去,为甚么登时即喜动颜色? 其后又假装优愁,显得要掩饰内心真情,只盼我闯进洞去。山洞之中,必有对我大大不利的物事,多半是甚么机关陷阱,或是他养驯了的毒蛇怪兽,我可不上这个当。"说道:"原来洞内有贵派武学秘笈,田某倒不便进去观看了。"令狐冲摇了摇头,显得颇为失望。

此后令狐冲进洞数次,又学了许多奇异招式,不但有五岳剑派各派绝招,而破解五派剑法的种种怪招也学了不少,只是仓猝之际，难以融会贯通，现炒现卖，高明有限，始终无法挡得住田伯光快刀的三十招。田伯光见他进洞思索一会，出来后便怪招纷呈，精彩百出，虽无大用，克制不了自己，但招式之妙，平生从所未睹，实令人叹为观止，心中固然越来越不解，却也亟盼和他斗得越久越好，俾得多见识一些匪夷所思的剑法。

眼见天色过午，田伯光又一次将令狐冲制住后，蓦地想起："这一次他所使剑招，似乎大部分是嵩山派的，莫非山洞之中，竟有五岳剑派的高手聚集？他每次进洞，便有高手传他若干招式，叫他出来和我相斗。啊哟，幸亏我没贸然闯进洞去，否则怎斗得过五岳剑派的一众高手？"他心中所思，随口问道："他们怎么不出来？"令狐冲道："谁不出来？"田伯光道："洞中教你剑法的那些前辈高手。"

令狐冲一怔，已明其意，哈哈一笑，说道："这些前辈，不……不愿与田兄动手。"

田伯光大怒，大声道："哼，这些人沽名钓誉，自负清高，不屑和我淫贼田伯光过招。你叫他们出来，只消是单打独斗，他名气再大，也未必便是田伯光的对手。"

令狐冲摇摇头，笑道："田兄倘若有兴，不妨进洞向这十一位前辈领教领教。他们对田兄的刀法，言下倒也颇为看重呢。"他知田伯光在江湖上作恶多端，树敌极众，平素行事向来十分的谨慎小心，他既猜想洞内有各派高手，那便说甚么也不会激得他闯进洞去，他不说十位高手，偏偏说个十一位的畸零数字，更显得实有其事。

果然田伯光哼了一声，道："甚么高辈高手？只怕都是些浪得虚名之徒，否则怎地一而再、再而三的传你种种招式，始终连田某的三十招也挡不过？"他自负轻功了得，心想就算那十一个高手一涌而出，我虽然斗不过，逃总逃得掉，何况既是五岳剑派的前辈高手,他们自重身分,决不会联手对付自己。

令狐冲正色道:"那是由于令狐冲资质愚鲁,内力肤浅,学不到这些前辈武功的精要。田兄嘴里可得小心些,莫要惹怒了他们。任是哪一位前辈出手,田兄不等一月后毒发,转眼便会在这思过崖上身首异处了。"田伯光道:"你倒说说看,洞中到底是哪几位前辈。"令狐冲神色诡秘,道:"这几位前辈归隐已久,早已不预闻外事,他们在这里聚集,更和田兄毫不相干。别说这几位老人家名号不能外泄,就是说了出来,田兄也不会知道。不说也罢,不说也罢。"田伯光见他脸色古怪,显得在极力掩饰,说道:"嵩山、泰山、衡山、恒山四派之中,或许还有些武功不凡的前辈高人,可是贵派之中,却没甚么耆宿留下来了。那是武林中众所周知之事。令狐兄信口开河,难令人信。"

令狐冲道:"不错,华山派中,确无前辈高人留存至今。当年敝派不幸为瘟疫侵袭,上一辈的高手凋零殆尽,华山派元气大伤,否则的话,也决不能让田兄单枪匹马的闯上山来,打得我华山派竟无招架之力。田兄之言甚是,山洞之中,的确并无敝派高手。"

田伯光既然认定他是在欺骗自己,他说东,当然是西,他说华山派并无前辈高人留存,那么一定是有,思索半晌,猛然间想起一事,一拍大腿,叫道:"啊!我想起来了!原来是风清扬风老前辈!"

令狐冲登时想起石壁上所刻的那"风清扬"三个大字,忍不住一声惊噫,这一次倒非作假,心想这位风前辈难道此时还没死?不管怎样,连忙摇手,道:"田兄不可乱说。风……风……"他想"风清扬"的名字中有个"清"字,那是比师父"不"字辈高了一辈的人物,接着道:"风太师叔归隐多年,早已不知去向,也不知他老人家是否尚在人世,怎么会到华山来?田兄不信,最好自己到洞中去看看，那便真相大白了。"

田伯光越见他力邀自己进洞，越是不肯上这个当，心想："他如此惊慌，果然我所料不错。听说华山派前辈，当年在一夕之间尽数暴毙，只有风清扬一人其时不在山上，逃过了这场劫难，原来尚在人世，但说甚么也该有七八十岁了，武功再高，终实精力已衰，一个糟老头子，我怕他个屁？"说道："令狐兄，咱们已斗了一日一晚，再斗下去，你终究是斗我不过的，虽有你风太师叔不断指点，终归无用。你还是乖乖的随我下山去罢。"

令狐冲正要答话，忽听得身后有人冷冷的道："倘若我当真指点几招，难道还收拾不下你这小子？"

那老者点点头,叹了口气,慢慢走到大石之前,坐了下来。田伯光喝道:"看刀!"挥刀向令狐冲砍了过来。令狐冲侧身闪避,长剑还刺。

十 传剑

令狐冲大吃一惊，回过头来，见山洞口站着一个白须青袍老者，神气抑郁，脸如金纸。令狐冲心道："这老先生莫非便是那晚的蒙面青袍人？他是从哪里来的？怎地站在我身后，我竟没半点知觉？"心下惊疑不定，只听田伯光颤声道："你……你便是风老先生？"

那老者叹了口气，说道："难得世上居然还有人知道风某的名字。"

令狐冲心念电转："本派中还有一位前辈，我可从来没听师父、师娘说过，倘若他是顺着田伯光之言随口冒充，我如上前参拜，岂不令天下好汉耻笑？再说，事情哪里真有这么巧法？田伯光提到风清扬，便真有一个风清扬出来。"

那老者摇头叹道："令狐冲你这小子，实在也太不成器！我来教你。你先使一招'白虹贯日'，跟着便使'有凤来仪'，再使一招'金雁横空'，接下来使'截剑式'……"一口气滔滔不绝的说了三十招招式。

那三十招招式令狐冲都曾学过，但出剑和脚步方位，却无论如何连不在一起。那老者道："你迟疑甚么？嗯，三十招一气呵成，凭你眼下的修为，的确有些不易，你倒先试演一遍看。"他嗓音低沉，神情萧索，似是含有无限伤心，但语气之中自有一股威严。令狐冲心想："便依言一试，却也无妨。"当即使一招"白虹贯日"，剑尖朝天,第二招"有凤来仪"便使不下去,不由得一呆。

那老者道:"唉,蠢才,蠢才!无怪你是岳不群的弟子,拘泥不化,不知变通。剑术之道,讲究如行云流水,任意所至。你使完那招'白虹贯日',剑尖向上,难道不会顺势拖下来吗?剑招中虽没这等姿式,难道你不会别出心裁,随手配合么?"

这一言登时将令狐冲提醒,他长剑一勒,自然而然的合使出"有凤来仪",不等剑招变老,已转"金雁横空"。长剑在头顶划过,一勾一挑,轻轻巧巧的变为"截手式",转折之际,天衣无缝,以下甚是舒畅。当下依着那老者所说,一招一式的使将下去,使到"钟鼓齐鸣"收剑,堪堪正是三十招,突然之间,只感到说不出的欢喜。

那老者脸色间却无嘉许之意,说道:"对是对了,可惜斧凿痕迹太重,也太笨拙。不过和高手过招固然不成,对付眼前这小子,只怕也将就成了。上去试试罢!"

令狐冲虽尚不信他便是自己太师叔,但此人是武学高手,却绝无可疑,当即长剑下垂,躬身为礼,转身向田伯光道:"田兄请!"

田伯光道:"我已见你使了这三十招,再跟你过招,还打个甚么?"令狐冲道:"田兄不愿动手,那也很好,这就请便。在下要向这位老前辈多多请教,无暇陪伴田兄了。"田伯光大声道:"那是甚么话?你不随我下山,田某一条性命难道便白白送在你手里?"转面向那老者道:"风老前辈,田伯光是后生小子,不配跟你老人家过招,你若出手,未免有失身分。"那老者点点头,叹了口气,慢慢走到大石之前,坐了下来。

田伯光大为宽慰,喝道:"看刀!"挥刀向令狐冲砍了过来。

令狐冲侧身闪避,长剑还刺,使的便是适才那老者所说的第四招"截剑式"。他一剑既出,后着源源倾泻,剑法轻灵,所用招式有些是那老者提到过的,有些却在那老者所说的三十招之外。他既领悟了"行云流水,任意所至"这八个字的精义,剑术登时大进,翻翻滚滚的和田伯光拆了一百余招。突然间田伯光一声大喝,举刀直劈,令狐冲眼见难以闪避,一抖手,长剑指向他胸膛。田伯光回刀削剑。当的一声,刀剑相交,他不等令狐冲抽剑,放脱单刀,纵身而上,双手扼住了他喉头。令狐冲登时为之窒息,长剑也即脱手。

田伯光喝道:"你不随我下山,老子扼死你。"他本来和令狐冲称兄道弟,言语甚是客气,但这番百余招的剧斗一过,打得性发,牢牢扼住他喉头后,居然自称起"老子"来。

令狐冲满脸紫胀,摇了摇头。田伯光咬牙道:"一百招也好,二百招也好,老子赢了,但要你跟我下山。他妈的三十招之约,老子不理了。"令狐冲想要哈哈一笑,只是给他十指扼住了喉头,无论如何笑不出声。

忽听那老者道:"蠢才!手指便是剑。那招'金玉满堂',定要用剑才能使吗?"

令狐冲脑海中如电光一闪,右手五指疾刺,正是一招"金玉满堂",中指和食指戳在田伯光胸口"膻中穴"上。田伯光闷哼一声,委顿在地,抓住令狐冲喉头的手指登时松了。

令狐冲没想到自己随手这么一戳,竟将一个名动江湖的"万里独行"田伯光轻轻易易的便点倒在地。他伸手摸摸自己给田伯光扼得十分疼痛的喉头,只见这淫贼蜷缩在地,不住轻轻抽搐,双眼翻白,已晕了过去,不由得又惊又喜,霎时之间,对那老者钦佩到了极点,抢到他身前,拜伏在地,叫道:"太师叔,请恕徒孙先前无礼。"说着连连磕头。

那老者淡淡一笑,说道:"你再不疑心我是招摇撞骗了么?"令狐冲磕头道:"万万不敢。徒孙有幸,得能拜见本门前辈风太师叔，实是万千之喜。"

那老者风清扬道："你起来。"令狐冲又恭恭敬敬的磕了三个头，这才站起，眼见那老者满面病容，神色憔悴，道："太师叔，你肚子饿么？徒孙洞里藏得有些干粮。"说着便欲去取。风清扬摇头道："不用！"眯着眼向太阳望了望，轻声道："日头好暖和啊，可有好久没晒太阳了。"令狐冲好生奇怪，却不敢问。

风清扬向缩在地下的田伯光瞧了一眼，说道："他给你戳中了膻中穴，凭他功力，一个时辰后便会醒转，那里仍会跟你死缠。你再将他打败，他便只好乖乖的下山去了。你制服他后，须得逼他发下毒誓，关于我的事决不可泄漏一字半句。"令狐冲道："徒孙知才取胜，不过是出其不意，侥幸得手，剑法上毕竟不是他的敌手，要制服他……制服他……"

风清扬摇摇头，说道："你是岳不群的弟子，我本不想传你武功。但我当年……当年……曾立下重誓，有生之年，决不再与人当真动手。那晚试你剑法，不过让你知道，华山派'玉女十九剑'倘若使得对了，又怎能让人弹去手中长剑？我若不假手于你，难以逼得这田伯光立誓守秘，你跟我来。"说着走进山洞，从那孔穴中走进后洞。令狐冲跟了进去。

风清扬指着石壁说道："壁上这些华山派剑法的图形，你大都已经看过记熟，只是使将出来，却全不是那一回事。唉！"说道摇了摇头。令狐冲寻思："我在这里观看图形，原来太师叔早已瞧在眼里。想来每次我都瞧得出神，以致全然没发觉洞中另有旁人，倘若……倘若太师叔是敌人……嘿嘿，倘若他是敌人，我就算发觉了，也难道能逃得性命？"

只听风清扬续道："岳不群那小子，当真是狗屁不通。你本是块大好的材料，却给他教得变成了蠢牛木马。"令狐冲听是得他辱及恩师，心下气恼，当即昂然说道："太师叔，我不要你教了，我出去逼田伯光立誓不可泄漏太师叔之事就是。"

风清扬一怔,已明其理,淡淡的道:"他要是不肯呢?你这就杀了他?"令狐冲踌躇不答,心想田伯光数次得胜,始终不杀自己,自己又怎能一占上风,却便即杀他?风清扬道:"你怪我骂你师父,好罢,以后我不提他便是,他叫我师叔,我称他一声'小子',总称得罢?"令狐冲道:"太师叔不 我恩师,徒孙自是恭聆教诲。"风清扬微微一笑,道:"倒是我来求你学艺了。"令狐冲躬身道:"徒孙不敢,请太师叔恕罪。"

风清扬指着石壁上华山派剑法的图形,说道:"这些招数,确是本派剑法的绝招,其中泰半已经失传,连岳……岳……嘿嘿……连你师父也不知道。只是招数虽妙,一招招的分开来使,终究能给旁人破了……"

令狐冲听到这里,心中一动,隐隐想到了一层剑术的至理,不由得脸现狂喜之色。风清扬道:"你明白了甚么?说给我听听。"令狐冲道:"太师叔是不是说,要是各招浑成,敌人便无法可破?"

风清扬点了点头,甚是欢喜,说道:"我原说你资质不错,果然悟性极高。这些魔教长老……"一面说,一面指着石壁上使棍棒的人形。令狐冲道:"这是魔教中的长老?"风清扬道:"你不知道么?这十具骸骨,便是魔教十长老了。"说着手指地下一具骸骨。令狐冲奇道:"怎么这魔教十长老都死在这里?"风清扬道:"再过一个时辰,田伯光便醒转了,你尽问这些陈年旧事,还有时刻学武功么?"令狐冲道:"是,是,请太师叔指点。"

风清扬叹了口气,说道:"这些魔教长老,也确都是了不起的聪明才智之士,竟将五岳剑派中的高招破得如此干净彻底。只不过他们不知道,世上最厉害的招数,不在武功之中,而是阴谋诡计,机关陷阱。倘若落入了别人巧妙安排的陷阱,凭你多高明的武功招数,那也然全用不着了……"说着抬起了头,眼光茫然,显是想起了无数旧事。

令狐冲见他说得甚是苦涩，神情间更有莫在愤慨，便不敢接口，心想："莫非我五岳剑派果然是'比武不胜，暗算害人'？风太师叔虽是五岳剑派中人，却对这些卑鄙手段似乎颇不以为然。但对付魔教人物，使些阴谋诡计，似乎也不能说不对。"

风清扬又道："单以武学而论，这些魔教长老们也不能说真正已窥上乘武学之门。他们不懂得，招数是死的，发招之人却是活的。死招数破得再妙，遇上了活招数，免不了缚手缚脚，只有任人屠戮。这个'活'字，你要牢牢记住了。学招时要活学，使招时要活使。倘若拘泥不化，便练熟了几千万手绝招，遇上了真正高手，终究还是给人家破得干干净净。"

令狐冲大喜，他生性飞扬跳脱，风清扬这几句话当真说到了他心坎里去，连称："是，是！须得活学活使。"

风清扬道："五岳剑派中各有无数蠢才，以为将师父传下来的剑招学得精熟，自然而然便成高手，哼哼，熟读唐诗三百首，不会作诗也会吟！熟读了人家诗句，做几首打油诗是可以的，但若不能自出机杼，能成大诗人么？"他这番话，自然是连岳不群也骂在其中了，但令狐冲一来觉得这话十分有理，二来他并未直提岳不群的名字，也就没有抗辩。

风清扬道："活学活使，只是第一步。要做到出手无招，那才真是踏入了高手的境界。你说'各招浑成，敌人便无法可破'，这句话还只说对了一小半。不是'浑成'，而是根本无招。你的剑招使得再浑成，只要有迹可寻，敌人便有隙可乘。但如你根本并无招式，敌人如何来破你的招式？"

令狐冲一颗心怦怦乱跳，手心发热，喃喃的道："根本无招，如何可破？根本无招，如何可破？"斗然之间，眼前出现了一个生平从所未见、连做梦也想不到的新天地。

风清扬道:"要切肉,总是有肉可切;要斩柴,总得有柴可斩;敌人要破你剑招,你须得有剑招给人家来破才成。一个从未学过武功的常人,拿了剑乱挥乱舞,你见闻再博,也猜不到他下一剑要刺向哪里,砍向何处。就算是剑术至精之人,也破不了他的招式,只因并无招式,'破招'二字,便谈不上了。只是不曾学过武功之人,虽无招式,却会给人轻而易举的打倒。真正上乘的剑术,则是能制人而决不能为人所制。"他拾起地下的一根死人腿骨,随手以一端对着令狐冲,道:"你如何破我这一招?"

令狐冲不知他这一下是甚么招式,一怔之下,便道:"这不是招式,因此破解不得。"

风清扬微微一笑,道:"这就是了。学武之人使兵刃,动拳脚,总是有招式的,你只须知道破法,一出手便能破招制敌。"令狐冲道:"要是敌人了没招式呢?"风清扬道:"那么他也是一等一的高手了,二人打到如何便如何,说不定是你高些,也说不定是他高些。"叹了口气,说道:"当今之世,这等高手是难找得很了,只要能侥幸遇上一两位,那是你毕生的运气,我一生之中,也只遇上过三位。"令狐冲问道:"是哪三位?"

风清扬向他凝视片刻,微微一笑,道:"岳不群的弟子之中,居然有如此多管闲事、上肯专心学剑的小子,好极,妙极!"令狐冲脸上一红,忙躬身道:"弟子知错了。"风清扬微笑道:"没有错,没有错。你这小子心思活泼,很对我的脾胃。只是现下时候不多了,你将这华山派的三四十招融合贯通,设想如何一气呵成,然后全部将它忘了,忘得干干净净,一招也不可留在心中。待会便以甚么招数也没有的华山剑法,去跟田伯光打。"

令狐冲又惊又喜,应道:"是!"凝神观看石壁上的图形。

过去数月之中,他早已将石壁上的本门剑法记得甚熟,这时也不必再花时间学招,只须将许多毫不连贯的剑招设法串成一起就是。风清扬道:"一切须当顺其自然。行乎其不得不行,止乎其不得不止,倘若串不成一起,也就罢了,总之不可有半点勉强。"令狐冲应了,只须顺乎自然,那便容易得紧,串得巧妙也罢,笨拙也罢,那三四十招华山派的绝招,片刻间便联成了一片,不过要融成一体,其间并无起迄转折的刻画痕迹可寻,那可十分为难了。他提起长剑左削右劈,心中半点也不去想石壁图形中的剑招,像也好,不像也好,只是随意挥洒,有时使到顺溜处,亦不禁暗暗得意。

他从师练剑十余年,每一次练习,总是全心全意的打起了精神,不敢有丝毫怠忽。岳不群课徒极严,众弟子练拳使剑,举手提足间只要稍离了尺寸法度,他便立加纠正,每一个招式总要练得十全十美,没半点错误,方能得到他点头认可。令狐冲是开山门的大弟子,又生来要强好胜,为了博得师父、师娘的赞许,练习招式时加倍的严于律己。不料风清扬教剑全然相反,要他越随便越好,这正投其所好,使剑时心中畅美难言,只觉比之痛饮数十年的美酒还要滋味无穷。

正使得如痴如醉之时,忽听得田伯光在外叫道:"令狐兄,请你出来,咱们再比。"

令狐冲一惊,收剑而立,向风清扬道:"太师叔,我这乱挥乱削的剑法,能挡得住他的快刀么?"风清扬摇头道:"挡不住,还差得远呢!"令狐冲惊道:"挡不住?"风清扬道:"要挡,自然挡不住,可是你何必要挡?"

令狐冲一听,登时省悟,心下大喜:"不错,他为了求我下山,不敢杀我。不管他使甚么刀招,我不必理会,只是自行进攻便了。"当即仗剑出洞。

只见田伯光横刀而立,叫道:"令狐兄,你得风老前辈指点诀窍之后,果然剑法大进,不过适才给你点倒,乃是一时疏忽,田某心中不服,咱们再来比过。"令狐冲道:"好!"挺剑歪歪斜斜的刺去,剑身摇摇晃晃,没半分劲力。

田伯光大奇,说道:"你这是甚么剑招?"眼见令狐冲长剑刺到,正要挥刀挡格,却见令狐冲突然间右手后缩,向空处随手刺了一剑,跟着剑柄疾收,似乎要撞上他自己胸膛,跟着手腕立即反抖,这一撞便撞向右侧空处。田伯光更是奇怪,向他轻轻试劈一刀。令狐冲不避不让,剑尖一挑,斜刺对方小腹,田伯光叫道:"古怪!"回刀反挡。

两人拆得数招,令狐冲将石壁上数十招华山剑法使了出来,只攻不守,便如自顾自练剑一般。田伯光给他逼得手忙脚乱。叫道:"我这一刀你如再不挡,砍下了你的臂膀,可别怪我!"令狐冲笑道:"可没这么容易。"刷刷刷三剑,全是从希奇古怪的方位刺削而至。田伯光仗着眼明折快,一一挡过,正待反击,令狐冲忽将长剑向天空抛了上去。田伯光仰头看剑,砰的一声,鼻上已重重吃了一拳,登时鼻血长流。

田伯光一惊之间,令狐冲以手作剑,疾刺而出,又戳中了他的膻中穴。田伯光身子慢慢软倒,脸上露出十分惊奇、又十分愤怒的神色。

令狐冲回过身来,风清扬招呼他走入洞中,道:"你又多了一个半时辰练剑,他这次受创较重,醒过来时没第一次快。只不过下次再斗,说不定他会拼命,未必肯再容让,须得小心在意。你去练练衡山派的剑法。"

令狐冲得风清扬指点后,剑法中有招如无招,存招式之意,而无招式之形,衡山派的绝招本已变化莫测,似鬼似魅,这一来更无丝毫迹象可寻。田伯光醒转后,斗得七八十招,又被他打倒。

眼见天色已晚,陆大有送饭上崖,令狐冲将点倒了的田伯光放在岩石之后,风清扬则在后洞不出。令狐冲道:"这几日我胃口大好,六师弟明日多送些饭菜上来。"陆大有见大师哥神采飞扬,与数月来郁郁寡欢的情形大不相同,心下甚喜,又见他上身衣衫都汗湿了,只道他在苦练剑法,说道:"好,明儿我提一大篮饭上来。"

陆大有下崖后,令狐冲解开田伯光穴道,邀他和风清扬及自己一同进食。风清扬只吃小半碗饭便饱了。田伯光愤愤不平,食不下咽,一面扒饭,一面骂人,突然间左手使劲太大,拍的一声,竟将一只瓦碗捏成十余块,碗片饭粒,跌得身上地下都是。

令狐冲哈哈大笑,说道:"田兄何必跟一只饭碗过不去?"

田伯光怒道:"他妈的,我是跟你过不去。只因为我不想杀你,咱们比武,你这小子只攻不守,这才占尽了便宜,你自己说,这公道不公道?倘若我不让你哪,三十招之内硬砍下了你脑袋。哼!哼!他妈的那小尼……小尼……"他显是想骂仪琳那小尼姑,但不知怎的,话到口边,没再往下骂了。站起身来,拔刀在手,叫道:"令狐冲,有种的再来斗过。"

令狐冲道:"好!"挺剑而上。

令狐冲又施故技,对田伯光的快刀并不拆解,自此以巧招刺他。不料田伯光这次出手甚狠,拆得一十余招后,刷刷两刀,一刀砍中令狐冲大腿,一刀在他左臂上划了一道口子,但毕竟还是刀下留情,所伤不重。令狐冲又惊又痛,剑法散乱,数招后便给田伯光踢倒。

田伯光将刀刃架在他喉头,喝道:"还打不打?打一次便在你身上砍几刀,纵然不杀你,也要你肢体不全,流干了血。"令狐冲笑道:"自然再打!就算令狐冲斗你不过,难道我风太师叔袖手不理,任你横行?"田伯光道:"他是前辈高人,不会跟我动手。"说着收起单刀,心下毕竟也甚惴惴,生怕将令狐冲砍伤了,风清扬一怒出手,看来这人虽然老得很了,糟却半点不糟,神气内敛,眸子中英华隐隐,显然内功着实了得,剑术之高,那也不用说了,他也不必挥剑杀人,只须将自己逐下华山,那便糟糕之极了。

令狐冲撕下衣襟,裹好了两处创伤,走进洞中,摇头苦笑,说道:"太师叔,这家伙改变策略,当真砍杀啦!如果给他砍中了右臂,使不得剑,这可就难以胜他了。"风清扬道:"好在天色已晚,你约他明晨再斗。今晚你不要睡,咱们穷一晚之力,我教你三招剑法。"令狐冲道:"三招?"心想只三招剑法,何必花一晚时光来教。

风清扬道:"我瞧你人倒挺聪明的,也不知是真聪明,还是假聪明,倘若真的聪明,那么这一个晚上,或许能将这三招剑法学会了。要是资质不佳,悟心平常,那么……那么……明天早晨你也有用再跟人打了,自己认输,乖乖的跟他下山去罢!"

令狐冲听太师叔如此说,料想这三招剑法非比寻常,定然十分难学,不由得激发了他要强好胜之心,昂然道:"太师叔,徒孙要是不能在一晚间学会这三招,宁可给他一刀杀了,决不投降屈服,随他下山。"

风清扬笑了笑,道:"那便很好。"抬起了头,沉思半晌,道:"一晚之间学会三招,未免强人所难,这第二招暂且用不着,咱们只学第一招和第三招。不过……不过……第三招中的许多变化,是从第二招而来,好,咱们把有关的变化都略去,且看是否管用。"自言自语,沉吟一会,却又摇头。

令狐冲见他如此顾虑多端,不由得心痒难搔,一门武功越是难学,自然威力越强,只听风清扬又喃喃的道:"第一招中的三百六十种变化如果忘记了一变,第三招便会使得不对,这倒有些为难了。"

令狐冲听得单是第一招便有三百六十种变化,不由得吃了一惊,只见风清扬屈起手指,数道:"归妹趋无妄,无妄趋同人,同人趋大有。甲转丙，丙转庚，庚转癸。子丑之交，辰巳之交，午未之交。风雷是一变，山泽是一变，水火是一变。乾坤相激，震兑相激，离巽相激。三增而成五，五增而成九……"越数越是忧色重重，叹道："冲儿，当年我学这一招，花了三个月时光，要你在一晚之间学会两招，那是开玩笑了，你想：'归妹趋无妄……'"说到这里，便住了口，显是神思不属，过了一会，问道："刚才我说甚么来着？"

令狐冲道："太师叔刚才说的是归妹趋无妄，无妄趋同人，同人趋大有。"风清扬双眉一轩，道："你记性倒不错，后来怎样？"令狐冲道："太师叔说道：'甲转丙，丙转庚，庚转癸……'"一路背诵下去，竟然背了一小半，后面的便记不得了。

风清扬大奇，问道："这独孤九剑的总诀，你曾学过的？"令狐冲道："徒孙没学过，不知这叫做'独孤九剑'。"风清扬问道："你没学过，怎么会背？"令狐冲道："我刚才听得太师叔这么念过。"

风清扬满脸喜色，一拍大腿，道："这就有法子了。一晚之间虽然学不全，然而可以硬记，第一招不用学，第三招只学小半招好了。你记着。归妹趋无妄，无妄趋同人，同人趋大有……"一路念将下去，足足念了三百余字，才道："你试背一遍。"令狐冲早就在全神记忆，当下依言背诵，只错了十来个字。风清扬纠正了，令狐冲第二次再背，只错了七个字，第三次便没再错。

风清扬甚是高兴，道："很好，很好！"又传了三百余字口诀，待令狐冲记熟后，又传三百余字。那"孤独九剑"的总诀足足有三千余字，而且内容不相连贯，饶是令狐冲记性特佳，却也不免记得了后面，忘记了前面，直花了一个多时辰，经风清扬一再提点，这才记得一字不错。风清扬要他从头至尾连背三遍，见他确已全部记住，说道："这总诀是独孤九剑的根本关键，你此刻虽记住了，只是为求速成，全凭硬记，不明其中道理，日后甚易忘记。从今天起，须得朝夕念诵。"令狐冲应道："是！"

风清扬道："九剑的第一招'总诀式'，有种种变化，用以体演这篇总诀，现下且不忙学。第二招是'破剑式'，用以破解普天下各门各派的剑法，现下也不忙学。第三招'破刀式'，用以破解单刀、双刀、柳叶刀、鬼头刀、大砍刀、斩马刀种种刀法。田伯光使的是单刀中的快刀法，今晚只学专门对付他刀法的这一部分。"

令狐冲听得独孤九剑的第二招可破天下各门各派的剑法，第三招可破种种刀法，惊喜交集，说道："这九剑如此神妙，徒孙直是闻所未闻。"兴奋之下，说话声音也颤抖了。

风清扬道："独孤九剑的剑法你师父没见识过，这剑法的名称，他倒听见过的。只不过他不肯跟你们提起罢了。"令狐冲大感奇怪，问道："却是为何？"风清扬不答他此问，说道："这第三招'破刀式'讲究以轻御重，以快制慢。田伯光那厮的快刀是快得很了，你却要比他更快。以你这等少年，和他比快，原也可以，只是或输或赢，并无必胜把握。至于我这等糟老头子，却也要比他快，唯一的法子便是比他先出招。你料到他要出甚么招，却抢在他头里。敌人手还没提起，你长剑已指向他的要害，他再快也没你快。"

令狐冲连连点头，道："是，是！想来这是教人如何料敌机先。"

风清扬拍手赞道："对，对！孺子可教。'料敌机先'这四个字，正是这剑法的精要所在，任何人一招之出，必定有若干征兆。他下一刀要砍向你的左臂，眼光定会瞧向你左臂，如果这时他的单刀正在右下方，自然会提起刀来，划个半圆，自上而下的斜向下砍。"于是将这第三剑中克破快刀的种种变化，一项项详加剖析。令狐冲只听得心旷神怡，便如一个乡下少年忽地置身于皇宫内院，目之所接，耳之所闻，莫不新奇万端。

这第三招变化繁复之极,令狐冲于一时之间,所能领会的也只十之二三,其余的便都硬记在心。一个教得起劲,一个学得用心,竟不知时刻之过,猛听得田伯光在洞外大叫:"令狐兄,天光啦,睡醒了没有?"

　　令狐冲一呆,低声道:"啊哟,天亮啦。"风清扬叹道:"只可惜时刻太过迫促,但你学得极快,已远过我的指望。这就出去跟他打罢!"

　　令狐冲道:"是。"闭上眼睛,将这一晚所学大要,默默存想了一遍,突然睁开眼来,道:"太师叔,徒孙尚有一事未明,何以这种种变化,尽是进手招数,只攻不守?"

　　风清扬道:"独孤九剑,有进无退! 招招都是进攻,攻敌之不得不守,自己当然不用守了。创制这套剑法的独孤求败前辈,名字叫做'求败',他老人家毕全想求一败而不可得,这剑法施展出来,天下无敌,又何必守?如果有人攻得他老人家回剑自守,他老人家真要心花怒放,喜不自胜了。"

　　令狐冲喃喃的道:"独孤求改,独孤求败。"想象当年这位前辈仗剑江湖,无敌于天下,连找一个对手来逼得他回守一招都不可得,委实令人可惊可佩。

　　只听田伯光又在呼喝:"快出来,让我再砍你两刀。"令狐冲叫道:"我来也!"

　　风清扬皱眉道:"此刻出去和他接战,有一事大是凶险,他如上来一刀便将你右臂或右腕砍伤,那只有任他宰割,更无反抗之力了。这件事可真叫我担心。"

　　令狐冲意气风发,昂然道:"徒孙尽力而为! 无论如何,决不能辜负了太师叔这一晚尽心教导。"提剑出洞,立时装出一副萎靡之状,打了个呵欠,又伸了个懒腰,揉了揉眼睛,说道:"田兄起得好早,昨晚没好睡吗?"心中却在盘算:"我只须挨过眼前这个难关,再学几个时辰,便永远不怕他了。"

田伯光一举单刀,说道:"令狐兄,在下实在无意伤你,但你太也固执,说甚么也不肯随我下山。这般斗将下去,逼得我要砍你十刀廿刀,令得你遍体鳞伤,岂不是十分的对你不住?"令狐冲心念一动,说道:"倒也不须砍上十刀廿刀,你只须一刀将我右臂砍断,要不然砍伤了我右手,叫我使不得剑。那时候你要杀要擒,岂不是悉随尊便?"田伯光摇头道:"我只是要你服输,何必伤你右手右臂?"令狐冲心中大喜,脸上却装作深有忧色,说道:"只怕你口中虽这么说,输得急了,到头来还是甚么野蛮的毒招都使将出来。"田伯光道:"你不用以言语激我。田伯光一来跟你无怨无仇,二来敬你是条有骨气的汉子,三来真的伤你重了,只怕旁人要跟我为难。出招罢!"

令狐冲道:"好!田兄请。"田伯光虚晃一刀,第二刀跟着斜劈而出,刀光映日,势道甚是猛恶。令狐冲待要使用"独孤九剑"中第三剑的变式予上破解,哪知田伯光的刀法实在太快,甫欲出剑,对方刀法已转,终是慢了一步。他心中焦急,暗叫:"糟糕,糟糕!新学的剑法竟然完全用不上,太师叔一定在骂我蠢才。"再拆数招,额头汗水已涔涔而下。

岂知自田伯光眼中看出来,却见他剑法凌厉之极,每一招都是自己刀法的克星,心下也是吃惊不小,寻思:"他这几下剑法,明明已可将我毙了,却为甚么故意慢了一步?是了,他是手下留情,要叫我知难而退。可是我虽然'知难',苦在不能'而退',非硬挺到底不可。"他心中这么想,单刀劈出时劲力便不敢使足。两人互相忌惮,均是小心翼翼的拆解。

又斗一会,田伯光刀法渐快,令狐冲应用独孤氏第三剑的变式也渐趋纯熟,刀剑光芒闪烁,交手越来越快。蓦地里田伯光大喝一声,右足飞起,踹中令狐冲小腹。令狐冲身子向后跌出,心念电转:"我只须再有一日一夜的时刻,明日此时定能制他。"当即摔剑脱手,双目紧闭,凝住呼吸,假作晕死之状。

田伯光见他晕去,吃了一惊,但深知他狡谲多智,不敢俯身去看,生怕他暴起袭击,败中求胜,当下横刀身前,走近几步,叫道:"令狐兄,怎么了?"叫了几声,才见令狐冲悠悠醒转,气息微弱,颤声道:"咱们……咱们再打过。"支撑着要站起身来,左腿一软,又摔倒在地。田伯光道:"你是不行的了,不如休息一日,明儿随我下山去罢。"

令狐冲不置可否,伸手撑地,意欲站起,口中不住喘气。

田伯光更无怀疑,踏上了步,抓住他右臂,扶了他起来,但踏上这一步时若有意、若无意的踏住了令狐冲落在地下的长剑,右手执刀护身,左手又正抓在令狐冲右臂的穴道之上,叫他无法行使诡计。令狐冲全身重量都挂在他的左手之上,显得全然虚弱无力,口中却兀自怒骂:"谁要你讨好?他奶奶的。"一跛一拐的回入洞中。

风清扬微笑道:"你用这法子取得了一日一夜,竟不费半点力气,只不地有点儿卑鄙无耻。"令狐冲笑道:"对付卑鄙无耻之徒,说不得,只好用点卑鄙无耻的手段。"风清扬正色道:"要是对付正人君子呢?"令狐冲一怔,道:"正人君子?"一时答不出话来。

风清扬双目炯炯,瞪视着令狐冲,森然问道:"要是对付正人君子,那便怎样?"令狐冲道:"就算他真是正人君子,倘若想要杀我,我也不能甘心就戮,到了不得已的时候,卑鄙无耻的手段也只好用上这么一点半点了。"风清扬大喜,朗声道:"好,好!你说这话,便不是假冒为善的伪君子。大丈夫行事,爱怎样便怎样,行云流水,任意所至,甚么武林规矩,门派教条,全都是放他妈的狗臭屁!"

令狐冲微微一笑,风清扬这几句话当真说到了他心坎中去,听来说不出的痛快,可是平素师父谆谆叮嘱,宁可性命不要,也决计不可违犯门规,不守武林规矩,以致败了华山派的清誉,太师叔这番话是不能公然附和的,何况"假冒为善的伪君子"云云,似乎是在讥刺他师父那"君子剑"的外号,当下只微微一笑,并不接口。

风清扬伸出干枯的手指抚摸令狐冲头发,微笑道:"岳不群门下,居然有你这等人才,这小子眼光是有的,倒也不是全无可取之处。"他所说的"这小子",自然是指岳不群了。

他拍拍令狐冲的肩膀,说道:"小娃了很合我心意,来来来,咱们把独孤大侠的第一剑和第三剑再练上一些。"当下又将独孤氏的第一剑择要讲述,待令狐冲领悟后,再将第三剑中的有关变化,连讲带比,细加指点。后洞中所遗长剑甚多,两人都以华山派的长剑比划演式。令狐冲用心记忆,遇到不明之处,便即询问。这一日时候充裕,学剑时不如前晚之迫促,一剑一式均能阐演周详。晚饭之后,令狐冲睡了两个时辰,又再学招。

次日清晨,田伯光只道他早一日受伤不轻,竟然并不出声索战。令狐冲乐得在后洞继续学剑,到得午末未初,独孤式第三剑的种种变化已尽数学全。风清扬道:"今日倘若仍然打他不过,也不要紧。再学一日一晚,无论如何,明日必胜。"

令狐冲应了,倒提本派前辈所遗下的一柄长剑,缓步走出洞来,见田伯光在崖边眺望,假作惊异之色,说道:"咦,田兄,你怎么还不走?"田伯光道:"在下恭候大驾。昨日得罪,今日好得多了罢?"令狐冲道:"也不见得好,腿上给田兄所砍的这一刀,痛得甚是厉害。"田伯光笑道:"当日在衡阳相斗,令狐兄伤势可比今日重得多了,却也不曾了过半句示弱之言。我深知你鬼计多端,你这般装腔作势,故意示弱,想攻我一个出其不意,在下可不会上当。"

令狐冲笑道："你这当已经上了，此刻就算醒觉，也来不及啦！田兄，看招！"剑随声出，直刺其胸。田伯光举刀急挡，去挡了个空。令狐冲第二剑又已刺了过来。田伯光赞道："好快！"横刀封架。令狐冲第三剑、第四剑又已刺出，口中说道："还有快的。"第五剑、第六剑跟着刺出，攻势既发，竟是一剑连着一剑，一剑快似一剑，连绵不绝，当真学到了这独孤剑法的精要，"独孤九剑，有进无退"，每一剑全是攻招。

十余剑一过，田伯光胆战心惊，不知如何招架才是，令狐冲刺一剑，他便退一步，刺得十余剑，他已退到了崖边。令狐冲攻势丝毫不缓，刷刷刷刷，连刺四剑，全是指向他要害之处。田伯光奋力挡开了两剑，第三剑无论如何挡不开了，左足后退，却踏了个空。他知道身后是万丈深谷，这一跌下去势必粉身碎骨，便在这千钧一发之际，猛力一刀砍向地下，借势稳住身子。令狐冲的第四剑已指在他咽喉之上。田伯光脸色苍白，令狐冲也是一言不发，剑尖始终不离他的咽喉。过了良久，田伯光怒道："要杀便杀，婆婆妈妈作甚？"

令狐冲右手一缩，向后纵开数步，道："田兄一时疏忽，给小弟占了机先，不足为凭，咱们再打过。"田伯光哼了一声，舞动单刀，犹似狂风骤雨般攻将过来，叫道："这次由我先攻，可不能让你占便宜了。"

令狐冲眼见他钢刀猛劈而至，长剑斜挑，径刺他小腹，自己上身一侧，已然避开了他刀锋。田伯光见他这一剑来得峻急，疾回单刀，往他剑上砸去，自恃力大，只须刀剑相交，准能将他长剑砸飞。令狐冲只一剑便抢到了先着，第二剑、第三剑源源不绝的发出，每一剑都是又狠且准，剑尖始终不离对手要害。田伯光挡架不及，只得又再倒退，十余招过去，竟然重蹈覆辙，又退到了崖边。令狐冲长剑削下，逼得他提刀护往下盘，左手伸出，五指虚抓，正好抢到空隙，五指指尖离他胸口膻中穴已不到两寸，凝指不发。田伯光曾两次被他以手指点中膻中穴，这一次若再点中，身子委倒时不再是晕在地下，却要跌入深谷之中了，眼见他手指虚凝，显是有意容让。两人僵持半晌，令狐冲又再向后跃开。

田伯光坐在石上，闭目养了会神，突然间一声大吼，舞刀抢攻，一口钢刀直上直下，势道威猛之极。这一次他看准了方位，背心向山，心想纵然再给你逼得倒退，也是退入山洞之中，说甚么也要决一死战。

令狐冲此刻于单刀刀招的种种变化，已尽数了然于胸，待他钢刀砍至，侧身向右，长剑便向他左肩削去。田伯光回刀相格，令狐冲的长剑早已收而刺他左腰。田伯光左臂与左腰相去不到一尺，但这一回刀，守中带攻，含有反击之意，力道甚劲，钢刀直荡了出去，急切间已不及收刀护腰，只得向右让了半步。令狐冲长剑起处，刺向他左颊。田伯光举刀挡架，剑尖忽地已指向左腿。田伯光无法再挡，再向右踏出一步。令狐冲一剑连着一剑，尽是攻他左侧，逼得他一步又一步地向右退让，十余步一跨，已将他逼向右边石崖的尽头。

该处一块大石壁阻住了退路，田伯光背心靠住岩石，舞起七八个刀花，再也不理令狐冲长剑如何攻来，耳中只听得嗤嗤声响，左手衣袖、左手衣衫、左足裤管已被长剑接连划中了六剑。这六剑均是只破衣衫，不伤皮肉，但田伯光心中雪亮，这六剑的每一剑都能教自己断臂折足，破肚开膛，到这地步，霎时间只觉万念俱灰，哇的一声，张嘴喷出一大口鲜血。

令狐冲接连三次将他逼到了生死边缘，数日之前，此人武功还远胜于己，些刻竟是生杀之权操于己手，而且胜来轻易，大是行有余力，脸上不动声色，心下动已大喜若狂，待见他大败之后，口喷鲜血,不由得歉疚之情油然而生,说道:"田兄,胜败乃是常事,何必如此?小弟也曾折在你手下多次!

田伯光抛下单刀,摇头道:"风老前辈剑术如神,当世无人能敌,在下永远不是你的对手了。"令狐冲替他拾起单刀,双手递过,说道:"田兄说得不错,小弟侥幸得胜,全凭风太师叔的指点。风太师叔想请田兄答应一件事。"田伯光不接单刀,惨然道:"田某命悬你手,有甚么好说的。"令狐冲道:"风太师叔隐居已久,不预世事,不喜俗人烦扰。田兄下山之后,请勿对人提起他老人家的事,在下感激不尽。"

田伯光冷冷的道:"你只须这么一剑刺将过来,杀人灭口,岂不干脆?"令狐冲退后两步,还剑入鞘,说道:"当日田兄武艺远胜于我之时,倘若一刀将我杀了,焉有今日之事?在下请田兄不向旁人泄露我风太师叔的行踪,乃是相求,不敢有丝毫胁迫之意。"田伯光道:"好,我答允了。"令狐冲深深一揖,道:"多谢田兄。"

田伯光道:"我奉命前来请你下山。这件事田某干不了,可是事情没完。讲打,我这一生是打你不过的了,却未必便此罢休。田某性命攸关,只好烂缠到底,你可别怪我不是好汉子的行径。令狐兄,再见了。"说着一抱拳,转身便行。

令狐冲想到他身中剧毒,此番下山,不久便毒发身亡,和他恶斗数日,不知不觉间已对他生出亲近之意,一时冲动,脱口便想叫将出来:"我随你下山便了。"但随即想起,自己被罚在崖上思过,不奉师命,决不能下崖一步,何况此人是个作恶多端的采花大盗,这一随他下山,变成了和他同流合污,将来身败名裂,祸患无穷,话到口边,终于缩住。

眼见他下崖而去,当即回入山洞,向风清扬拜伏在地,说道:"太师叔不但救了徒孙性命,又传了徒孙上乘剑术,此恩此德,永难报答。"

风清扬微笑道:"上乘剑术,上乘剑术,嘿嘿,还差得远呢。"他微笑之中,大有寂寞凄凉的味道。令狐冲道:"徒孙斗胆,求恳太师叔将独孤九剑的剑示尽数传授。"风清扬道:"你要学独孤九剑,将来不会懊悔么?"

令狐冲一怔,心想将来怎么会懊悔?一转念间,心道:"是了,这独孤九剑并非本门剑法,太师叔是说只怕师父知道之后会见责于我。但师父本来不禁我涉猎别派剑法,曾说他山之石,可以攻玉。再者,我从石壁的图形之中,已学了不少恒山、衡山、泰山、嵩山各派的剑地,连魔教十长老的武功也已学了不少。这独孤九剑如此神妙,实是学武之人梦寐以求的绝世妙技,我得蒙本门前辈指点传授,当真是莫大的机缘。"当即拜道:"这是徒孙的毕生幸事,将来只有感激,决无懊悔。"

风清扬道:"好,我便传你。这独孤九剑我若不传你,过得几年,世上便永远没这套剑法了。"说时脸露微笑,显是深以为喜,说完之后,神色却转凄凉,沉思半晌,这才说道:"田伯光决不会就此甘心,但纵然再来,也必在十天半月之后。你武功已胜于他,阴谋诡计又胜于他,永远不必怕他了。咱们时候大为充裕,须得从头学起,扎好根基。"于是将独孤九剑第一剑的"总诀式"依着口诀次序,一句句的解释,再传以种种附于口诀的变化。

令狐冲先前硬记口诀,全然未能明白其中含意,这时得风清扬从容指点,每一刻都领悟到若干上乘武学的道理,每一刻都学到几项奇巧奥妙和变化,不由得欢喜赞叹,情难自己。

一老一少,便在这思过崖上传习独孤九剑的精妙剑法,自"总诀式"、"破剑式"、"破刀式"以至"破枪式"、"破鞭式"、"破索式"、"破掌式"、"破箭式"而学到了第九剑"破气式"。那"破枪式"包括破解长枪,大戟、蛇矛、齐眉棍、狼牙棒、白蜡杆、禅杖、方便铲种种长兵刃之法。"破鞭式"破的是钢鞭、铁锏、点穴橛、拐子、蛾眉刺、匕首、板斧、铁牌、八角槌、铁椎等等短兵刃，"破索式"破的是长索，软鞭、三节棍，链子枪、铁链、渔网、飞锤流星等等软兵刃。虽只一剑一式，却是变化无穷，学到后来，前后式融会贯通更是威力大增。

最后这三剑更是难学。"破掌式"破的是拳脚指掌上的功夫，对方既敢以空手来斗自己利剑，武功上自有极高造诣，手中有无兵器，相差已是极微。天下的拳法、腿法、指法、掌法繁复无比，这一剑"破掌式"，将长拳短打、擒拿点穴、鹰爪虎爪、铁沙神掌，诸般拳脚功夫尽数包括在内。"破箭式"这个"箭"字，则总罗诸般暗器，练这一剑时，须得先学听风辨器之术，不但要能以一柄长剑击开敌人发射来的种种暗器，还须借力反打，以敌人射来的暗器反射伤敌。

至于第九剑"破气式"，风清扬只是传以口诀和修习之法，说道："此式是为对付身具上乘内功的敌人而用，神而明之，存乎一心。独孤前辈当年挟此剑横行天下，欲求一败而不可得，那是他老人家已将这套剑法使得出神入化之故。同是一门华山剑法，同是一招，使出来时威力强弱大不相同，这独孤九剑自也一般。你纵然学得了剑法，倘若使出时剑法不纯，毕竟还是敌不了当世高手，此刻你已得到了门径，要想多胜少败，再苦练二十年，便可和天下英雄一较长短了。"

令狐冲越是学得多，越觉这九剑之中变化无穷，不知要有多少时日，方能探索到其中全部奥秘，听太师叔要自己苦练二十年，丝毫不觉惊异，再拜受教，说道："徒孙倘能在二十年之中，通解独孤老前辈当年创制这九剑的遗意，那是大喜过望了。"

风清扬道："你倒也不可妄自菲薄，独孤大侠是绝顶聪明之人，学他的剑法，要旨在一个'悟'字，决不在死记硬记。等到通晓了这九剑的剑意，则无所施而不可，便是将全部变化尽数忘记，也不相干，临敌之际，更是忘记得越干净彻底，越不受原来剑法的拘束。你资质甚好，正是学练这套剑法的材料。何况当今之世，真有甚么了不起的英雄人物，嘿嘿，只怕也未必。以后自己好好用功，我可要去了。"

令狐冲大吃一惊，颤声道："太师叔，你……你到哪里去？"风清扬道："我本在这后山居住，已住了数十年，日前一时心喜，出洞来授了你这套剑法，只是盼望独孤前辈的绝世武功不遭灭绝而已。怎么还不回去？"令狐冲喜道："原来太师叔便在后山居住，那再好没有了。徒孙正可朝夕侍奉，以解太师叔的寂寞。"

风清扬厉声道："从今以后，我再也不见华山派门中之人，连你也非例外。"见令狐冲神色惶恐，便语气转和，说道："冲儿，我跟你既有缘，亦复投机。我暮年得有你这样一个佳子弟传我剑法，实是大畅老怀。你如心中有我这样一个太师叔，今后别来见我，以至我为难。"令狐冲心中酸楚，道："太师叔，那为甚么？"风清扬摇摇头，说道："你见到我的事，连对你师父也不可说起。"令狐冲含泪道："是，自当遵从太师叔吩咐。"

风清扬轻轻抚摸他头，说道："好孩子，好孩子！"转身下崖。令狐冲跟到崖边，眼望他瘦削的背影飘飘下崖，在后山隐没，不由得悲从中来。

令狐冲和风清扬相处十余日，虽然听他所谈论指教的只是剑法，但于他议论风范，不但钦仰敬佩，更是觉得亲近之极，说不出的投机。风清场是高了他两辈的太师叔，可是令狐冲内心，却隐隐然有一股平辈知己、相见恨晚的交谊，比之恩师岳不群，似乎反而亲切得多，心想："这位太师叔年轻之时，只怕性子和我差不多，也是一副天不怕、地不怕、任性行事的性格。他教我剑法之时，总是说'人使剑法，不是剑法使人'，总说'人是活的，剑法是死的,活人不可给死剑法所拘'。这道理千真万确,却为何师父从来不说?"

他微一沉吟,便想:"这道理师父岂有不知?只是他知道我性子太过随便,跟我一说了这道理,只怕我得其所在,乱来一气,练剑时便不能循规蹈矩。等到我将来剑术有了小成,师父自会给我详加解释。师弟师妹们武功未够火候,自然更加不能明白这上乘剑理,跟他们说了也是白说。"又想:"太师叔的剑术,自己到了出神入化的境界,只可惜他老人家从来没显一下身手,令我大开眼界。比之师父,太师叔的剑法当然又高一筹了。"

回想风清扬脸带病容,寻思:"这十几天中,他有时轻声叹息,显然有甚么重大的伤心事,不知为了甚么?"叹了口气,提了长剑,出洞便练了起来。

练了一会,顺手使出一剑,竟是本门剑法的"有凤来仪"。他一呆之下,摇头苦笑,自言自语:"错了!"跟着又练,过不多时,顺手一剑,又是"有凤来仪",不禁发恼,寻思:"我只因本门剑法练得纯熟,在心中已印得根深蒂固,使剑时稍一滑溜,便将练熟的本门剑招夹了进去,却不是独孤剑法了。"突然间心念一闪,心道:"太师叔叫我使剑时须当心无所滞,顺其自然,那么使本门剑法,有何不可?甚至便将衡山、泰山诸派剑地、魔教十长老的武功夹在其中,又有何不可?倘若硬要划分,某种剑法可使,某种剑法不可使,那便是有所拘泥了。"

此后便即任意发招,倘若顺手,便将本门剑法、以及石壁上种种招数掺杂其中,顿觉乐趣无穷。但五岳剑派的剑法固然各不相同,魔教十长老更似出自六七个不同门派,要将这许多不同路子的武学融为一体,几乎绝不可能。他练了良久,始终无法融合,忽想:"融不成一起,那又如何?又何必强求?"

当下再也不去分辨是甚么招式,一经想到,便随心所欲的混入独孤九剑之中,但使来使去,总是那一招"有凤来仪"使得最多。又使一阵,随手一剑,又是一招"有凤来仪",心念一动:"要是小师妹见到我将这招'有凤来仪'如此使法,不知会说甚么?"

他凝剑不动,脸上现出温柔和微笑。这些日子来全心全意的练剑,便在睡梦之中,想到的也只是独孤九剑的种种变化,这时蓦地里想起岳灵珊,不由得相思之情难以自已。跟着又想:"不知她是否暗中又在偷偷教林师弟学剑?师父命令虽严,小师妹却向来大胆,恃着师娘宠爱,说不定又在教剑了。就算不教剑,朝夕相见,两人定是越来越好。"渐渐的,脸上微笑转成了苦笑,再到后来,连一丝笑意也没有了。

他心意沮丧,慢慢收剑,忽听得陆大有的声音叫道:"大师哥,大师哥!"叫声甚是惶急。令狐冲一惊:"啊哟不好!田伯光那厮败退下山,说道心有不甘,要烂缠到底,莫非他打我不过,竟把小师妹掳劫了去,向我挟持?"急忙抢到崖边,只见陆大有提着饭篮,气急败坏的奔上来,叫道:"大……大师哥……大……师哥,大……事不妙。"

令狐冲更是焦急,忙问:"怎么?小师妹怎么了?"陆大有纵上崖来,将饭篮在大石上一放,道:"小师妹?小师妹没事啊。糟糕,我瞧事情不对。"令狐冲听得岳灵珊无事,已放了一大半心,问道:"甚么事情不对?"陆大有气喘喘的道:"师父、师娘回来啦。"令狐冲心中一喜,斥道:"呸!师父、师娘回山来了,那不是好得很么?怎么叫做事情不对?胡说八道!"

陆大有道:"不,不,你不知道。师父、师娘一回来,刚坐定还没几个时辰,就有好几个人拜山,嵩山、衡山、泰山三派中,都有人在内。"令狐冲道:"咱们五岳剑派联盟,嵩山派他们有人来见师父,那是平常得紧哪。"陆大有道:"不,不……你不知道,还有三个人跟他们一起上来，说是咱们华山派的，师父却不叫他们师兄、师弟。"

令狐冲微感诧异，道："有这等事？那三个人怎生模样？"

陆大有道："一个人焦黄面皮，说是姓封，叫甚么封不平。还有一个是个道人，另一个则是矮子，都叫'不'甚么的，倒真是'不'字辈的人。"

令狐冲点头道："或许是本门叛徒，早就给清出了门户的。"

陆大有道："是啊！大师哥料得不错。师父一见到他们，就很不高兴，说道：'封兄，你们三位早已跟华山派没有瓜葛，又上华山来作甚？'那封不平道：'华山是你岳师兄买下来的？就不许旁人上山？是皇帝老子封给你的？'师父哼了一声，说道：'各位要上华山游玩，当然听便，可是岳不群却不是你师兄了，"岳师兄"三字，原封奉还。'那封不平道：'当年你师父行使阴谋诡计，霸占了华山一派，这笔旧帐，今日可得算算。你不要我叫"岳师兄"，哼哼，算帐之后，你便跪在地下哀求我再叫一声，也难求得动我呢。'"

令狐冲"哦"了一声，心想："师父可真遇上了麻烦。"

陆大有又道："咱们做弟子的听得都十分生气，小师妹第一个便喝骂起来，不料师娘这次却脾气忒也温和，竟不许小师妹出声。师父显然没将这三人放在心上，淡淡的道：'你要算帐？算甚么帐？要怎样算法？'那封不平大声道：'你篡夺华山派掌门之位，已二十多年啦，到今天还做不够？应该让位了罢？'师父笑道：'各位大动阵仗的来到华山，却原来想夺在下这掌门之位。那有甚么希罕？封兄如自忖能当这掌门，在下自当奉让。'那封不平道：'当年你师父凭着阴谋诡计，篡夺了本派掌门之位，现下我已禀明五岳盟主左盟主，奉得旗令，来执掌华山一派。'说着从怀中掏出一支小旗，展将开来，果然便是五岳旗令。"

令狐冲怒道："左盟主管得未免太宽了，咱们华山派本门之事，可用不着他来管闲事。他有甚么资格能废立华山派的掌门？"

陆大有道："是啊，师娘当时也就这么说。可是嵩山派那姓陆的老头仙鹤手陆柏，就是在衡山刘师叔府上见过的那老家伙，却极力替那封不平撑腰，说道华山派掌门该当由那姓封的来当，和师娘争执不休。泰山派、衡山派那两个人，说来气人，也都和封不平做一伙儿。他们三派联群结党，来和华山派为难来啦。就只恒山派没人参预。大……大师哥，我瞧着情形不对，赶紧来给你报讯。"

令狐冲叫道："师门有难，咱们做弟子的只要有一口气在，说甚么也要给师父卖命。六师弟，走！"陆大有道："对！师父见你是为他出力，一定不会怪你擅自下崖。"令狐冲飞奔下崖，说道："师父就算见怪，也不打紧。师父是彬彬君子，不喜和人争执，说不定真的将掌门人之位让给了旁人，那岂不糟糕……"说着展开轻功疾奔。

令狐冲正奔之间，忽听得对面山道上有人叫道："令狐冲，令狐冲，你在哪儿？"令狐冲道："是谁叫我？"跟着几个声音齐声问道："你是令狐冲？"令狐冲道："不错！"

突然间两个人影一晃，挡在路心。山道狭窄，一边更下临万丈深谷，这二人突如其来的在山道上现身，突兀无比，令狐冲奔得正急，险些撞在二人身上，急忙止步，和那二人相去已不过尺许。只见这二人脸上都是凹凹凸凸，又满是皱纹，甚为可怖，一惊之下，转身向后纵开丈余，喝问："是谁？"

却见背后也是两张极其丑陋的脸孔，也是凹凹凸凸，满是皱纹，这两张脸和他相距更不到半尺，两人的鼻子几乎要碰到他鼻子，令狐冲这一惊更是非同小可，向旁踏出一步，只见山道临谷处又站着二人，这二人的相貌与先前四人颇为相似。陡然间同时遇上这六个怪人，令狐冲心中怦怦大跳，一时手足无措。

在这霎息之间，令狐冲已被这六个怪人挤在不到三尺见方的一小块山道之中，前面二人的呼吸直喷到他脸上，而后颈热呼呼地，显是后面二人的呼吸。他忙伸手去拔剑，手指刚碰到剑柄，六个怪人各自跨上半步，往中间一挤，登时将他挤得丝毫无法动弹。只听得陆大有在身后大叫："喂，喂，你们干甚么？"

饶是令狐冲机变百出，在这刹那之间，也不由得吓得没了主意。这六人如鬼如魅，似妖似怪，容颜固然可怖，行动更是诡异。令狐冲双臂向外力张，要想推开身前二人，但两条手臂被那二人挤住，却哪里推得出去？他心念电闪："定是封不平他们一伙的恶徒。"蓦地里全身一紧，几乎气也喘不过来，四个怪人加紧挤拢，只挤得他骨骼格格有声。令狐冲不敢与面前怪人眼睁睁的相对，急忙闭住了双眼，只听得有个尖锐的声音说道："令狐冲，我们带你去见小尼姑。"

令狐冲心道："啊哟，原来是田伯光这厮的一伙。"叫道："你产不放开我，我便拔剑自杀！令狐冲宁死……"突觉双臂已被两只手掌牢牢握住，两只手掌直似铁钳。令狐冲空自学了独孤九剑，却半点施展不出，心中只是叫苦。

只听得又一人道："乖乖小尼姑要见你，听话些，你也是乖孩子。"又一人道："死了不好，你如自杀，我整得你死去活来。"另一人道："他死都死了，你还整得他死去活来干么？"先一人道："你要吓他，便不可说给他听。给他一听见，便吓不倒了。"先一人道："我偏要吓，你又待怎样？"另一人道："我说还是劝他听话的好。"先一人道："我说要吓，便是要吓。"另一人道："我喜欢劝。"两人竟尔互相争执不休。

令狐冲又惊又恼，听他二人这般瞎吵，心想："这六个怪人武功虽高，却似乎蠢得厉害。"当即叫道："吓也没用，劝也没用，你们不放我,我可要自己咬断舌头自杀了。"

突觉脸颊上一痛,已被人伸手捏住了双颊。只听另一个声音道:"这小子倔强得紧,咬断了舌头,不会说话,小泥姑不喜欢。"又能一人道:"咬断舌头便死了,岂但不会说话而已!"另一人道:"未必便死。不信你倒咬咬看。"先一人道:"我说要死,所以不咬,你倒咬咬看。"另一人道:"我为甚么要咬自己舌头?有了,叫他来啊。"

只听得陆大有"啊"的一声大叫,显是给那些怪人捉住了,只听一人喝道:"你咬断自己舌头,试试看,死还是不死? 快咬,快咬!"陆大有叫道:"我不咬,咬了一定要死。"一人道:"不错,咬断舌头定然要死,连他也这么说。"另一人道:"他又没死,这话作不得准。"另一人道:"他没咬断舌头,自然不死。一咬,便死!"

令狐冲运劲双臂,猛力一挣,手腕登时疼痛入骨,却哪里挣得动分毫? 立然间情急智生,大叫一声,假装晕了过去。六个怪人齐声惊呼,捏住令狐冲脸颊的人立时松手。一人道:"这人吓死啦!"又一人道:"吓不死的,哪会如此没用。"另一人道:"就算是死了,也不是吓死的。"先一人道:"那么是怎生死的?"

陆大有只道大师哥真的给他们弄死了,放声大哭。

一个怪人道:"我说是吓死的。"另一人道:"你抓得太重,是抓死的。"又一人道:"到底是怎生死的?"令狐冲大声道:"我自闭经脉,自杀死的!"

六怪听他突然说话,都吓了一跳,随即齐声大笑,都道:"原来没死,他是装死。"令狐冲道:"我不是装死,我死过之后,又活转来了。"一怪道:"你当真会自闭经脉?这功夫可难练得紧,你教教我。"另一怪道:"这自闭经脉之法高深得很,这小子不会的,他是骗你。"令狐冲道:"你说我不会?我倘若不会,刚才又怎会自闭经脉而死?"那怪人搔了搔头,道:"这个……这个……可有点儿奇了。"

令狐冲见这六怪武功虽然甚高，头脑果然鲁钝之至，便道："你们再不放开我，我可又要自闭经脉啦，这一次死了之后，可就活不转了。"抓住他的手腕的二怪登时松手，齐道："你死不得，你要死了，大大的不妙。"令狐冲道："要我不死也可以，你们让开路，我有要事去办。"挡在他身前的二怪同时摇头，一齐摇向左，又一齐摇向右，齐声道："不行，不行。你得跟我去见小尼姑。"

令狐冲睁眼提气，身子纵起，便欲从二怪头顶飞跃而过，不料二怪跟着跃高，动作快得出奇，两个身子便如一堵飞墙，挡在他身前。令狐冲和二怪身子一撞，便又掉了下来。他身在半空之时，已伸手握住剑柄，手臂向外一掠，便欲抽剑，突然间肩头一重，在他身后的二怪各伸一掌，分按他双肩，他长剑只离鞘一尺，便抽不出来。按在他肩头的两只手掌上各有数百斤力道，他身子登时矮了下去，别说拔剑，连站立也已有所不能。

二怪将他按倒后，齐声笑道："抬了他走!"站在他身前的二怪各伸一手，抓住他足踝，便将他抬了起来。

陆大有叫道："喂，喂! 你们干甚么?"一怪道："这人叽哩咕噜，杀了他!"举掌便要往他头顶拍落。令狐冲大叫："杀不得，杀不得!"那怪人道："好，听你这小子的，不杀便不杀，点了他的哑穴。"竟不转身，反手一指，嗤的一声响，已点了陆大有的哑穴。陆大有正在大叫，但那"啊"的一声突然从中断绝，恰如有人拿一把剪刀将他的叫声剪断了一般，身子跟着缩成一团。令狐冲见他这点穴手法认穴之准，劲力之强，生平实所罕见，不由得大为钦佩，喝彩道："好功夫!"

那怪人大为得意，笑道："那有甚么希奇，我还有许多好功夫呢，这就试演几种给你瞧瞧。"若在平时，令狐冲原欲大开眼界，只是此刻挂念师父的安危，心下大不焦虑，叫道；"我不要看!"那怪人恚道:"你为甚么不看?我偏要你看。"纵身跃起,从令狐冲和抓着他的四名怪人头顶飞越而过,身子从半空横过时平掠而前,有如轻燕,姿式美妙已极。令狐冲不由得脱口又赞:"好啊!"那怪人轻轻落地,微尘不起,转过身来时,一张长长的马脸上满是笑容,道:"这不算甚么,还有更好的呢。"此人年纪少说也有六七十岁,但性子恰似孩童一般,得人称赞一句,便欲卖弄不休,武功之高明深厚,与性格之幼稚浅薄,恰是两个极端。

令狐冲心想:"师父、师娘正受困于大敌,对手有嵩山、泰山诸派好手相助,我便赶了去,那也无济于事,何不骗这几个怪人前去,以解师父、师娘之厄?"当即摇头道:"你们这点功夫,到这里来卖弄,那可差得远了。"那人道:"甚么差得远?你不是给我们捉住了吗?"令狐冲道:"我是华山派的无名小卒,要捉住我还不容易?眼前山上聚集了嵩山、泰山、衡山、华山各派好手,你们又岂敢去招惹?"那人道:"要惹便去惹,有甚么不敢?他们在哪里?"另一人道:"我们打赌赢了小姑,小尼姑就叫我们来抓令狐冲,可没叫我去惹甚么嵩山、泰山派的好手。赢一场,只做一件事,做得多了,太不上算。这就走罢。"

令狐冲心下宽慰:"原来他们是仪琳小师妹差来的?那么倒不是我对头。看来他们是打赌输了,不得不来抓我,却要强好胜,自称赢了一场。"当下笑道:"对了,那个嵩山派的好手说道,他最瞧不起那六个橘子皮的马脸老怪,一见到便要伸手将他们一个个像捏吗蚁般捏死了。只可惜那六个老怪一听到他声音,便即远远逃去,说甚么也找他们不到。"

六怪一听,立时气得哇哇大叫,抬着令狐冲的四怪将他身子放下,你一言我一语的道:"这人在哪里?快带我们去,跟他们较量较量。""甚么嵩山派、泰山派,桃谷六仙还真不将他们放在眼里。""这人活得不耐烦了,胆敢要将桃谷六仙像损坏蚂蚁般捏死？"

令狐冲道："你们自称桃谷六仙，他口口声声的却说桃谷六鬼，有时又说桃谷六小子、六仙哪，我劝你们还是远而避之的为妙，这人武功厉害得很，你们打他不过的。"

一怪大叫："不行，不行！这就去打个明白。"另一怪道："我瞧情形不妙，这嵩山派的高手既然口出大言，必有惊人的艺业。他叫我们桃谷六小子，那么定是我们的前辈，想来一定斗他不过。多一事不如少一事，咱们快快回去罢。"另一人道："六弟最是胆小，打都没打，怎知斗他不过？"那胆小怪人道："倘若当真给他像捏蚂蚁般捏死了，岂不倒霉？打过之后，已经给他捏死，又怎生逃法？"

令狐冲暗暗好笑，说道："是啊，要逃就得赶快，倘若给他得知讯息，追将过来，你们就逃不掉了。"

那胆小怪人一听，飞身便奔，一晃之间便没了踪影。令狐冲吃了一惊，心想："这人轻身功夫竟然如此了得。"却听一怪道："六弟怕事，让他逃走好了，咱们却要去斗斗那嵩山派的高手。"其余四怪都道："去，去！桃谷六仙天下无敌，怕他何来？"

一个怪人在令狐冲肩上轻轻一拍，说道："快带我们去，且看他怎生将我们像捏蚂蚁般捏死了。"令狐冲道："带你们去是可以的，但我令狐冲堂堂男子，决不受人胁迫。我不过听那嵩山派的高手对你们六位大肆嘲讽，心怀不平，又见到你们六位武功高强，心下十分佩服，这才有意仗义带你们去找他们算帐。倘若你们仗着人多势众，硬要我做这做那，令狐冲死就死了，决不依从。"

五个怪人同时拍手，叫道："很好，你挺有骨气，又有眼光，看得出我们六兄弟武功高强，我兄弟们也很佩服。"

令狐冲道："既然如此，我便带你们去，只是见到他之时，不可胡乱说话,胡乱行事,免得武林中英雄好汉耻笑桃谷六仙浅薄幼稚,不明世务。一节须听我吩咐,否则的话,你们大大丢我的脸,大伙儿都面上无光了。"他这几句话原只是意存试探,不料五怪听了之后,没口子的答应,齐声道:"那再好也没有了,咱们决不能让人家再说桃谷六仙浅薄幼稚,不明世务。"看来"浅薄幼稚,不明世务"这八字评语,桃谷六仙早就听过许多遍,心下深以为耻,令狐冲这话正打中了他们心坎。

令狐冲点头道:"好,各位请跟我来。"当下快步顺着山道走去,五怪随后跟去。

行不到数里,只见那胆小怪人在山岩后探头探脑的张望,令狐冲心想此人须加激励,便道:"嵩山派那老儿的武功比你差得远了,不用怕他。咱们大伙儿去找他算帐,你也一起去罢。"那人大喜,道:"好,我也去。"但随即又问:"你说那老儿的武功和我差得远,到底是我高得多,还是他高得多?"此人既然胆小,便十分的谨慎小心。令狐冲笑道:"当然是你高得多。刚才你脱身飞奔,轻功高明之极,那嵩山派的老儿无论如何追你不上。"那人大为高兴,走到他身旁,不过兀自不放心,问道:"倘若他当真追上了我,那便如何?"令狐冲道:"我和你寸步不离,他如胆敢追上了你,哼,哼!"手拉长剑剑柄,出鞘半尺,拍的一声,又推入了鞘中,道:"我便一剑将他杀了。"那人大喜,叫道:"妙极,妙极!你说过的话可不能不算数。"令狐冲道:"这个自然。不过他如追你不上,我便不杀他了。"那人笑道:"是啊,他追我不上,便由得他去。"

令狐冲暗暗好笑,心想:"你一发足左奔,要想追上你可真不容易。"又想:"这六个老儿生性纯相,不是坏人,倒可交交。"说道:"在下久闻六位的大名,如雷贯耳,今日一见,果然名不虚传,只不知六位尊姓大名。"

六个怪人哪想得到此言甚是不通,一听到他说久闻大史,如雷贯耳,个个便心花怒放。那人道:"我是大哥,叫做桃根仙。"另一人道:"我是二哥,叫做桃干仙。"又一人道:"我不知是三哥还是四哥,叫做桃枝仙。"指着一怪人道:"他不知是三哥还是四哥,叫做桃叶仙。"令狐冲奇道:"你们谁是三哥四哥,怎么连自已也不知道?"

桃枝仙道:"不是我二人不知道,是我爹爹妈妈忘了。"桃叶仙插口道:"你爹娘生你之时,如果忘了生过你,你当时一个小娃娃,怎知道世界上没有你这个人?"令狐冲忍笑点头,说道:"很是,很是,幸亏我爹娘记得生过我这个人。"桃叶仙道:"可不是吗?"令狐冲问道:"怎地你们爹妈忘了?"桃叶仙道:"爹爹妈妈生我们两兄弟之时,是记得谁大谁小的,过得几年便忘记了,因此也不知到底谁是老三,谁是老四。"指着桃枝仙道:"他定要争到老三,我不叫他三哥,他便要和我打架,只好让了他。"令狐冲笑道:"原来你们是两兄弟。"桃枝仙道:"是啊,我们是六兄弟。"

令狐冲心想:"有这样的糊涂父母,难怪生了这样糊涂的六个儿子来。"向其余二人道:"这两位却又怎生称呼?"胆小怪人道:"我来说,我是六弟,叫做桃实仙。我五哥叫桃花仙。"令狐冲忍不住哑然失笑,心想:"桃花仙相貌这般丑陋,和'桃花'二字无论如何不相称。"桃花仙见他脸有笑容,喜道:"六兄弟之中,以我的名字最是好听,谁都及不上我。"令狐冲笑道:"桃花仙三字,当真好听,但桃根、桃干、桃枝、桃叶、桃实,五个名字也都好听得紧。妙极,妙极,要是我也有这样美丽动听的名字,我可要欢喜死了。"

桃谷注仙无不心花怒放,手舞足蹈,只觉此人实是天下第一好人。

令狐冲笑道:"咱们这便去罢。请哪一位桃兄去解了我师弟的穴道。你们的点穴手段太高,我是说甚么也解不开的。"